Ingrid Weger • Sabine Schwabl • Gertraud Hilger

das deutschbuch 2

Kompetenzorientierung gemäß
Reife- und Diplomprüfung NEU

Felix P.
2aHMP

Jugend & Volk westermann

Mit diesen Symbolen und Elementen arbeitet das deutschbuch:

Zuhören

Sprechen

Lesen

Schreiben

Reflexion

Sprachbewusstsein

Portfolio

Internetverweis

Teilstandardisierte Reife- und Diplomprüfung

Lesetipps: exemplarische Literaturangaben als Anregung zum Weiterlesen

● **Einzelarbeit**

●● **Partnerarbeit**

●●● **Gruppenarbeit**

○ **Klassengespräch**

Diese kurzen und übersichtlich strukturierten Zusammenfassungen dienen dazu, den Schülerinnen und Schülern das Lernen und Behalten der wesentlichen Informationen zu erleichtern.

Worterklärung:
Fremdwörter, fachspezifische Ausdrücke und Begriffe, die vielen Jugendlichen dieser Altersgruppe nicht geläufig sind, werden neben den Texten in der jeweiligen Randspalte in einfachen Worten erklärt.

Zu diesen Inhalten finden Sie im E-BOOK+ weitere Materialien:

IA = interaktive Aufgaben
VL = Vorlagen
AB = Arbeitsblätter
VI = Videos

HÖ = Hörtexte/Hörübungen
LÖ = Lösungen zum Schulbuch
ZU = Zusatzinformationen

● = ein Material / ⬤ = mehr als 12 Materialien

1 Check: Wissen und Können

	IA	HÖ	VL	LÖ	AB	ZU	VI
Rechtschreib- und Grammatik-Training	⬤				●●	⬤	
Lösungen zum Schulbuch				●●●●●			

2 Kommunikation

	IA	HÖ	VL	LÖ	AB	ZU	VI
Literatur: Bert Brecht		●					
Präsentieren							●●

3 Lesen

	IA	HÖ	VL	LÖ	AB	ZU	VI
Konjunktiv						●●●	
Hörübungen zu Sachtexten		●●●●●					
Literatur: Peter Bichsel, Sarah Kirsch		●●●●					

4 Sprache

	IA	HÖ	VL	LÖ	AB	ZU	VI
Modalverben					●		
Lösungen zum Schulbuch				●●●●			
Literatur: Peter Bichsel, J. W. von Goethe Jugendsprache: Fettes Brot, Deichkind		●●●●					

6 Schreibprozesse

	IA	HÖ	VL	LÖ	AB	ZU	VI
Konjunktionen, Rechtschreibung	●				●●●		
Lösungen zum Schulbuch				●●			
Grammatik, Formulieren						●●●●	

7 Schreibhandlungen

	IA	HÖ	VL	LÖ	AB	ZU	VI
Argumentieren und Erörtern					●●●●●●●●●●●●		
Lösungen zum Schulbuch				●●●●●●			
Grammatik-Training						●●●●●	
Literatur: Heinrich Böll, Wolfgang Borchert, Zsuzsa Bank, Ilse Aichinger		●●●●					

8 Fachsprache(n)

	IA	HÖ	VL	LÖ	AB	ZU	VI
Fachwortschatz	●●●●●						
Fremdwörter/ Synonyme	●						
Lösungen zum Schulbuch				●●●●●●●●			

10 Literatur, Kunst und Gesellschaft

	IA	HÖ	VL	LÖ	AB	ZU	VI
Literarische Begriffe	●●						
Lösungen zum Schulbuch				●●			
Lese-Aufgaben, biografische Infos						●●●●●●●●●	
Literatur: Lyrik, Epik		⬤					

Bildungsstandards DEUTSCH 13. Schulstufe

Das vorliegende Lehrwerk basiert auf den Bildungsstandards DEUTSCH. Aufbauend auf den Bildungsstandards für die 8. Schulstufe, die Ausgangspunkt des Lernens im ersten Jahrgang sind, wird kumulativ und nachhaltig auf die Bildungsstandards DEUTSCH für die 13. Schulstufe der berufsbildenden höheren Schulen hingearbeitet.

Diese Bildungsstandards verstehen sich als Beitrag zur transparenten Darstellung von Lernergebnissen; sie unterstützen den Prozess des Lernens, indem sie die Teilkompetenzen explizit ausweisen. Sie dienen den Deutschlehrerinnen und Deutschlehrern als Orientierung in der Unterrichtsarbeit, da sie klar erwartete Kompetenzen benennen. Sie sind aber auch für die Schülerinnen und Schüler eine Zielvorgabe und Messlatte, über welche nachhaltigen Kompetenzen sie am Ende ihres Bildungsganges verfügen sollten, um für Studium oder Beruf „kompetent" zu sein.

Die Bildungsstandards DEUTSCH setzen am Kernprozess des Unterrichtens an und beschreiben grundlegende Handlungsanforderungen. Sie definieren, was die Schülerinnen und Schüler „können" sollten. Dieses **„Können"** kann aber nie isoliert gesehen werden, sondern ist mit **Wissen**serwerb, mit Inhalten verknüpft. Dabei kommt gerade dem Unterrichtsgegenstand Deutsch eine wichtige Rolle im Bildungsgang zu, da er auch Grundlage und Fertigkeiten für andere Unterrichtsgegenstände vermittelt. Die Beschäftigung mit Sprache, Literatur und Medien leistet einen wesentlichen Beitrag zur Persönlichkeitsbildung, zur aktiven Teilnahme am gesellschaftlichen und beruflichen Leben.

Diese integrative Sichtweise des Unterrichtsgegenstandes zeigt sich auch in den Bildungsstandards, in denen diese zentralen fachlichen, aber auch fachübergreifenden Ziele auf der Grundlage eines Kompetenzmodells ausgewiesen werden. In diesen sind die wesentlichen Kompetenzbereiche *Zuhören, Sprechen, Lesen, Schreiben, Sprachbewusstsein* und *Reflexion* beschrieben. Mittels Deskriptoren werden die Teilfertigkeiten, über die eine Schülerin bzw. ein Schüler am Ende des Bildungsganges verfügen sollte, explizit benannt. Ihnen sind die sprachlichen Fertigkeiten *Rezeption, Interaktion* und *Produktion* zugewiesen. Ein wesentliches Kriterium der Bildungsstandards DEUTSCH 13. Schulstufe ist es, auf die Handlungsanweisungen (Kernkompetenzen) zu fokussieren und im Bereich der Inhalte einen relativ großen Freiraum zuzulassen, da Kompetenzbereiche anhand vielfältiger Inhalte trainiert werden können und sollen.

Die Bildungsstandards DEUTSCH für die 13. Schulstufe zielen auf die Abschlussqualifikationen ab und stellen somit auch die Zielvorgabe für die teilstandardisierte Reife- und Diplomprüfung dar, auf die fünf Jahre lang hingearbeitet wird.

Bundesministerium für Unterricht, Kunst und Kultur (Hg.): Deutsch 13. Schulstufe, Bildungsstandards in der Berufsbildung. 7. Auflage, Wien, bm:ukk, 2012

Neue Oberstufe

Ab der 10. Schulstufe sind die Lehrpläne der BHS nicht nur in Jahrgänge, sondern auch in Semester (Kompetenzmodule) unterteilt.
In diesem Schulbuch wird dieser Semestrierung Rechnung getragen, indem die einzelnen Kapitel dem jeweiligen Semester zugeordnet werden. Die Kennzeichnung nach Semestern finden Sie sowohl im Inhaltsverzeichnis als auch in den einzelnen Kapiteln.

Kompetenzmodell BIST D 13

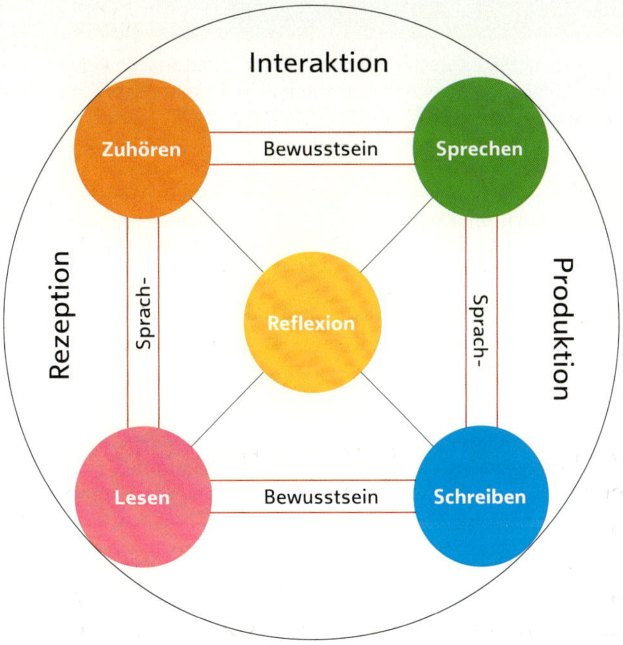

Deskriptoren

A. Kompetenzbereich: Zuhören

Deskriptoren		Hinweise und Beispiele zur Konkretisierung
1. Mündlichen Darstellungen folgen und sie verstehen (Rezeption)	1.1 Aktiv zuhören	Rollenspiele, kontrollierter Dialog etc.
	1.2 Kerninformationen entnehmen	Radio- und Fernsehsendung, Podcast, Hörbuch, Vortrag, Referat etc.
	1.3 Redeabsichten wahrnehmen	Information, Manipulation, Diskriminierung, Appell etc.
	1.4 Para- und nonverbale Äußerungen erkennen	Stimmlage, Lautstärke, Betonung, Sprachmelodie, Sprechtempo; Mimik, Gestik
	1.5 Gestaltungsmittel unterschiedlicher Sprach- und Stilebenen verstehen	Rhetorische Figuren, sprachliche Register (Standard-, Umgangssprache; Dialekte, Soziolekte)

B. Kompetenzbereich: Sprechen

Deskriptoren		Hinweise und Beispiele zur Konkretisierung
2. Sprache situationsangemessen, partnergerecht, sozial verantwortlich gebrauchen (Interaktion)	2.1 Gestaltungsmittel unterschied-licher Sprach- und Stilebenen erkennen und situationsangemessen einsetzen	Rhetorische Figuren, sprachliche Register (Standard-, Umgangssprache, Dialekte, Soziolekte) etc.
	2.2 Sprachsensibel formulieren	Geschlechter- und minderheitengerechte Formulierungen, kritischer Umgang mit belasteten Begriffen, wertenden Bezeichnungen etc.
	2.3 Sachgerecht argumentieren	Vorbringen und Verteidigen gegensätzlicher Standpunkte, Abwägen von Argumenten, Entwickeln von Argumentationsstrategien
	2.4 Zielgerecht appellieren	Zielgruppen-, insbesondere Kundenorientierung; Verkaufsgespräch, Produkt- und Projektpräsentation etc.
	2.5 Äußerungen durch para- und nonverbale Ausdrucksmittel unterstützen	Stimmlage, Lautstärke, Betonung, Sprachmelodie, Sprechtempo; Blickkontakt, Mimik, Gestik, Körperhaltung; Dresscode
	2.6 Feedback geben	Regeln aushandeln und einhalten, konstruktive Rückmeldung in adäquater Sprache und Gestik
3. Gespräche führen (Interaktion)	3.1 Sich konstruktiv an Gesprächen und Diskussionen beteiligen	Sachliches Vorbringen unterschiedlicher Positionen, Einhalten von Gesprächsregeln etc.
	3.2 Auf Gesprächsbeiträge angemessen reagieren	Unterscheidung von Sach- und Beziehungsebene, Strategien zur Deeskalation etc.
	3.3 Passende Gesprächsformen in privaten, beruflichen und öffentlichen Sprechsituationen anwenden	Fach-, Informations-, Bewerbungs-, Beratungs-, Beschwerdegespräch, Small Talk etc.
	3.4 Diskussionen leiten und Gespräche moderieren	Einführen ins Thema, Ergebnisorientierung, Zusammenfassung; Einhalten von Regeln, Zeitmanagement
	3.5 Berufsbezogene Informationen einholen und weitergeben	Mündlicher Bericht, Telefonat, Interview etc.
4. Monologisch sprechen (Produktion)	4.1 Anliegen sprachlich differenziert vorbringen und Interessen vertreten	Statement, Präsentation, Rede etc.
	4.2 Wirkungsvoll rezitieren	Kreativer Umgang mit Lauten, Wörtern und Texten; schauspielerische Aktivitäten etc.
	4.3 Komplexe Inhalte mit Medienunterstützung präsentieren	Grafisch aufbereitete Informationen, Auswahl und sinnvoller Einsatz von Medien, Anwendung von Fachvokabular etc.

C. Kompetenzbereich: Lesen

Deskriptoren		Hinweise und Beispiele zur Konkretisierung
5. Unterschiedliche Lesetechniken anwenden (Rezeption, Interaktion)	5.1 Sinnerfassend lesen	Einsatz von Lesetechniken und -strategien (punktuelles und kursorisches Lesen, Quer-, Parallellesen) in unterschiedlichen Medien, Einzelinformationen finden, die wichtigsten Inhalte erfassen, Texte vollständig lesen, Umgang mit Hypertexten
	5.2 Laut gestaltend lesen	Deutliche Aussprache, lautliches Strukturieren und Modulieren; Adressaten- und Situationsbezug
6. Texte formal und inhaltlich erschließen (Rezeption)	6.1 Texten Informationen entnehmen	Suche nach Schlüsselwörtern in Texten aus verschiedenen Medien
	6.2 Relevante von irrelevanten Informationen unterscheiden	Begriffsdefinition, Filtern und Markieren von Informationen, Sammeln und Strukturieren von Kernaussagen
	6.3 Textsorten und deren strukturelle Merkmale unterscheiden	Textsortenwissen (informierende, meinungsbildende, fiktionale und nicht fiktionale Texte, textsortenspezifische Kriterien); Schreibhandlungen (Zusammenfassen, Analysieren, Argumentieren etc.)
	6.4 Texte hinsichtlich ihrer Inhalte und Gedankenführung analysieren	Gliederung in Sinneinheiten, Textkohärenz, Textintention, soziokultureller und gesellschaftlicher Kontext, Argumentationsstruktur etc.
	6.5 Texte hinsichtlich ihrer sprachlichen Gestaltung analysieren	Erkennen von Stilmitteln, Text- und Satzgrammatik, Textkohäsion, Wortwahl etc.
	6.6 Korrelation der formalen Aspekte mit Textinhalten erkennen	Erschließen der Textaussage und -intention aus der formalen Gestaltung, z. B. Konkrete Poesie
7. Sich in der Medienlandschaft orientieren (Rezeption)	7.1 Medienangebot nutzen und eine bedürfnisgerechte Auswahl treffen	In Bezug auf Thema, Aufgabenstellung und Interesse; Recherche in Bibliotheken, Archiven, Datenbanken und im Internet
	7.2 Informationen aus unterschiedlichen Medien prüfen, vergleichen und verknüpfen	Überprüfen von Quellen auf Seriosität, Aktualität, Vollständigkeit etc.; z. B. Vergleich von Zeitungen
8. Sich mit Texten kritisch auseinandersetzen (Rezeption)	8.1 Texte interpretieren	Erschließung der Intention (Information, Unterhaltung, Manipulation) und Aussage
	8.2 Texte bewerten	Überprüfen und Beurteilen der zugrunde liegenden Interessen sowie der inhaltlichen und ästhetischen Qualität
9. Texte in Kontexten verstehen (Rezeption)	9.1 Bezüge zu anderen Texten herstellen	Textvergleiche
	9.2 Bezüge zum eigenen Wissens- und Erfahrungssystem herstellen	Kennenlernen verschiedener Lebenswelten, unmittelbare Wirkung von Texten
	9.3 Unterschiedliche Weltansichten und Denkmodelle erkennen	Werthaltungen, Ideologien, Lebensentwürfe

D. Kompetenzbereich: Schreiben

Deskriptoren		Hinweise und Beispiele zur Konkretisierung
10. Texte verfassen (Produktion)	10.1 Texte mit unterschiedlicher Intention verfassen und die jeweils spezifischen Textmerkmale gezielt einsetzen	Unterschiedliche Schreibhandlungen: Erzählen, Berichten, Zusammenfassen, Kommentieren, Argumentieren, Appellieren etc.; inhaltliche Struktur (z. B. Absätze) bzw. Einhalten von Formvorschriften (z. B. Korrespondenz, Projekt- und Diplomarbeit)
	10.2 Texte themen-, adressaten- und medienadäquat gestalten	Beachtung der unterschiedlichen Schreibhandlungen und des jeweiligen situativen Kontexts
	10.3 Texte sachlich richtig verfassen	Sachrichtigkeit der Inhalte
	10.4 Texte sprachsensibel verfassen	Geschlechter- und minderheitengerechte Formulierungen, kritischer Umgang mit belasteten Begriffen, wertenden Bezeichnungen etc.
	10.5 Nicht lineare Texte erläutern	Informationsgrafiken (Schaubilder, Tabellen, Diagramme etc.) zusammenfassen, beschreiben und analysieren, kommentieren und interpretieren; Fotos, Karikaturen etc. beschreiben und kommentieren
11. Texte redigieren (Produktion)	11.1 Eigene bzw. fremde Texte formal und inhaltlich über- und bearbeiten	Strategien der Textüberarbeitung (Verbessern, Kürzen etc.), Überführung von Texten in andere Textsorten, Portfolio-Arbeit
	11.2 Texte mithilfe elektronischer Mittel gestalten	Rechtschreib- und Textverarbeitungsprogramme, elektronische Wörterbücher
12. Schreiben als Hilfsmittel einsetzen (Produktion)	12.1 Relevante Informationen notieren	Notiz, Mitschrift
	12.2 Informationen gliedern und wiedergeben	Cluster, Mindmap, Stichwortzettel, Exzerpt, Zusammenfassung, Protokoll, Handout
	12.3 Texte als Ausdruck strukturierten Denkens verfassen	Teilprozesse des Schreibens (Planen, Formulieren, Aufschreiben, Überprüfen); Teilkompetenzen des Schreibens, z. B. epistemisches Schreiben (Einsatz des Schreibens als Mittel des Denkens)
13. Einfache wissenschaftliche Techniken anwenden (Produktion)	13.1 Umfangreiche und komplexe Inhalte strukturieren und formulieren	Logischer Aufbau, schlüssige Gliederung, Fachsprache; Portfolio-Arbeit
	13.2 Recherchieren, Dokumentieren und Zitieren	Bibliografieren, Quellenangaben, Verzeichnisse erstellen (Literatur-, Quellen-, Abbildungsverzeichnis); Zitierregeln, Paraphrasieren

E. Kompetenzbereich: Reflexion über gesellschaftliche Realität, Konzepte von Realität und kreative Ausdrucksformen[1]

Deskriptoren	Hinweise und Beispiele zur Konkretisierung
14. Zu Problemen aus dem Spannungsfeld von Individuum, Gesellschaft, Politik und Wirtschaft Stellung nehmen	Einfluss politischer, wirtschaftlicher und technischer Entwicklungen auf das Individuum und auf die Gesellschaft; Zusammenhänge zwischen nationaler, Europa- und Welt-Politik und regionaler sowie globaler Wirtschaft; soziale Phänomene etc.
15. Über Aspekte der Berufs- und Arbeitswelt reflektieren	Auswirkungen der Globalisierung, Veränderungen auf dem Arbeitsmarkt und in der Arbeitswelt
16. Einblicke in unterschiedliche Kulturen und Lebenswelten und ihr historisches und aktuelles Umfeld gewinnen	Konstruktiver Umgang mit Plurikulturalität und Integration: Migration, Geschlechterdiversität, Generationen, Behinderung, Stadt / Land

[1] *Integrative Sichtweise, daher keine Aufgliederung in Rezeption, Interaktion und Produktion.*

17. Gesellschaftliche, politische und wirtschaftliche Phänomene zu Interessen und Wertvorstellungen in Beziehung setzen	Weltwissen; Strategien und Intentionen erkennen, kritisch hinterfragen und kommunizieren
18. Darstellungs- und Vermittlungsmöglichkeiten unterschiedlicher Medien bewerten	Möglichkeiten und Grenzen unterschiedlicher Medien wie Film, Fernsehen und Radio, Zeitungen, Internet (soziale Netzwerke), Werbung
19. Über den Informations-, Bildungs- und Unterhaltungswert von Medien, Kunst- und Literaturbetrieb als Mittel der öffentlichen Meinungsbildung reflektieren	Bildungsauftrag öffentlich-rechtlicher Medien, Medienkonzentration; wechselseitige Beeinflussung von Politik und Medien
20. Medien, Kunst- und Literaturbetrieb als Institutionen und Wirtschaftsfaktoren verstehen	Zusammenhang von Kunst und Markt; Verbreitungswege; Kommerzialisierung, Werbung
21. Den Kulturbegriff diskutieren	Problematisierung der Begriffe Massenkultur, Hochkultur, Avantgarde etc.
22. Populärkulturelle Phänomene wahrnehmen und damit verbundene gesellschaftliche Bedürfnisse wahrnehmen, kommentieren und bewerten	Künstlerisches Niveau von populärer Musik, Fernsehserien, Computerspielen etc.
23. Durch die Beschäftigung mit literarischen Texten Einblick in unterschiedliche Kunstformen gewinnen	Epochentypische Merkmale, Ausdrucks- und Rezeptionsmöglichkeiten, Stoff- und Motivgeschichte, Symbole etc.; Portfolio-Arbeit
24. Zu künstlerischen, insbesondere zu literarischen Werken und Erscheinungen sowie Entwicklungen Stellung nehmen	Orientierung in literatur-, kunst- und kulturgeschichtlichen Epochen bzw. Phasen, Problematisierung des Epochenbegriffs; Einschätzung der ästhetischen Qualität von literarischen Werken
25. Typische Merkmale von Gattungen und Stilrichtungen anhand von exemplarischen Werken herausarbeiten sowie die daraus erkennbaren Haltungen und Intentionen erfassen	Aspekte der Form (Struktur, Erzählperspektive, -ebene etc.), Aspekte des Inhalts (Plot, Personencharakteristik, Symbole etc.), Aspekte des Gehalts (Originalität, Anspruch, Dichte etc.)

F. Kompetenzbereich: Sprachbewusstsein[1]

Deskriptoren		Hinweise und Beispiele zur Konkretisierung
26. Sprachnormen kennen und anwenden	26.1 Fundierte Kenntnisse und Fertigkeiten in der Textgrammatik einsetzen	Satzverknüpfungen, Textzusammenhang, Absätze, Textanalyse (u. a. als Grundlage für Interpretationen)
	26.2 Fundierte Kenntnisse und Fertigkeiten in der Satzgrammatik und Formenlehre einsetzen	Satzanalyse, Satzarten, Satzstrukturen; Kongruenz, Aktiv und Passiv (u. a. als Grundlage für Interpretationen) etc.
	26.3 Wortarten und Wortbildungsmuster erkennen und anwenden	Deklination, Konjugation, Modus, Tempus, Kasus, Steigerung etc.
	26.4 Orthografische Regeln beherrschen und anwenden	Prozessorientiertes Schreiben, Portfolio-Arbeit
	26.5 Mit der Zeichensetzung sicher umgehen	Prozessorientiertes Schreiben, Portfolio-Arbeit
27. Einen umfassenden Wortschatz einschließlich der relevanten Fachsprachen einsetzen	27.1 Begriffe definieren und erläutern	Erweiterter Wortschatzgebrauch; Wortfamilien, Wortfelder etc.
	27.2 Begriffe text- und situations-angemessen anwenden	Bewusster Umgang mit Synonymen, Fachtermini, Fremdwörtern etc.
	27.3 Wörterbücher und andere Hilfsmittel verwenden	Etymologie, Bedeutung, Synonyme etc.

[1] *Integrative Sichtweise, daher keine Aufgliederung in Rezeption, Interaktion und Produktion.*

28. Mit Fehlern konstruktiv umgehen	28.1 Häufige Fehlerquellen erkennen	Kasus, Kongruenz, Verwendung des Superlativs etc.
	28.2 Strategien zur Fehlervermeidung beherrschen	Prozessorientiertes Schreiben, kritische Textarbeit (Kommentieren von Fehlern, produktiver Umgang mit Fehlern, Erkennen von Fehlertypen); Einsatz von Grammatiken, Wörterbüchern, Rechtschreibprogrammen etc.
29. Bedeutung innerer und äußerer Mehrsprachigkeit erfassen	29.1 Varietäten des Deutschen einordnen	Akzente, Dialekte, Soziolekte, regionale Umgangssprache etc.
	29.2 Die deutsche Sprache in ihrem Verhältnis zu anderen Sprachen betrachten	Sprachenportfolio, Sprachbiografie, gegenseitige Einflüsse („Denglisch", „Kiezdeutsch" etc.), Pluri- und Multilingualität, Deutsch als Zweitsprache, Deutsch als Fremdsprache
30. Sprachwandelphänomene erkennen	30.1 Veränderungen in Sprachnormen und Wortschatz wahrnehmen	Starke / schwache Verben, Kasussystem, Präpositionen, Kausalsätze (Stellung des finiten Verbs), Kongruenz; Anglizismen, Neologismen etc.
	30.2 Sprachgeschichte in Beziehung zu gesellschaftlichen, technischen und wirtschaftlichen Entwicklungen setzen	Texte aus verschiedenen Epochen, Fachsprachen, Tendenzen der Gegenwartssprache etc.
	30.3 Durch Institutionen gesteuerte sprachliche Entwicklungen erkennen	Ideologien, Amtssprache, Vorschriften zu geschlechtsneutralen Formulierungen (Gender), Rechtschreibreform etc.

Operatoren als Indikator für Ihre Arbeitsleistung

Operatoren, die Reproduktion verlangen	Operatoren, die Reorganisation und Transfer verlangen	Operatoren, die Reflexion und Problemlösung verlangen
(be)nennen	analysieren, untersuchen	appellieren
beschreiben	bestimmen, einordnen, zuordnen	begründen, Gründe angeben
wiedergeben	charakterisieren	beurteilen
zusammenfassen	erklären	bewerten
	erläutern	deuten, interpretieren
	erschließen	diskutieren, erörtern, sich auseinandersetzen mit
	in Beziehung setzen	entwerfen
	vergleichen, einander gegenüberstellen	kommentieren, Stellung nehmen
		(über)prüfen
		vorschlagen, Vorschläge machen

nach: Abraham, U. und A. Saxalber: Typen sprachlichen Handelns („Operatoren") in der standardisierten schriftlichen Reifeprüfung bzw. Reife- und Diplomprüfung (SRDP) Deutsch. Stand: Oktober 2016. Online: https://www.srdp.at/fileadmin/user_upload/downloads/Bgleitmaterial/01_US_Deutsch/Konzepte-Modelle/srdp_de_operatoren_2017-03-16.pdf (18.04.2017), gekürzt

1

CHECK: WISSEN UND KÖNNEN

In diesem Kapitel lernen Sie, ...

... wie wichtig Selbstreflexion für Ihr Lernen ist,

... wie Sie sich Lernziele für das Schuljahr setzen,

... wie Sie Ihre Fertigkeiten in Deutsch überprüfen können,

... welche Bedeutung Bildungsstandards für Ihr Lernen haben.

Kompetenzen hier entlang ▶▶▶

1.1 Was Sie erwartet

Beim Lernen ist es wichtig zu wissen, **was Sie erwartet** und **wozu Sie** etwas **lernen**. Sie haben in Band 1 bereits viele Arbeitstechniken und wichtige Lerninhalte, die Ihnen zu einem erfolgreichen Abschluss der Schule helfen werden, kennengelernt und geübt.

1 **Aufgabenstellung**

a. ●

An welche Arbeits- und Lerntechniken, Lerninhalte oder Themen erinnern Sie sich, wenn Sie an den Deutschunterricht des Vorjahres denken? Notieren Sie spontan, was Ihnen dazu einfällt.

Die Lernmethoden:
Höhren, sehen, schreiben, bewegung
Zusammenfassung und Exzerpt
Zeitungsartikel
Stummfilm

b. ●●

Tauschen Sie mit Ihrer Sitznachbarin bzw. Ihrem Sitznachbarn Ihre Ergebnisse aus.

2 **Aufgabenstellung**

●●

Was erwartet Sie in diesem Schuljahr? Schlagen Sie das Inhaltsverzeichnis dieses Buches auf und verschaffen Sie sich einen Überblick. Welche Themen fallen Ihnen besonders auf? Machen Sie sich Notizen dazu.

Besonders interessante Themen	**Weniger interessante Themen**
Die Kunst des Redens	Positionspapier verfassen
Lyrik	Mitschriften verfassen
Frei schreiben	Leseportfolio
Argumentieren	
Dramatik	

Tauschen Sie in einem Partnergespräch Ihre Meinung darüber aus, welche Themen Sie besonders interessieren und welche Sie auf den ersten Blick nicht so besonders ansprechen.

3 Aufgabenstellung

●

Nehmen Sie Ihr Deutschbuch und Ihre Unterlagen des Vorjahres zur Hand und reflektieren Sie, was Ihnen im Vorjahr gut gelungen ist bzw. in welchen Bereichen Sie sich noch nicht sicher fühlen. Beantworten Sie dazu die folgenden Fragen zur Selbstreflexion.

Das ist mir im Vorjahr gut gelungen:	alles
Das kann ich schon sehr gut:	Deutsch
In diesen Bereichen habe ich noch Defizite:	[illegible] Zeitplanung
Darin möchte ich mich in diesem Schuljahr verbessern:	Zeitplanung, Schrift

Sie starten voller guter Vorsätze in das Schuljahr. Setzen Sie sich realistische Ziele, teilen Sie Ihre Lernzeit und Ihre Lernkapazitäten gut ein! Rufen Sie sich die **Lerntipps**, die Ihnen dabei helfen können, erfolgreich zu lernen, wieder ins Gedächtnis.

siehe Band 1, Kapitel „Lernen und Kompetenzen erwerben“

4 Aufgabenstellung

●●

Wiederholen Sie mit Ihrer Sitznachbarin bzw. Ihrem Sitznachbarn die wichtigsten Regeln für erfolgreiches Lernen:

- Was fällt Ihnen zum Thema Lernplanung (Zeitplanung für Tests, Schularbeiten, Referate, Beiträge für das Kulturportfolio etc.) ein?
- Wie sollten Sie Ihren Arbeitsplatz gestalten, um nicht abgelenkt zu werden?
- Wie lernen Sie ökonomisch? Welche Rolle spielen Üben, regelmäßiges Wiederholen und Lernstoffwechsel beim erfolgreichen Lernen?
- Wissen Sie, welcher Lerntyp Sie sind und was das für Ihr Lernverhalten bedeutet?

1.2 Was Sie bereits können

Die **Fünf-Schritte-Technik (SQ3R) zum sinnerfassenden Lesen** wird Ihnen beim Verstehen des Textes helfen! *siehe Band 1, Kapitel „Lesen“*

Die folgenden Seiten dienen der Wiederholung der Kompetenzbereiche Lesen – Schreiben – Sprachbewusstsein – Sprechen und Zuhören, die Sie bereits in den Bildungsstandards kennengelernt haben. Die **Übungen** sollen Ihnen zeigen, welche Bereiche Sie schon ganz gut beherrschen. Eventuell kommen bei der Lösung der Aufgaben noch Defizite zum Vorschein. Dann nehmen Sie dies zum Anlass, die Unterlagen des Vorjahres nochmals zu studieren, damit Sie für das neue Schuljahr gerüstet sind.

1.2.1 Kompetenzbereich Lesen

5 **Aufgabenstellung**

Lesen Sie den folgenden Zeitungsbericht und beantworten Sie die anschließenden Fragen.

Lesen Sie den Text eventuell ein weiteres Mal durch und markieren Sie einzelne Textstellen.

Digitale Medien: Neue Gefahren für Kinder und Jugendliche

Anfang November referieren Expertinnen und Experten zur Frage, wie gefährlich digitale Medien Kindern und Jugendlichen werden können

Graz – Kinder und Jugendliche bewegen sich heute ganz selbstverständlich in den virtuellen Räumen, die ihnen die Neuen Medien bieten. Die vielfältigen Angebote auf Laptop und iPod, Gameboy und Handy eröffnen den Heranwachsenden neue Möglichkeiten der Unterhaltung, Selbsterprobung, der Kommunikation mit Gleichgesinnten oder auch der Vertiefung in eine Fantasiewelt. Auf sozialen Netzwerkseiten kann man die ganze Welt – oftmals auch ungewollt – an seinem Leben teilhaben lassen.

Unter dem Titel „Jugend und Medien“ beschäftigt sich der „Österreichische Präventionskongress“[1] vom 7. bis 8. November in Graz mit Fragen rund um die Medienkompetenz von Kindern und Jugendlichen und Gefährdungspotenzialen[2] durch die Nutzung digitaler Medien.

Kriminalprävention

„Der virtuelle Raum hat, ohne das jetzt bewerten zu wollen, alle Themen der Gesellschaft eingefangen, überlagert und beeinflusst. Und damit hat er auch die Bereiche der Kriminalprävention wie Gewalt, Missbrauch und Sucht erreicht“, so Günther Ebenschweiger, Präsident des „Österreichischen Zentrums für Kriminalprävention“.

Für ihn steht fest: „Wenn wir von Kriminalprävention sprechen, müssen wir uns zeitgleich auch mit Medienkompetenz, Informations- und Erziehungskompetenz auseinandersetzen.“ Möglichkeiten dazu bietet der von Ebenschweiger zum dritten Mal konzipierte interdisziplinäre[3] und praxisnahe Kongress Anfang November in Graz in rund 35 Workshops und zusätzlichen Referaten.

Hilflose Eltern

Zahlreiche Präventionsexperten aus Österreich, Deutschland und der Schweiz haben ihr Kommen zugesagt, als Besucher sind aber auch Lehrer, Eltern und Jugendliche willkommen. „Ich sehe sehr viel Hilflosigkeit bei Eltern, die das Mediennutzungsverhalten ihrer Kinder richtig einschätzen und einordnen wollen. Hier müssen die Eltern gezielt gestärkt werden“, so Ebenschweiger. Eine Reihe von Workshops – u. a. zum Thema Umgang mit Sozialen Netzwerken und Internet, Online- und Computerspielsucht oder auch der Frage, wie der Weg in die digitale Welt von Volksschulkindern gestaltet sein sollte – stehen am Programm.

Kein Opfer werden

„Als zweite große Zielgruppe haben wir Firmen mit ihren Lehrlingen eingeladen, für die wir gezielte Workshops direkt in den Unternehmen anbieten“, schilderte der Organisator. Hier will man u. a. zeigen, wie sich Jugendliche davor schützen können, zu Cybermobbing-Opfern zu werden. Vonseiten der direkt kontaktierten Firmen habe es „größtes Interesse“, so Ebenschweiger, gegeben.

APA – Digitale Medien: Neue Gefahren für Kinder und Jugendliche, 29.10.2012. Online: https://derstandard.at/1350259692566/Jugend-und-Medien-Bloss-kein-Opfer-werden (20.05.2019)

[1] *Prävention: Vorbeugung, Verhütung*
[2] *Potenzial: Gesamtheit aller verfügbaren Mittel*
[3] *interdisziplinär: mehrere Disziplinen umfassend*

Von welchem Thema handelt dieser Zeitungsbericht?	
Was erfahren Sie über eine geplante Veranstaltung zu diesem Thema?	
Wer sind die Zielgruppen der im Bericht genannten Veranstaltung?	
Welche Geräte, die Jugendliche gerne in Zusammenhang mit den digitalen Medien nutzen, werden im Text genannt?	
Wofür setzen Kinder und Jugendliche neue Medien ein?	
Welche Gefahren können laut diesem Bericht von den neuen Medien ausgehen?	
Welche Gefahr geht insbesondere von den sozialen Netzwerken für Kinder und Jugendliche aus?	
Wie ist die Veranstaltung in Graz inhaltlich aufgebaut?	
Warum sind Eltern oft hilflos, wenn es um das Verhalten ihrer Kinder in Bezug auf die Mediennutzung geht?	
Warum bietet die Veranstaltung auch spezielle Workshops für Unternehmen an?	

1.2.2 Kompetenzbereich Schreiben (sRDP-Textsorte: Zusammenfassung)

siehe Band 1, Kapitel „Schreibhandlungen" und Kapitel „Schreibprozesse"

6 Aufgabenstellung sRDP

a.

Erstellen Sie ein Exzerpt des folgenden Zeitungsberichtes:

Die größten Irrtümer über die Jugend von heute

KARIN SCHUH

Vorurteile. Das Institut für Jugendkulturforschung hat die Thematik „Jugend und Zukunft" analysiert und dabei einige Irrtümer widerlegt. Die Familie wird wichtiger, Jugendliche sind aber weder konservativ noch pessimistisch.

Wien. Sie sind egoistisch, konservativ, schwelgen im Retrotrend[1], wünschen sich die gute (?) alte Zeit zurück und interessieren sich weder für Politik noch für ihre Nachbarn – für ihr Handy hingegen sehr. So oder so ähnlich lauten die gängigen Vorurteile über Jugendliche. Das Institut für Jugendkulturforschung hat aktuelle Daten, etwa die Jugend-Wertestudie 2011, über heimische Jugendliche (14- bis 29-Jährige) unter dem Aspekt „Jugend und Zukunft" analysiert und ist jetzt dabei auf interessante Entdeckungen gestoßen. Fünf Irrtümer.

1. Jugendliche werden konservativer und schätzen Tradition.

Es stimmt zwar, dass Familien für Jugendliche immer wichtiger werden, konservativ – wie es ihnen oft nachgesagt wird – sind heimische Jugendliche deshalb noch lange nicht. „Traditionen spielen für sie kaum eine Rolle, auch wenn in den letzten Jahren immer wieder Stimmen laut werden, die eine Retraditionalisierung[2] der Gegenwartsjugend proklamieren", meint Philipp Ikrath, Geschäftsführer des Instituts für Jugendkulturforschung in seiner Analyse „Geteilte Sorgen trotz gespaltener Möglichkeiten". Das liegt einerseits daran, dass Jugendliche heute weitgehend ideologiefrei[3] sind, sprich mit Kategorien wie konservativ oder links nur wenig anfangen können. Andererseits macht das auch der moderne Familienbegriff der Jugendlichen abseits der traditionellen Bilder deutlich.

2. Jugendliche isolieren sich immer mehr und leben in ihrer Welt.

Natürlich wird auch für Jugendliche Individualität wichtiger, was sie aber nicht davon abhält, Familie und Freunde mehr zu schätzen – mehr als noch vor 20 Jahren. Das macht ein Vergleich mit den Jugend-Wertestudien 1990, 2000, 2011 deutlich. Heute betrachten 82 Prozent der Befragten die Familie als „sehr wichtig", 1990 und 2000 waren es knapp 70 Prozent. „Eine Aufwertung der Familie impliziert meist eine Abwertung alternativer Lebensformen, das ist bei den Jugendlichen nicht der Fall", so Ikrath. Er führt den Bedeutungszuwachs der Familie einerseits darauf zurück, dass außerhalb der Familie die Anforderungen steigen, andererseits handle es sich um eine „Aufwertung knapper Güter".

3. Jugendliche interessieren sich nicht für ihr Umfeld.

Das Bild der gleichgültigen Jugendlichen, die sich nicht für ihr Umfeld interessieren, stimmt nur bedingt. „Sie betreiben kein gesellschaftspolitisches Engagement unter einer ideologischen Flagge. Jugendliche leisten lieber in ihrem eigenen sozialen Umfeld Hilfe, etwa indem sie Alten über die Straße helfen", so Ikrath. Auf die Frage, ob das nicht eine Behübschung beziehungsweise ohnehin eine Selbstverständlichkeit sein sollte, meint der Soziologe: „Eigentlich schon, aber wenn man die Gesellschaft als eine unsolidarische versteht, ist das schon sehr selbstlos." Jugendliche konzentrieren sich also auf ihr persönliches soziales Umfeld. Die Welt verbessern wollen Jugendliche heute längst nicht mehr, auch Rebellion sucht man bei ihnen vergeblich. Dafür wurden drei Gründe ausgemacht: Das Gefühl, ohnehin nichts ändern zu können, sich nicht vereinnahmen lassen zu wollen und die Schwierigkeiten im eigenen, unsicheren Leben. Ikrath: „Protest ist Luxus und eine Sache der urbanen, gebildeten Mittelschicht."

4. Jugendliche denken kaum an die Zukunft, und wenn, dann negativ.

Auch wenn Jugendliche heute, angesichts der sich immer rascher verändernden Gesellschaft, verstärkt in der Gegenwart leben, denken sie auch an die Zukunft – und zwar positiv, allerdings nur an die eigene. 64 Prozent sehen die persönliche Zukunft zuversichtlich, aber lediglich 22 Prozent betrachten die gesellschaftliche Zukunft als zuversichtlich. Ikrath interpretiert darin einen gewissen Zweckoptimismus. Zusammenhänge zwischen Gesellschaft und dem eigenen Leben können oder wollen nicht gesehen werden. „Es fällt ihnen schwer, über den eigenen Tellerrand zu blicken."

5. Jugendliche haben keine gesellschaftlich relevanten Werte mehr.

Im Gegenteil. Erstmals in der Geschichte geben die Jungen die Werte vor. Während früher noch Lebenserfahrung und Weisheit – auch im Berufsleben – wichtige Werte waren, setzt man heute auf Flexibilität, Belastbarkeit und Individualität. „Das wird in jeder Stellenausschreibung gefordert. Jugendliche haben die kulturelle Meinungsführerschaft übernommen." Diesen Wertewandel führt er auf die Geschwindigkeit zurück, mit der sich Wissen, etwa in Technologie und Forschung, verändert. Da kommen Junge einfach schneller mit.

Schuh, Karin: Die größten Irrtümer über die Jugend von heute. In: Die Presse, 08.01.2013. Online: https://diepresse.com/home/panorama/oesterreich/1330480/Die-groessten-Irrtuemer-ueber-die-Jugend-von-heute (20.05.2019)

1 Retro: Nachahmung früherer Stilrichtungen
2 Retraditionalisierung: zurück zur Tradition
3 ideologiefrei: frei von Ideologie, lösungsorientiert, sachbezogen

Haben Sie die folgenden Tipps bei der Erstellung des Exzerptes befolgt?

CHECKLISTE – Exzerpt

- Sie haben den Text aufmerksam gelesen und sich einen **Überblick** verschafft.
- Sie haben **Schlüsselwörter** markiert.
- Sie haben die Bedeutung Ihnen **unbekannter Fremdwörter** geklärt.
- Sie haben Antworten auf die **W-Fragen** (Wer? Was? Wo? Wann? Warum? Wie?) gefunden.
- Sie haben die wichtigsten Informationen in **Stichworten** zusammengefasst.
- Sie haben die **Quelle** notiert.

- Wer?
- Was?
- Wo?
- Wann?
- Warum?
- Wie?

b. ●

Verfassen Sie eine **Zusammenfassung**. Bearbeiten Sie die folgenden Schreibaufträge:

- **Benennen** Sie die Vorurteile gegenüber Jugendlichen, die im Text zitiert werden.
- **Erklären** Sie die wesentlichen Ergebnisse des Instituts für Jugendforschung.

Schreiben Sie ca. 270 bis 330 Wörter. Markieren Sie Absätze mittels Leerzeilen.

Haben Sie alle wesentlichen Elemente, wie ein Sachtext zusammengefasst wird, berücksichtigt?

CHECKLISTE – Zusammenfassung

- Ausgangsbasis ist das **Exzerpt**.
- Aufbau der Zusammenfassung
  - **Einleitung**: – Angaben zur Quelle (Titel, Datum, Thema, Autorin bzw. Autor)
  - **Hauptteil:**
    - Kernaussagen in **eigenständig formulierten** Sätzen
    - Beantwortung aller **W-Fragen**
    - **sachliche** Darstellung des Inhalts
    - **chronologische** Wiedergabe des Handlungsablaufs
    - **keine** Wiedergabe der **eigenen Meinung**
    - Verwendung der **indirekten Rede**
    - Verwendung des **Präsens**
    - **Kürzung** auf etwa ein Drittel der Textlänge
- Die Zusammenfassung gibt komprimiert die **relevanten Inhalte des Textes** (oder mehrerer Texte) wieder. Die Ausdrucksweise ist sachlich und erlaubt keine Bewertung des Textinhaltes.

1.2.3 Kompetenzbereich Sprachbewusstsein

7 Aufgabenstellung

Wenden Sie im folgenden Text die **Groß- und Kleinschreibung** richtig an, indem Sie den Text in die Schreibschrift übertragen. Setzen Sie auch die **Beistriche** korrekt.

BILANZ SPRICHT FÜR BAYERN – 10 : 6 SIEGE GEGEN REAL

STATISTISCH BETRACHTET GEHT DER FC BAYERN MÜNCHEN ALS FAVORIT INS DUELL MIT REAL MADRID.

VOR DEM HALBFINAL-HINSPIEL IN DER FUSSBALL-CHAMPIONS-LEAGUE AM DIENSTAG IN MÜNCHEN HAT DER DEUTSCHE FUSSBALL-REKORDMEISTER VON 18 PARTIEN IN DER KÖNIGSKLASSE SOWIE IM FRÜHEREN EUROPACUP DER MEISTER ZEHN GEWONNEN DIE SPANIER DAGEGEN NUR SECHS.

VOR ALLEM DIE HEIMBILANZ DER BAYERN IST MIT ACHT SIEGEN UND EINEM UNENTSCHIEDEN HERAUSRAGEND – REAL MADRID SIEGTE IN MÜNCHEN NOCH NIE. DIE BILANZ IN DEN BISHER ACHT K. O.-RUNDEN IST DAGEGEN AUSGEGLICHEN BEIDE VEREINE KAMEN JEWEILS VIERMAL WEITER. DIE HALBFINAL-BILANZ SPRICHT KLAR FÜR DIE BAYERN: SIE SCHAFFTEN DREIMAL DEN EINZUG INS FINALE (1976, 1987, 2001) REAL MADRID NUR EINMAL (2000).

DIE BAYERN STEHEN BEI IHRER 15. CHAMPIONS-LEAGUE-TEILNAHME ZUM INSGESAMT SECHSTEN MAL IM HALBFINALE UND HABEN EINE POSITIVE BILANZ. DREIMAL KAMEN DIE MÜNCHNER INS FINALE ZWEIMAL SCHIEDEN SIE AUS. VON DEN BISHER ZEHN HALBFINALSPIELEN GEWANNEN SIE SECHS, NUR ZWEIMAL GINGEN SIE ALS VERLIERER VOM PLATZ UND SCHIEDEN JEWEILS AUCH AUS. DIE HEIMBILANZ IST MIT VIER SIEGEN UND EINEM UNENTSCHIEDEN EBENFALLS AUSGEZEICHNET.

APA: Bilanz spricht für Bayern – 10 : 6 Siege gegen Real. In: Die Kleine Zeitung, 16.04.2012. Online: http://www.kleinezeitung.at/sport/fussball/2996840/bilanz-spricht-fuer-bayern-10-6-siege-gegen-real.story (15.03.2013)

8 Aufgabenstellung

Setzen Sie im folgenden Text die passenden **Anfangsbuchstaben** ein:

Von __orgens bis __bends herrschte in unserem Haus Hochbetrieb. Vom frühen __orgen bis zum späten __bend waren alle mit den Weihnachtsvorbereitungen beschäftigt. Am __ontag haben die Friseure geschlossen. Peter geht jeden __orgen mit dem Hund spazieren. Dazu bin ich __orgens nie aufgelegt. Der Arzt hat am __ittwoch __ormittags keine Sprechstunde. Gestern __bend wurde in der Bank eingebrochen. Wir verbrachten einen lustigen __amstagnachmittag im Bad. Heute __orgen hätte ich fast verschlafen.

9 Aufgabenstellung

„das“ oder **„dass“**? Vervollständigen Sie die folgenden Sätze:

Ich hoffe, dir ist klar, ________ ________ verboten ist.

________ Lisa ihre Mutter gekränkt hat, ________ bedaure ich sehr.

Peter teilte seiner Mutter sofort mit, ________ er die Prüfung bestanden hat.

________ Fußballmatch, ________ gestern übertragen wurde, endete mit Unentschieden.

________ ihr Auto gestohlen worden war, wusste ich nicht.

Er fand ________ Buch, ________ ich verlegt hatte.

________ sie zur Geburtstagsparty kam, ________ war eine gelungene Überraschung.

Ich nahm an, ________ ________ Geld, ________ ich geliehen hatte, ausreichen würde.

10 Aufgabenstellung

Korrigieren Sie die grammatikalischen und / oder stilistischen Fehler in folgenden Sätzen:

Meine Mutter hat alle Briefe von und an meinen Vater aufgehoben.

Wir werden ihn suchen und mitteilen, dass wieder alles in Ordnung ist.

Ich machte mit meiner Mutter, Vater und Geschwistern einen Ausflug.

Ich fürchte, dass, wenn ich so viel telefoniere, ich Ärger mit meinen Eltern bekomme.

Der Druck, der auf ihm lastet, wird geringer und entsprechend auch seine Sorgen.

An Weihnachten trifft sich immer die ganze Familie bei uns.

Auf dem Gipfel des Berges angekommen, ging die Sonne auf.

Es ist genauso wichtig gut zu verlieren als gut gewinnen zu können.

1.2.4 Kompetenzbereich Sprechen und Zuhören

11 Aufgabenstellung

●●●

Arbeiten Sie in Gruppen zu je drei Personen: Führen Sie zu zweit ein **Telefongespräch** auf Basis der vorgegebenen Rollenkarten. Die Spielerinnen und Spieler beider Rollen halten die wichtigsten Informationen des Gesprächs in einer **Telefonnotiz** (siehe S. 27) fest.

Rolle A: Schülerin bzw. Schüler
Sie bzw. er ruft beim Informationsbüro des Landestheaters an und möchte Auskünfte über dessen Angebot zu einer Teilnahme von Schulklassen an den Proben. Sie bzw. er fragt nach möglichen Terminen, den Preisen, der Anzahl von Teilnehmerinnen bzw. Teilnehmern und bittet um Zusendung von Informationsmaterial.

Rolle B: Mitarbeiterin bzw. Mitarbeiter des Informationsbüros des Landestheaters
Sie bzw. er erklärt das Angebot für Schulklassen (kostenlose Teilnahme an den Proben, Mindestanzahl von 15 Schülerinnen bzw. Schülern, schriftliche Anmeldung erforderlich).

Rolle C: Beobachterin bzw. Beobachter
Die dritte Person beobachtet das Gespräch und gibt mittels **Feedbackbogen** eine Rückmeldung.

Tauschen Sie danach die Rollen, sodass jede bzw. jeder von Ihnen einmal Sprecherin bzw. Sprecher, Zuhörerin bzw. Zuhörer und Beobachterin bzw. Beobachter ist.

CHECKLISTE – Feedback

- **korrekte Begrüßung:** mit dem Firmennamen und dem eigenen Familiennamen
- **Grund** des Anrufs nennen
- Gesprächspartnerin bzw. Gesprächspartner **aussprechen** lassen
- **Artikulation:** deutliche Aussprache, keine Verwendung des Dialekts
- **Sprechgeschwindigkeit:** nicht zu schnell sprechen
- **Betonung im Redefluss:** einzelne Wörter hervorheben
- **Lautstärke:** verständlich für die Gesprächspartnerin bzw. den Gesprächspartner, nicht zu laut sprechen
- **Gestik, Mimik, Körperhaltung:** Oberkörper aufrecht halten
- **Nachfragen:** Fragen klären
- freundliche **Verabschiedung**

<table>
<tr><td rowspan="2">Telefonnotiz</td><td>Datum:</td><td>Uhrzeit:</td></tr>
<tr><td colspan="2">Bearbeiterin / Bearbeiter:</td></tr>
<tr><td>Gesprächspartnerin /
Gesprächspartner: ______________
Telefonnummer: ______________</td><td colspan="2">Firma: ______________
Straße: ______________
PLZ / Ort: ______________</td></tr>
<tr><td>☐ Anfrage
☐ Auftrag
☐ Reklamation</td><td colspan="2">☐ ______________
☐ ______________
☐ ______________
☐ ______________</td></tr>
<tr><td colspan="3">Betreff:</td></tr>
<tr><td>Mit der Bitte um ☐ Rückruf
☐ Erledigung</td><td colspan="2">☐ Termin
☐ Besuch
☐ Kenntnisnahme</td></tr>
</table>

12 Aufgabenstellung

Sie bereiten ein **Kurzreferat** von maximal fünf Minuten Länge zu einem Thema Ihrer Wahl vor. Per Los wird entschieden, wer es vor der Klasse hält.

Die Klasse gibt Feedback und meldet ihre Eindrücke der Schülerin bzw. dem Schüler zurück.

siehe Band 1, Kapitel „Zuhören und Sprechen“

Beachten Sie dabei die **Feedbackregeln**, die Sie bereits gelernt haben!

Benützen Sie eventuell auch einen Feedbackbogen.

Tipps für einen gelungenen Vortrag

Achten Sie vor allem darauf, dass

- **flüssig und frei** gesprochen wird,
- die **Lautstärke** der bzw. des Vortragenden angemessen ist,
- die Rednerin bzw. der Redner **Blickkontakt** zum Publikum hält,
- die Inhalte des Referates **überzeugend und klar verständlich** dargeboten werden,
- die eingesetzten **Medien** (Folien, Powerpoint-Präsentation) dem Inhalt des Referates entsprechen.

Merkmale förderlichen Feedbacks

- **Ich**-Botschaften verwenden
- **Stärken** betonen
- **ehrlich** sein
- motivierend und **konstruktiv** (aufbauend) sein
- **sachlich** richtig und genau sein
- **konkret** sein
- **Änderbares** ansprechen
- **beschreiben** und nicht werten

Ihr persönlicher Lernerfolg

Schätzen Sie selbst ein, was Sie jetzt wissen und können:

✓ oder ✗

		LESEN	ÜBEN
Sie wissen, wie wichtig Selbstreflexion für Ihr Lernen ist.	○		S. 19
Sie kennen Ihren Lerntyp und können die wesentlichen Lernstrategien für sich einsetzen.	○		S. 19
Sie kennen Ihren Lernstand in den Kompetenzbereichen Lesen, Schreiben, Sprechen, Zuhören und Sprachbewusstsein.	○		S. 20-27
Sie wissen, was Bildungsstandards sind und was sie für Ihr Lernen bedeuten.	○	S. 9–15	
Sie können mit Hilfe eines Exzerptes die Zusammenfassung eines Sachtextes verfassen.	○		S. 22-23

2

KOMMUNIKATION

In diesem Kapitel lernen Sie, ...

... wie Sie kommunikative Prozesse erkennen und gestalten,

... welche Rolle die Körpersprache in der Kommunikation spielt,

... wie Sie mit unterschiedlichen Frageformen ein Gespräch lenken,

... welche Bedingungen und Funktionen sprachliche Kommunikation haben kann,

... wie Sie Kommunikationsstörungen vermeiden,

... wie Sie professionell monologisch und dialogisch sprechen.

Kompetenzen hier entlang ▶▶▶

2.1 Kommunikative Prozesse erkennen und gestalten

2.1.1 Vom Umgang mit Menschen

wussten sie schon

wussten sie schon
dass die nähe eines menschen
gesund machen
krank machen
tot und lebendig machen kann

wussten sie schon
dass die nähe eines menschen
gut machen
böse machen
traurig und froh machen kann

wussten sie schon
dass das wegbleiben eines menschen
sterben lassen kann
dass das kommen eines menschen
wieder leben lässt

wussten sie schon
dass die stimme eines menschen
einen anderen menschen
wieder aufhorchen lässt
der für alles taub war

wussten sie schon
dass das wort
oder das tun eines menschen
wieder sehen machen kann
der nichts mehr sah
der keinen sinn mehr sah
in dieser welt und in seinem leben

wussten sie schon
dass das zeithaben für einen menschen
mehr ist als geld
mehr als medikamente
unter umständen mehr
als eine geniale operation

wussten sie schon
dass das anhören eines menschen
wunder wirkt
dass das wohlwollen zinsen trägt
dass ein vorschuss an vertrauen
hundertfach zurückkommt

wussten sie schon
dass tun mehr ist als reden
aber dass man manchmal
einfach nur aushalten kann

wussten sie das alles schon
und wussten sie auch schon
dass der weg vom wissen über das reden
zum tun oder zum lassen
interplanetarisch weit ist

(Wilhelm Willms, 1977)

Willms, Wilhelm: wussten sie schon. Online: http://www.hospiz-verein-bergstrasse.de/TEX_SONS.HTM (15.03.2013), Originalschreibweise

Wilhelm Willms *(1930–2002), deutscher Pfarrer und Schriftsteller*

1 Aufgabenstellung

O

Was fällt Ihnen optisch an diesem Gedicht auf?
Was können menschliche Beziehungen bewirken? Belegen Sie Ihre Gedanken mit Zitaten aus dem Text. Finden Sie weitere Einflussfaktoren.
Inwiefern ist menschliche Begegnung mehr als Kommunikation?

Jede Nachricht enthält mehrere Botschaften: Neben der Sachinformation wird auch eine Information über den Sender und dessen Beziehung zum Empfänger mitgeliefert. Wir kommunizieren auch dann, wenn wir nicht sprechen. Es kommt nicht nur darauf an, **was** jemand sagt, sondern auch darauf, **wie** sie bzw. er es sagt.

siehe Band 1, Kapitel „Kommunikation“

Wie wichtig es ist, in jeder Situation den richtigen Ton zu treffen und sich gut auszudrücken, ist uns allen klar. Aber beherrschen wir auch immer unsere **Körpersprache**?

2 Aufgabenstellung

●●

Welche Rolle spielt die Körpersprache? Welche Gesten werden im folgenden Text angesprochen? Was verraten Handbewegungen und Schulterzucken während eines Gesprächs über einen Menschen?

> *„Körpersprache muss man nicht üben, aber man muss die Wirkung kennen." (Samy Molcho, Pantomime)*

Körpersprache im Büro
Was Schultern und Zehen über Kollegen verraten

Interview von Maria Holzmüller

Verräterische Blicke, vielsagende Gesten: Die Körpersprache der Kollegen offenbart oft mehr als jedes Gespräch. Kommunikationswissenschaftler David Givens erklärt, auf welche Körperteile wir in wichtigen Meetings besonders achten sollten – und welche Rolle unsere Bürokleidung dabei spielt.

[...]

sueddeutsche.de: Herr Givens, ich sitze in einem wichtigen Meeting und mein Chef will mich von einem neuen Projekt überzeugen. Dabei zuckt er immer wieder mit den Schultern. Hat das etwas zu bedeuten?

David Givens: Auf jeden Fall. Schon ein leichtes Schulterzucken verrät, dass der Sprecher unsicher ist – vielleicht ist Ihr Chef also selbst nicht von dem Projekt überzeugt. In einem Meeting geht es oft darum, besonders selbstbewusst und überzeugend zu wirken. Das ist allerdings häufig nur Fassade. Jeder kann überzeugende Sätze formulieren, die wahre Unsicherheit vermittelt der Körper. Ich empfehle deshalb, Schultern, Hände und Augen im Blick zu behalten. Die verräterischen Schulterbewegungen sind übrigens ein Grund, warum Anzüge im Berufsleben so verbreitet sind. Sakkos verstecken die Schultern und ihre Zuckungen. Deshalb tragen Geschäftsleute keine T-Shirts oder Tanktops. Bei Männern verdecken die Krawatten zudem das verletzlich wirkende Halsgrübchen – und sollen so mehr Stärke ausstrahlen.

sueddeutsche.de: Und was sagen Hände und Augen?

Givens: Wenn sich jemand unsicher ist, blickt er oft nach unten. Wer wirklich überzeugt ist von dem, was er sagt, blickt seinen Gesprächspartnern direkt in die Augen. Ebenfalls ein Zeichen für Unsicherheit sind starre Hände, die vielleicht sogar unter dem Tisch versteckt sind. Vertrauenserweckender ist es, wenn die Hände mit natürlichen Gesten das Gesagte unterstreichen.

sueddeutsche.de: Kann ich meine eigene Körpersprache kontrollieren?

Givens: Ja, aber es ist schwierig. Dafür müssten Sie eine wirklich gute Schauspielerin sein, denn die meisten Signale sendet der Körper unbewusst aus. Selbst Leute, die wirklich geschulte Redner sind, [...] kommunizieren ungewollt nonverbal. [...]

sueddeutsche.de: In vielen Situationen ist es wichtig, selbstbewusst zu wirken. Wie kann ich beispielsweise in einer Gehaltsverhandlung stark auftreten?

Givens: Sie können Schulterzucken vermeiden – das würde Ihrem Boss verraten, dass Sie selbst nicht überzeugt davon sind, ein höheres Gehalt verdient zu haben. Sie sollten Ihrem Chef direkt in die Augen sehen. Natürlich ist es in unserem Kulturkreis üblich, den direkten Augenkontakt immer wieder zu unterbrechen. Wenn Sie den Blick abwenden, sollten Sie aber vermeiden, auf den Boden zu blicken. In Ihrer Gestik sollten Sie darauf achten, dass die Handflächen nach unten zeigen, das zeigt Selbstbewusstsein. Diese Geste strahlt nahezu weltweit Überzeugung aus. Zeigen die Handflächen nach oben, hat das hingegen eher etwas Bittendes.

sueddeutsche.de: Und wie sehe ich meinem Chef an, ob ich noch Verhandlungsspielraum habe?

Givens: Ein gutes Zeichen ist ein Nicken, eine weitverbreitete Geste der Zustimmung, vor allem in Europa und den USA. Schon das leichteste Kopfnicken zeigt, dass der Chef Sie versteht und auf Ihrer Seite ist. Wenn der Chef zur Seite blickt, anstatt Sie anzusehen, ist das ein Zeichen, dass Ihr Argument ihn nicht überzeugt. Wenn Sie das beobachten, sollten Sie ihre Taktik ändern und ein anderes Argument bringen, bis der Chef Sie wieder ansieht.

[...]

Holzmüller, Maria: Körpersprache im Büro. Was Schultern und Zehen über Kollegen verraten. In: Süddeutsche Zeitung, 31.10.2011. Online: https://www.sueddeutsche.de/karriere/koerpersprache-im-buero-was-schultern-und-zehen-ueber-kollegen-verraten-1.1129676 (20.05.2019), gekürzt

Antipathie, die: Abneigung, Widerwille

Unsere Körpersprache ist uns angeboren. Der Körper gibt nicht nur Informationen über die Persönlichkeit, er verrät auch unsere wahren Gedanken und Gefühle. Mimik, Gestik, Tonfall, Haltung und Gang hinterlassen einen bleibenden Eindruck; sie prägen Sympathie oder Antipathie deutlicher als alles, was wir sagen.

3 Aufgabenstellung

○

Was halten Sie von der im folgenden Text aufgestellten Behauptung, dass alle Menschen ihr Gegenüber, wenn sie erstmals mit ihm zusammentreffen, nach der Körpersprache und nach dem Äußeren einschätzen können?

Der erste Eindruck

Eine wichtige Rolle spielen nonverbale Signale beim ersten Eindruck, den wir von jemand haben, wenn wir ihn kennenlernen. Etwa 95% des ersten Eindrucks werden bestimmt von Aussehen, Kleidung, Haltung, Gestik und Mimik, Sprechgeschwindigkeit, Stimmlage, Betonung und Modulation (Dialekt) und nur 3% von dem, was jemand sagt. [...] Neuropsychologen haben herausgefunden, dass zu Beginn einer jeden Begegnung und eines jeden Gesprächs die Glaubhaftigkeit des Partners eingeschätzt wird. Dies geschieht innerhalb ca. einer Sekunde völlig unbewusst über die Analyse des Gesichtsausdrucks (besonders Augen- und Mundstellung), die Tönung der Stimme (Prosodie) und der Körperhaltung.

Stangl, Werner: Was ist nonverbale Kommunikation? Der erste Eindruck. Online: https://arbeitsblaetter.stangl-taller.at/KOMMUNIKATION/KommNonverbale1.shtml# Der erste Eindruck (20.05.2019), gekürzt

4 Aufgabenstellung

●●

Körpersprache transportiert immer Emotionen: Sympathie, Antipathie oder sogar Widerwillen, Interesse oder Desinteresse, Begeisterung oder Müdigkeit.

a. Sie führen ein Gespräch. Plötzlich beginnt Ihr Gegenüber, mit den Fingern auf die Tischplatte zu trommeln. Was signalisiert das? Kreuzen Sie an:

- ☐ Zustimmung
- ☐ Ablehnung
- ☐ Nervosität
- ☐ Ungeduld
- ☐ Imponiergehabe

b. Stellen Sie in einer Partnerarbeit folgende Emotionen durch Körpersprache dar: Freude • Tadel • Missbilligung • Unschlüssigkeit • Skepsis • Abwertung • Spott • Trauer • Enttäuschung • Ablehnung • Langeweile

Körpersprache

- Der Begriff **Körpersprache** (wissenschaftliche Bezeichnung: **Kinesik**) beinhaltet alle **Signale**, die ein Mensch mithilfe seines Körpers aussendet. Zu Mimik und Gestik kommen also auch Körperhaltung, Nähe oder Entfernung zur Partnerin bzw. zum Partner und Stimmlage (Betonung, Lautstärke) hinzu.
- Als **Mimik** werden die sichtbaren Bewegungen der Gesichtsoberfläche bezeichnet. Der Gesichtsausdruck ist gemeinsam mit der Gestik ein wichtiger Bestandteil der **nonverbalen Kommunikation**.
- Als **Gestik** bezeichnet man die Bewegung der Arme und Hände.

Die Körpersprache unserer Gesprächspartnerinnen bzw. Gesprächspartner steuert unser Verhalten indirekt mit.

2.1.2 Grundgesetze der sprachlichen Kommunikation

Paul Watzlawick prägte den Satz „Man kann nicht nicht kommunizieren". Er meint damit, dass wir bereits kommunizieren, indem wir uns verhalten: „Jede Kommunikation hat einen Inhalts- und einen Beziehungsaspekt [...] Kommunikationsabläufe sind entweder symmetrisch oder komplementär."

Watzlawick, Paul / Beavin, Janet H. / Jackson, Don D.: Menschliche Kommunikation. Bern / Stuttgart / Wien, Huber, 1969, S. 53 und S. 56

Paul Watzlawick *(1921–2007), österreichisch-amerikanischer Kommunikationswissenschafter*

siehe Band 1, Kapitel „Kommunikation"

Arten von Kommunikationsabläufen

Symmetrisch meint, dass die Gesprächspartnerinnen bzw. Gesprächspartner ein gleichrangiges Verhältnis zueinander haben, z. B. ein Gespräch zwischen Freundinnen bzw. Freunden oder Kolleginnen und Kollegen.

Komplementär bedeutet, dass die Gesprächspartnerinnen und Gesprächspartner einander ergänzen.

> *„Gesagt bedeutet nicht gehört.*
> *Gehört bedeutet nicht verstanden.*
> *Verstanden bedeutet noch nicht einverstanden."*
> *(Heinz Goldmann)*

Heinz Goldmann *(1919–2005), Schweizer Schriftsteller und Verkaufstrainer*

Fragen über Fragen

siehe Band 1, Kapitel „Kommunikation"

Mithilfe geschickter Fragen können Sie ein **Gespräch führen**. Sie erreichen damit die Aufmerksamkeit der Gesprächspartnerin bzw. des Gesprächspartners, finden ihre bzw. seine Bedürfnisse, Prioritäten und Interessen heraus.

Teil 1: Arten von Fragen (siehe auch S. 50)

- **Offene Fragen:** Diese Fragetechnik gibt der Gesprächspartnerin bzw. dem Gesprächspartner das Gefühl, dass Sie Interesse an ihr bzw. ihm haben. Sie sollten diese Fragen daher vor allem am Beginn eines Gesprächs verwenden.

- **Geschlossene Fragen:** Dazu zählen Entscheidungsfragen, Alternativfragen, Gegen- oder Suggestivfragen, rhetorische Fragen etc.
  - **Entscheidungsfrage:** Diese verlangt die Antwort *Ja* oder *Nein* und eignet sich dazu, das Ergebnis eines Gesprächs zu überprüfen.
  - **Alternativfrage:** Der Gesprächspartnerin bzw. dem Gesprächspartner werden zwei (manchmal auch mehrere) Antwortmöglichkeiten zur Auswahl vorgegeben.
  - **Gegenfrage:** Durch die Rückgabe einer Frage wird eine Präzisierung oder eine Konfrontation eingefordert. (Beispiel: *„Wie meinen Sie das?")*
  - **Kontrollfrage:** Diese Art der Frage überprüft, ob die Aussage verstanden wurde. (Beispiel: *„Habe ich richtig verstanden, dass ...?")*
  - **Rhetorische Frage:** Sie ist eigentlich eine These und somit eine Frage, die keiner Antwort bedarf. (Beispiel: *„Wollen wir nicht alle, dass ...?")*

5 **Aufgabenstellung**

●●

Finden Sie jeweils mindestens drei Beispiele zur offenen Frage und zu jeder Art von geschlossenen Fragen.

Bedingungen und Funktionen sprachlicher Kommunikation

Damit sprachliche Kommunikation gelingen kann, müssen die folgenden **Bedingungen** erfüllt sein: Gesprächspartnerinnen und Gesprächspartner verfügen über eine gemeinsame Sprache, gehen aufeinander ein und schätzen die Gesprächssituation richtig ein.

siehe Band 1, Kapitel „Kommunikation" (Vier-Ohren-Modell)

Sprachliche Kommunikation hat folgende **Funktionen:** die Darstellung eines Sachverhaltes, den Ausdruck der inneren Befindlichkeit, den Appell und die Abbildung der Beziehungsebene.

Beispiel: *„Dein Zimmer sieht wie nach einem Bombenangriff aus."* (Aussage einer Mutter zu ihrer Tochter oder ihrem Sohn) Dieser Satz hat folgende Funktionen:

- Objektiver Sachverhalt (Sachebene):
  Das Zimmer ist in schrecklicher Unordnung.
- Ausdruck der inneren Befindlichkeit (Selbstoffenbarungsebene):
  Ich ärgere mich über deine Schlamperei.
- Appellebene:
  Du solltest schleunigst aufräumen!
- Beziehungsebene:
  Ich bin der Meinung, dass du schlampig bist.

Hans Manz
(geb. 1931), österreichischer Schriftsteller und Kinderbuchautor

Elfriede Gerstl
(1909–2006), österreichische Schriftstellerin, vor allem als Lyrikerin bekannt

Wolf Schneider
(geb. 1925), u. a. Kolumnist und Journalist, Lehrer an Journalistenschulen, Honorarprofessor an der Universität Salzburg

6 Aufgabenstellung

●●

Welche Bedeutung misst Wolf Schneider der nonverbalen Kommunikation bei? Gestalten Sie aus dem Text eine Mindmap, in welcher Sie Signale des Körpers darstellen. Finden Sie weitere Beispiele für körpersprachliche Signale.

Was drückt Hans Manz in seinem Gedicht „Körpersprache" aus? Überlegen Sie sich eine Situation, in der man mit diesen körperlichen Symptomen reagiert.

Was bedeutet das Wort „Substitutionen"? Warum setzt Elfriede Gerstl in bekannten Redewendungen das Wort „sprache" ein? Was will sie mit diesem Kunstgriff bezwecken?

Recherchieren Sie, wie die Redewendungen, die Elfriede Gerstl verwendet, ursprünglich lauten und woher diese Redewendungen stammen.

Wolf Schneider – **Die stumme Verständigung. Gestik – Mimik – optische Signale**

Tier und Mensch haben viele Möglichkeiten der Verständigung gefunden; die Wortsprache ist bei weitem die jüngste und selbst heute nicht durchwegs die wichtigste. Der Vorgang des Sprechens besteht zur Hälfte aus der Mimik, der Gestik, der Körperhaltung, die die Laute begleiten. In der fernsten Fremde hilft nur die Gebärde, in der vertrautesten Nähe zählt nur die Berührung.

„Sprache" ist ein System von Signalen, die von zwei oder mehr Lebewesen benutzt und im großen und ganzen verstanden werden. Also ist es „Sprache", wenn ein Wegelagerer[1] mir stumm den Dolch auf die Brust setzt oder wenn eine Frau im Trauerkleid an mir vorübergeht: Der erste teilt sein Begehren, die zweite ihre Gemütsverfassung mit klarem Vorsatz für jedermann verständlich mit. Es ist nicht wichtig, wo man die Grenze zieht – wenn man sich nur klarmacht, in welch kompliziertes Netz von unhörbaren, aber verständlichen Informationen wir eingesponnen sind. Der Körper ist ein Stellwerk mit tausend Signalen, er spricht mit Armen,

Händen und Fingern, mit Rückgratverkrümmung und dem Muskeltonus, mit dem Zittern der Unterlippe und dem Zucken der Pupille. Er spricht zum einen mit willkürlichen, angeborenen Ausdruckszeichen (Symptomen): dem Erröten, Erbleichen und Zähneklappern. Zum andern sendet er willkürliche Verständigungszeichen (Signale) aus – einen unüberschaubaren Vorrat an Haltungen und Bewegungen, die die Wortsprache begleiten und oft für die Verständlichkeit wichtiger, manchmal auch eindrucksvoller sind als die Worte und im Grenzfall der Taubstummensprache sogar eine komplizierte Kommunikation ohne Wörter ermöglichen.

Die Körpersignale können vom Leib insgesamt ausgehen (Tanz, Pantomime, Imponiergehabe, der von Empörung kündende Rücken eines zweijährigen Kindes, das gedemütigt das Wohnzimmer verläßt); oder nur von Armen, Händen und Fingern (Gestik), oder allein vom Gesicht (Mimik); bei großer Erregung oder lebhaftem Ausdruckswillen auch von einer Kombination all dieser Zeichen, wie der Stummfilm sie vorführte. [...]

Viele Körpersignale sind unmittelbar einleuchtend und keiner Verabredung bedürftig: Wer auf die Knie fällt, macht sich wehrlos, signalisiert Demut und die Bitte um Vergebung [...] Wer den Kopf neigt oder den ganzen Oberkörper beugt, engt sein Blickfeld ein und vermindert seine Kampffähigkeit. Die Arme über der Brust kreuzen, die Hand des anderen schütteln hieß ursprünglich: mindestens für die so bemessene Zeit auf den Gebrauch einer Waffe oder der Hand als Waffe zu verzichten. [...] Ohne Verabredung verständlich sind auch die Blähung des Brustkorbs und andere Imponiergebärden, das Kopfschütteln als Verneinungszeichen [...] und eine breite Palette von Flirt- und Balz[2]-Gesten.

Schneider, Wolf: Die stumme Verständigung. Gestik – Mimik – optische Signale. In: Wörter machen Leute. Magie und Macht der Sprache. 21. Auflage. München, Piper Verlag, 2017, S. 16 f., gekürzt, Originalschreibweise

[1] *Wegelagerer: jemand, der anderen auflauert, um sie zu überfallen; Räuber*
[2] *Balz: Liebesspiel*

Hans Manz – **Körpersprache**

Zittern
schwitzen
frösteln
erröten
erblassen
erstarren
steif dastehen
zurückweichen
Kopf senken
Kopf aufwerfen
Lippen zusammenkneifen
Mund offen stehen lassen
Arme hängen lassen
mit den Zähnen klappern
mit den Zähnen knirschen
zusammenzucken
aufblühen
die Stirn runzeln
die Nase rümpfen
Fäuste ballen
Gänsehaut bekommen
die Haare sträuben
von einem Fuß
auf den anderen treten
u. s. w.

Manz, Hans: Körpersprache. In: Wellenlängen. Wien, Edition Buchklub, 1989 / 90, S. 33

Elfriede Gerstl – **ich gebrauche also bin ich**

21 substitutionen
1 sprache und sprache gesellt sich gern
2 wer sprache will rechte gunst erweisen,
der schickt sie in die weite welt
3 die sprache vor lauter gebrauch nicht sehen
4 sprache ist macht
5 mein name ist sprache, ich weiß von nichts
6 in sprachsachen hört die gemütlichkeit auf
7 tag der sprache
8 denn sprache ist ein großer glanz aus innen
9 ich schau dir in die sprache, kleines
10 ausgerechnet sprache, sprache verlangt sie von mir
11 sag zum abschied leise sprache
12 sprache ist diebstahl
13 an der schönen blauen sprache
14 denn du bist sprache und sollst zu sprache werden
15 die sprache ist das einzige paradies, aus welchem wir nicht vertrieben werden können
16 für die sprache eine gasse
17 weh dem, der keine sprache hat
18 sprachen machen leute
19 ich bin von kopf bis fuß auf sprache eingestellt
20 alle sprachen werden brüder
21 was will die sprache

Gerstl, Elfriede: ich gebrauche also bin ich. In: Nachbaur, Petra / Scheichl, Sigurd Paul (Hg.): Sprachkurs. Beispiele österreichischer Wortartistik 1978–2000. Innsbruck, Haymon Verlag, 2001, S. 200, Originalschreibweise

2.1.3 Kommunikationsstörungen

Konflikte entstehen, wenn Ziele oder Motive nicht miteinander vereinbar sind oder wenn zwei oder mehrere Personen verschiedene Ziele oder Motive haben.

Erich Hackl
(geb. 1954), österreichischer Schriftsteller und Übersetzer

7 **Aufgabenstellung**

O

Die folgende Geschichte handelt von einer Kommunikationsstörung. Wodurch wird sie ausgelöst? Haben Sie erraten, um welche Stadt es sich hier handeln könnte? Diskutieren Sie in einem Klassengespräch, unter welchen Umständen eine störungsfreie Kommunikation stattfinden kann.

Erich Hackl – **Kurzgefasster Bericht von der Entdeckung, Erkundung und freiwilligen Preisgabe der Stadt Schleich-di**

Herr! Getreu will ich über unsere Reise Bericht erstatten, von der wir trotz widriger Umstände vollzählig und gesund zurückgekehrt sind. Sollte ich ins Stocken geraten, so bitte ich, dies nicht auf die Erschlaffung des Gemüts zu deuten, sondern als Ausdruck meiner Schwäche, das, was wir gesehen, gehört und gerochen haben, in die angemessenen Worte zu kleiden.

Wir waren nach langer Fahrt in jenes stinkende Meer geraten, das die angrenzenden Stämme nicht ohne Scharfsinn das Schwarze nennen. Wie wir bald feststellen mussten, war es unmöglich, auf dem Wasserweg weiter gegen Sonnenaufgang vorzudringen. Deshalb, und weil unsere Vorräte zur Neige gingen, beschlossen wir, auf einem mächtigen Gerinne, das abends in das Schwarze Meer mündet, flussaufwärts zu rudern. So hofften wir, ins Herz jenes Erdteils zu stoßen, den wir auf unserer Reise bereits umschifft hatten. [...] Eines Nachts kam ein Mann zu unserem Kanu geschwommen. Er erklärte, uns als Dolmetscher dienen zu wollen, falls wir ihn mitnehmen würden. [...] Nach wenigen Tagesreisen, versprach er, beginne das Reich des Eigennutzes, wo die Menschen keinen Mangel litten, wo Überfluss herrsche und eitel Wonne. Aber jenes Reich bleibe, wie alle anderen Landstriche flussabwärts, den hiesigen Stämmen versperrt, auch sei es schwer, den Grenzwall zu überwinden, der von den Kriegern jenes Reichs bewacht würde. Also gewarnt, schärften wir unsere Pfeile und ruderten fortan nur nachts.

In der dritten Nacht behauptete unser Begleiter, wir würden geradewegs auf die Grenze zusteuern. Entgegen seiner Ankündigung nahmen wir nichts wahr, was auf besondere Schutzmaßnahmen schließen ließ, und gegen Morgen, als es graute, erreichten wir eine Stelle, wo sich, an beiden Ufern, doch mehr an diesem als an jenem, eine Stadt erstreckte. Obwohl ihr Anblick von der Flussseite aus nicht lieblich zu nennen war, beschlossen wir nach kurzer Beratung, das Kanu ans Ufer zu lenken. [...] Als wir die Uferböschung erklommen hatten, sahen wir in kurzer Entfernung, den Rücken zu uns gekehrt, einen Eingeborenen, der an einem ledernen Band einen Hund, unseren stummen Masthunden nicht unähnlich, hinter sich herzog. In der kraftlosen, von langgezogenen Vokalen gefärbten Sprache der Einheimischen sprach er auf das Tier ein, bald in drohendem, dann wieder in flehendem Tonfall. [...]

Um den Namen der Stadt in Erfahrung zu bringen, berührten wir sein Brusttuch und umschrieben sodann mit offener Hand das gesamte Hinterland. Der Eingeborene, der uns mit allen Anzeichen von Überraschung, ja Ekel anstarrte, schwieg, so dass wir uns gezwungen sahen, die Frage in der Gebärdensprache erneut zu stellen. Darauf hob er abwehrend die Hände und tat einen Schritt zurück, so ungestüm, dass er ins Stolpern geriet. [...] Während wir ihn stützten, gab der Eingeborene endlich den Namen der Stadt preis, nämlich Schleich-di. Gleichzeitig wies er auf seinen Hund, mehrmals sogar und mit Nachdruck, so dass wir nicht umhin konnten, dieses Gastgeschenk anzunehmen. Wir hätten es schwerlich, ohne beleidigend zu erscheinen, zurückweisen können. Zudem litten wir großen Hunger. Deshalb töteten und zerlegten wir das Tier und verspeisten es an Ort und Stelle, wiewohl es schal schmeckte und der Vergleich mit unseren Masthunden zu seinem Nachteil ausfiel. Den aufgeregten Äußerungen des Mannes, der selbst vom Fleisch nicht kosten wollte, entnahmen wir, dass das Tier der Rasse der „Bolitzei" oder der „Hüfe" angehörte, denn beide Worte stieß er unaufhörlich hervor. [...]

Ungeachtet aller Gefahren wagten wir uns weiter in die Stadt vor. Wir waren von den Berichten früherer Expeditionen gewarnt. [...] Deshalb verliere ich weiters kein Wort über die Eigenheiten, die überall auf der Morgenseite unseres Meeres anzutreffen sind – der Gestank, der den fahrbaren Sänften durch ein Rohr entweicht; die Gläser, die jeder zweite Eingeborene an einem Nasenbalken vor den Augen trägt, da er sich nicht damit begnügen will, die Welt so zu sehen, wie sie ist; die mürrischen Gesichter, mit denen die Eingeborenen ihrem Tagwerk nachgehen. [...] Was uns am meisten erregte, war die Verdrossenheit, die alle Bewohner dieser Stadt ergriffen hatte. Finsteren Blicks jagten sie zu jener Morgenstunde unbestimmten Zielen entgegen.

Auszug aus: Hackl, Erich: Kurzgefasster Bericht von der Entdeckung, Erkundung und freiwilligen Preisgabe der Stadt Schleich-di. In: Hackl, Erich: In fester Umarmung. Geschichten und Berichte. Zürich, Diogenes Verlag, 1996, 2003, S. 187 ff., gekürzt

Ursachen von Spannungen, die einen Konflikt auslösen können, sind entweder **sachlich** (zwei Ziele sind nicht gleichzeitig erreichbar oder es gibt unterschiedliche Vorstellungen davon, wie ein Ziel erreicht werden soll) oder **emotional** (unterschiedliche Charaktere bzw. gestörte Beziehung). Sie können aber auch **wertorientiert** sein (unverträgliche Einstellungen, Werte, Überzeugungen).

8 Aufgabenstellung

●●●

Lesen Sie die folgende Kurzgeschichte von Ilse Aichinger. Worin besteht der Konflikt? Was ist die Kommunikationsstörung zwischen dem Mann auf dem Boot und seinen Freunden bzw. seinen Kindern? Warum kann er die Rettungsaktion nicht annehmen?

Diskutieren Sie, welche Meinung sich die Freunde, die Kinder, das Mädchen und andere Urlauberinnen bzw. Urlauber über den Mann gebildet haben können. Kennen Sie scheinbar ausweglose Situationen, aus denen es kein Zurück mehr zu geben scheint?

Ilse Aichinger
(1921 – 2016), österreichische Schriftstellerin

Ilse Aichinger – **Seegeister**

[...] Da ist der Mann, der den Motor seines Bootes, kurz bevor er landen wollte, nicht mehr abstellen konnte. Er dachte zunächst, das sei weiter kein Unglück und zum Glück sei der See groß, machte kehrt und fuhr vom Ostufer gegen das Westufer zurück, wo die Berge steil aufsteigen und die großen Hotels stehen. Es war ein schöner Abend, und seine Kinder winkten ihm vom Landungssteg, aber er konnte den Motor noch immer nicht abstellen, tat auch, als wollte er nicht landen, und fuhr wieder gegen das flache Ufer zurück. Hier – zwischen entfernten Segelbooten, Ufern und Schwänen, die sich weit vorgewagt hatten – brach ihm angesichts der Röte, die die untergehende Sonne auf das östliche Ufer warf, zum erstenmal der Schweiß aus den Poren, denn er konnte seinen Motor noch immer nicht abstellen. Er rief seinen Freunden, die auf der Terrasse des Gasthofes beim Kaffee saßen, fröhlich zu, er wolle noch ein wenig weiterfahren, und sie riefen fröhlich zurück, das solle er nur. Als er zum drittenmal kam, rief er, er wolle nur seine Kinder holen, und seinen Kindern rief er zu, er wolle nur seine Freunde holen. Bald darauf waren Freunde und Kinder von beiden Ufern verschwunden, und als er zum viertenmal kam, rief er nicht mehr.

Er hatte entdeckt, daß sein Benzintank leck war, das Benzin war längst aufgelaufen, aber das Seewasser trieb seinen Motor weiter. Er dachte jetzt nicht mehr, das sei weiter kein Unglück und zum Glück sei der See groß. Der letzte Dampfer kam vorbei, und die Leute riefen ihm übermütig zu, aber er antwortete nicht, er dachte jetzt: „Wenn nur kein Boot mehr käme!" Und dann kam auch keins mehr. Die Jachten lagen mit eingezogenen Segeln in den Buchten, und der See spiegelte die Lichter der Hotels. Dichter Nebel begann aufzusteigen, der Mann fuhr kreuz und quer und dann die Ufer entlang, irgendwo schwamm noch ein Mädchen und warf sich den Wellen nach, die sein Boot warf, und ging an Land. Aber er konnte, während er fuhr, den lecken Tank nicht abdichten und fuhr immer weiter. Jetzt erleichterte ihn nur mehr der Gedanke, daß sein Tank doch eines Tages den See ausgeschöpft haben müsse, er dachte, es sei eine merkwürdige Art des Sinkens, den See aufzusaugen und zuletzt mit seinem Boot auf dem Trockenen zu sitzen. Kurz darauf begann es zu regnen, und er dachte auch das nicht mehr. Als er wieder an dem Haus vorbeikam, vor dem das Mädchen gebadet hatte, sah er, daß hinter einem Fenster noch Licht war, aber uferwärts, in den Fenstern, hinter denen seine Kinder schliefen, war es schon dunkel, und als er kurz danach wieder zurückfuhr, hatte auch das Mädchen sein Licht gelöscht. Der Regen ließ nach, aber das tröstete ihn nun nicht mehr.

Am nächsten Morgen wunderten sich die Freunde, die beim Frühstück auf der Terrasse saßen, daß er schon so früh auf dem Wasser sei. Er rief ihnen fröhlich zu, der Sommer ginge zu Ende, man müsse ihn nützen, und seinen Kindern, die schon am frühen Morgen auf dem Landungssteg standen, sagte er dasselbe. Und als sie am nächsten Morgen eine Rettungsexpedition nach ihm ausschicken wollten, winkte er ab, denn er konnte doch jetzt, nachdem er sich zwei Tage lang auf die Fröhlichkeit hinausgeredet hatte, eine Rettungsexpedition nicht mehr zulassen; vor allem nicht angesichts des Mädchens, das täglich gegen Abend die Wellen erwartete, die sein Boot warf. Am vierten Tag begann er zu fürchten, daß man sich über ihn lustig machen könne, tröstete sich bei dem Gedanken, daß auch dies vorüberginge. Und es ging vorüber.

Seine Freunde verließen, als es kühler wurde, den See, und auch die Kinder kehrten zur Stadt zurück, die Schule begann. Das Motorengeräusch von der Uferstraße ließ nach, jetzt lärmte nur noch sein Boot auf dem See. Der Nebel zwischen Wald und Gebirge wurde täglich dichter, und der Rauch aus den Kaminen blieb in den Wipfeln hängen. Als letztes verließ das Mädchen den See. Vom Wasser her sah er sie ihre Koffer auf den Wagen laden. Sie warf ihm eine Kußhand zu und dachte: „Wäre er ein Verwunschener, ich wäre länger geblieben, aber er ist mir zu genußsüchtig!"
Bald darauf fuhr er an dieser Stelle mit seinem Boot aus Verzweiflung auf den Schotter. Das Boot wurde längsseits aufgerissen und tankt von nun an Luft. In den Herbstnächten hören es die Einheimischen über ihre Köpfe dahinbrausen. [...]

Aichinger, Ilse: Seegeister. In: Der Gefesselte. Erzählungen I. Frankfurt am Main, Fischer Taschenbuch Verlag, 5. Auflage, 2002, S. 86–88, Originalschreibweise

Oft liegt der Grund einer Kommunikationsstörung im **mangelhaften Zuhören**.

9 Aufgabenstellung

○

Auch Zuhören will gelernt sein! Was bewirkt Momo mit dieser Eigenschaft?

Michael Ende – **Momo**

Was die kleine Momo konnte wie kein anderer, das war: zuhören. Das ist doch nichts Besonderes, wird nun vielleicht mancher Leser sagen, zuhören kann doch jeder.
Aber das ist ein Irrtum. Wirklich zuhören können nur ganz wenige Menschen. Und so wie Momo sich aufs Zuhören verstand, war es ganz und gar einmalig. Momo konnte so zuhören, dass dummen Leuten plötzlich sehr gescheite Gedanken kamen. Nicht etwa, weil sie etwas sagte oder fragte, was den anderen auf solche Gedanken brachte, nein, sie saß nur da und hörte einfach zu, mit aller Aufmerksamkeit und aller Anteilnahme. Dabei schaute sie den anderen mit ihren großen, dunklen Augen an, und der Betreffende fühlte, wie in ihm auf einmal Gedanken auftauchten, von denen er nie geahnt hatte, dass sie in ihm steckten. Sie konnte so zuhören, dass ratlose oder unentschlossene Leute auf einmal ganz genau wussten, was sie wollten. Oder dass Schüchterne sich plötzlich frei und mutig fühlten. Oder dass Unglückliche und Bedrückte zuversichtlich und froh wurden. Und wenn jemand meinte, sein Leben sei ganz verfehlt und bedeutungslos und er selbst nur irgendeiner unter Millionen, einer, auf den es überhaupt nicht ankommt und der ebenso schnell ersetzt werden kann wie ein kaputter Topf – und er ging hin und erzählte alles das der kleinen Momo, dann wurde ihm, noch während er redete, auf geheimnisvolle Weise klar, dass er sich gründlich irrte, dass es ihn, genauso wie er war, unter allen Menschen nur ein einziges Mal gab und dass er deshalb auf seine besondere Weise für die Welt wichtig war.

Ende, Michael: Momo. Stuttgart / Wien, K. Thienemanns Verlag, 2005, S. 14 f.

Michael Ende
(1929–1995), deutscher Schriftsteller, der vor allem mit seinen Kinderbüchern berühmt wurde (u. a. „Jim Knopf und Lukas der Lokomotivführer", „Die unendliche Geschichte", „Momo")

Noch besser als aufmerksames Zuhören ist **aktives Zuhören** dazu geeignet, Missverständnisse zu vermeiden. Die Zuhörerin bzw. der Zuhörer sagt, wie sie bzw. er die Aussage verstanden hat, und die Sprecherin bzw. der Sprecher kann nötigenfalls durch Feedback das Gesagte präzisieren (Rückkoppelung).

Wenn **Konflikte eskalieren**, sind Konfliktlösungsstrategien gefragt.

10 Aufgabenstellung

●●

Was ist die Ursache des Konflikts im folgenden Text? Der Erzähler erfährt das gleiche Erlebnis aus zwei verschiedenen Perspektiven: Wie würde er die Geschichte erzählen? Mit welchen Mitteln setzt die Frau ihren Willen durch? Diskutieren Sie, ob es Situationen gibt, in denen undiplomatisches Verhalten zielführend sein kann oder darf.

Jörg Mauthe – **Die Vielgeliebte**

„Die Ärzte“, sagte diese kleine Person am darauffolgenden Montagmorgen zu mir, ehe wir unsere Arbeit aufnahmen, „gehören vertilgt. Und in die Spitäler sollte man Bomben schmeißen. Aber große!“

„O je!“ sagte ich misstrauisch, denn ich wußte, was von solchen Mitteilungen zu halten war. „Du hast wieder einmal Krach gemacht?“

„Und was für einen!“ sagte sie in einem Tonfall, der darauf schließen ließ, daß sie bei der Ausrottung von Ärzten und der Demolierung von Spitälern bereits schöne Anfangserfolge verzeichnen konnte. [...]

Sie hatte also den Mann kurzerhand in ihren Volkswagen verladen, um ihn schnellstens ins nächste Spital zu bringen. Auf dem Weg dorthin war die Kolik[1] oder der Anfall oder was immer so überwältigend geworden, daß der Unbekannte schon mehr tot als lebendig, jedenfalls aber bereits bewußtlos schien. Der Nachtportier des Krankenhauses aber war davon keineswegs beeindruckt, sondern eher geneigt gewesen, die Sache als eine gegen ihn persönlich gerichtete Ruhestörung aufzufassen, hatte umständlich wissen wollen, warum man denn da nicht die Rettung oder den ärztlichen Notdienst gerufen hätte, und schließlich wissen lassen, daß man den Erkrankten ins Ferdinand-Spital am entgegengesetzten Ende der Stadt zu bringen habe, wo erstens sowieso Nachtdienst gemacht werde und zweitens freie Betten vorhanden seien.

„Da hab' ich dann Krach geschlagen!“ beendete die Freundin die drastische Schilderung dieses Vorgangs.

„Mit Erfolg?“ „Meine Krachs haben meistens Erfolg!“

„Ich weiß, ich weiß. – In welchem Krankenhaus hat sich denn diese Geschichte abgespielt?“

„Im Dorotheer-Spital. Na, die werden dort noch eine Weile an mich denken!“

Diese Mitteilung am Montagmorgen freute mich wenig, denn es gehörte zu meinen Gewohnheiten, am Abend eines jeden Montags einen alten Freund aufzusuchen, um in seinem Dienstzimmer ein Glas Rotwein zu trinken und gescheit zu plaudern. [...] Jenes bequeme Dienstzimmer befand sich im Dorotheer-Spital, und sein Inhaber – und Leiter dieses Krankenhauses – war mein Freund, der Medizinalrat. [...]

„Es war der Auftritt dieser kleinen Furie“, sagte des Medizinalrats dröhnende Stimme, „ein grandioses Ereignis, und wie alle großen Begebenheiten spielte er sich sehr rasch, sozusagen in Sekundenschnelle ab. Nichtsdestoweniger fand das salamandrische Geschöpf Zeit genug, mir auch noch Watschen anzudrohen, falls ich mich nicht umgehend über den Patienten hermachen sollte, und als ich, das rein technische Problem dieser Drohung bedenkend – denn das kleine Ding reichte mir wie gesagt knapp über den Nabel –, fragte, wie sie das wohl anstellen würde, schleudert diese winzige Erinnye[2] da nicht einen von den Wartesesseln vor mich hin, springt mit einem Satz hinauf – und wahrhaftig, besäße ich nicht hervorragende Reflexe, ich hätte die erste Ohrfeige seit Kindertagen gekriegt!“

„Wie ging die Sache aus?“ fragte ich, denn ich wollte ihr ein Ende machen.

„Da ist weiter nicht viel zu sagen. Der Mann wurde operiert, von meinen eigenen Händen, die ja an sich viel zu kostbar für einen Blinddarm sind, aber es war gut, daß ich selbst dranging, denn, das muß zur Unehre des Portiers [...] gesagt sein, mit diesem Appendix[3] war's höchste Eisenbahn, allerhöchste. Weshalb man mit Recht folgern könnte, daß besagte kleine Leucht-Furie dem Mann das Leben gerettet hat, einem Mann, der übrigens ein bemerkenswerter Fall ist.“

Mauthe, Jörg: Die Vielgeliebte. Wien, Edition Atelier, 2001, S. 18 ff., gekürzt, Originalschreibweise

[1] *Kolik: Anfall von krampfartigen Leibschmerzen*
[2] *Erinnye (griech.): Furie, Rasende*
[3] *Appendix: Wurmfortsatz des Blinddarms*

11 Aufgabenstellung

●●

Überlegen Sie, für welche Situationen die folgenden Konfliktlösungen sinnvoll oder passend sind:

- *Ein Schiedsrichter entscheidet.*
- *Rückzug – ein Streitpartner räumt das Feld.*
- *Der Konflikt wird verdrängt.*
- *Ein Machtkampf bricht aus.*
- *Die Konfliktparteien werden getrennt.*
- *Jeder bekommt seinen Teil.*
- *Der Konflikt schwelt weiter. Es gibt nur eine faule Kompromisslösung.*
- *Man sucht Bündnispartner und siegt durch Mehrheit.*
- *Durch Verhandlungen kommt es zu einer Einigung.*
- *Der Streit geht bis zum Exzess weiter.*

2.2 Die Kunst des Redens

2.2.1 Monologische Rhetorik: Statement und Rede (Referat)

Rhetorik, die (griech.): Redekunst

Die Aufgabe der **Rhetorik** ist es, die Zuhörerin bzw. den Zuhörer von einem bestimmten Standpunkt zu überzeugen, sich ein Urteil zu bilden oder ein Thema zu erläutern. Schon in der Antike kannte man die **fünf Schritte** bei der Entwicklung einer Rede:

Aristoteles *(384–322 v. Chr.), einer der bekanntesten griechischen Philosophen der Antike, begründete und beeinflusste zahlreiche Disziplinen (Logik, Dichtungslehre, Staatslehre). In seiner Theorie der Überzeugung nennt er das Argument als wichtigstes Mittel.*

1. Argumente finden
2. diese Argumente gliedern
3. die Rede sprachlich gestalten
4. sich die Rede einprägen
5. den Vortrag halten

Marcus Tullius Cicero *(106–43 v. Chr.), römischer Politiker, Anwalt, Schriftsteller und Philosoph, der berühmteste Redner Roms und Konsul 63 v. Chr.*

Heutzutage unterstützen meist verschiedene **Medien** die Rednerin bzw. den Redner bei der Präsentation ihrer bzw. seiner Gedanken: Bilder, Flipchart, Overheadprojektor und Beamer. In der griechischen und römischen Antike überzeugten Redner allein mit ihren eindrucksvollen Argumenten ihr Publikum.

Zur **monologischen Rhetorik** zählen Statement, Kurzvortrag (Referat), Wahlrede, Laudatio (Lobrede), Eröffnungsansprache etc.

Das Statement – eine Meinung haben und dazu stehen

Statement, das (engl.): kurze, spontane Stellungnahme

Beim Statement handelt es sich um eine kurze, in sich geschlossene **Stellungnahme**, meist nur mit einer Dauer von 15 bis 45 Sekunden, welche in einen Beitrag (Interview, Diskussion) eingebettet wird. In der Regel wird ein Statement mit einer Frage eingeleitet. Oft wählt eine Journalistin oder ein Journalist eine kurze Aussage aus einem Interview als Statement, das sie bzw. er in ihrem bzw. seinem Text wiedergibt oder das als Fernsehausschnitt gezeigt wird.

Es ist gar nicht so einfach, sich ohne Vorbereitung kurz und prägnant zu äußern. Selbst erfahrenen Rednerinnen und Rednern wie Politikerinnen und Politikern gelingt dies nicht immer.

Beim Statement ist ein guter Aufbau besonders wichtig, zumal Sie in kürzester Zeit Ihre Botschaft darstellen müssen. Gehen Sie dabei in drei Schritten (Drei-Schritt-Technik) vor.

„Man kann über alles reden, nur nicht über eine halbe Stunde!" (Anonym)

Die Drei-Schritt-Technik

1. **Ist-Zustand:** Meinung / Wer hat was gesagt? / Schilderung der Situation
2. **Zentrale Kernaussage:** Argument / Begründung, Soll-Zustand, verbunden mit passendem Bild oder Beispiel
3. **Appell:** Wiederholung / Zusammenfassung

In Anlehnung an: Knill, Marcus: Zum Statement. Online: http://www.rhetorik.ch/Auftreten/Statement.html (20.05.2019)

siehe Kapitel „Schreibhandlungen"

12 Aufgabenstellung

a. ●

Wählen Sie eines der folgenden Themen und verfassen Sie dazu ein Statement:

- *Ihre Meinung zur österreichischen Politik.*
- *Noten gehören abgeschafft, weil Erwachsene auch nicht benotet werden.*
- *Nur ein generelles Rauchverbot ist wirksam.*
- *Benzin ist noch immer zu billig.*
- *Ein allgemeines Alkoholverbot für alle bis 18 ist sinnlos.*
- *Wählen mit 16 ist Unsinn.*
- *Nur ein Tempolimit von 100 Stundenkilometern auf den Autobahnen kann die Zahl der schweren Unfälle drastisch verringern.*

„Nichts ist schwerer, als bedeutende Gedanken so auszudrücken, dass sie jeder versteht." (Schopenhauer)

Bereiten Sie anfangs Beiträge mit einer Dauer von 60 Sekunden vor, üben Sie später Beiträge mit einer Dauer von nur 30 bis 40 Sekunden.

Kürze ist gefragt, deshalb: keine Einleitung, keine Begrüßung, keine Beurteilung der Frage. Verschenken Sie keine Zeit. Reden Sie dennoch nicht schneller! Ein angemessenes Tempo und Pausen steigern die Aussagekraft Ihres Statements. Denken Sie aber auch daran, dass 40 Sekunden lang sein können, wenn Ihnen nichts einfällt!

Formulieren Sie frei.

b. ○

Tragen Sie einige Beiträge der Klasse vor und stoppen Sie die Zeit.
Analysieren Sie anschließend

- die Einhaltung der Drei-Schritt-Technik (persönlicher Standpunkt, Lösungsvorschläge, Appell)
- die Länge des Beitrags

„Eine gute Rede soll das Thema erschöpfen, nicht die Zuhörer." (Churchill)

c. ○

Besprechen Sie Kürzungs- bzw. Änderungsmöglichkeiten.

Referat oder Rede – die Kunst des Redens

siehe Band 1, Kapitel „Zuhören und Sprechen"

siehe Kapitel „Schreibhandlungen"

Die Vorbereitungen für eine Rede oder ein Referat sind die gleichen, der Zweck ist jedoch verschieden. Die Referentin bzw. der Referent will **Wissen vermitteln**, die Zuhörerinnen bzw. Zuhörer mit einem Sachgebiet **vertraut machen** und **informieren**. Die Rednerin bzw. der Redner dagegen will **überzeugen, auffordern, loben** oder **kritisieren, beeinflussen** oder **überreden.**

Bevor Sie sich in ein Thema einarbeiten, sollten Sie sich Folgendes überlegen:

Zeit: Vorbereitung (Redezeit)
Ziel: Nutzen des Vortrags für die Hörerin bzw. den Hörer
Publikum: Was wissen die Zuhörerinnen und Zuhörer bereits? Wo liegen ihre Interessen?

Ein Referat in acht Schritten

1. **Thema finden:** Worum geht es? Was gehört zum Thema? Was sind die verschiedenen Aspekte des Problems?
2. **Informationen einholen:** Materialrecherche (Bibliothek, Internet, Archive, Lexika, Enzyklopädien, Fach- und Sachbücher, Fachzeitschriften etc.)
3. **Material ordnen und auswerten:** Exzerpieren, Zusammenfassen der umfangreichen Informationen
4. **Schwerpunkte festlegen, Gliederung erstellen:**

   Einleitung: Stellen Sie Ihr Thema und dessen Bedeutung vor. Nennen Sie die Informationsquellen. Beginnen Sie mit einem Zitat, einem außergewöhnlichen Beispiel oder einem persönlichen Erlebnis.

   Hauptteil: Stellen Sie eine Grobgliederung vor. Erklären Sie die Begriffe, die historische Entwicklung, Thesen, wichtige Ereignisse, Argumente, wissenschaftliche Erkenntnisse etc.

   Schluss: Fassen Sie die Ergebnisse, Vorschläge, offenen Fragen zusammen und schließen Sie mit einem Ausblick auf die Zukunft. Oft ist es hilfreich, die Hauptpunkte in Form eines Thesenpapiers oder Handouts vorzubereiten.
5. **Medien vorbereiten:** Flipchart, Overheadfolie, Powerpoint-Präsentation zur Visualisierung, Handout (Zusammenfassung)
6. **Schriftliche Ausformulierung des Referates**
7. **Stichwortzettel erstellen:** Notieren Sie auf Karteikarten stichwortartig die wichtigsten Punkte des Vortrages. Nummerieren Sie die Karten durch, damit Sie diese nicht durcheinanderbringen und den roten Faden nicht verlieren.
8. **Referat halten:** Das freie Sprechen mithilfe des Stichwortzettels sollten Sie üben. Stolpersteine sind zu komplizierte Sätze, zu viele Fremdwörter ohne Erklärung, zu viele Daten, Zahlen oder Bilder, zu rasches Sprechen.

Anfang und **Schluss** des Referates sind ausschlaggebend für dessen Gelingen.

Einstieg: Beginnen Sie z. B. mit einer kurzen Geschichte, einer rhetorischen Frage oder einem Zitat und wecken Sie die Neugierde der Zuhörerinnen und Zuhörer. Sprechen Sie Ihr Publikum persönlich an und halten Sie Blickkontakt mit ihm.

Schluss: Eine knappe Zusammenfassung, ein Appell, ein Ausblick in die Zukunft oder offene Fragen eignen sich dafür, Ihr Referat abzurunden. Überlassen Sie den Schluss keinesfalls dem Zufall.

Bemühen Sie sich um größtmögliche Verständlichkeit und achten Sie auf logische Gliederung, Kürze und Prägnanz sowie eine klare Sprache.

Stilistische Mittel, die Sie in Ihrem Referat einsetzen können:

- Machen Sie Ihr Referat durch **Vergleiche** anschaulich.
- Appellieren Sie an Ihre Zuhörerinnen und Zuhörer mit bewussten **Wiederholungen**, **bildhaften** Umschreibungen und rhetorischen Fragen.
- Wenn Sie **überzeugen** wollen, so kommt es auf die Reihenfolge und die Schlüssigkeit der **Argumente** an. Gute Argumente sind Tatsachen, überprüfbare Feststellungen, Vergleiche, Gesetze oder Erkenntnisse von Fachleuten. Ungeeignete Argumente sind etwa Vorurteile, ein Bezug auf Einzelfälle und einseitige Standpunkte sowie Verallgemeinerungen (z. B. *„Alle Jugendlichen sind …“*).
- Bemühen Sie sich, das Vertrauen Ihres Publikums zu gewinnen. Sprechen Sie in einer **Sprache**, welche die Zuhörerinnen bzw. Zuhörer gut verstehen.
- Hilfreich ist eine **Generalprobe**, bei der mindestens eine kritische Zuhörerin bzw. ein kritischer Zuhörer anwesend ist. Achten Sie auf einen freien Vortrag, Blickkontakt, Mimik und Gestik. Machen Sie Pausen und sprechen Sie nicht zu schnell. Verwenden Sie die Standardsprache und verfallen Sie nicht in Jugendsprache oder Dialekt.
- Überlegen Sie sich, wie Sie auf Zwischenfragen, Lachen, Unaufmerksamkeit der Zuhörerinnen und Zuhörer bzw. bei einem Blackout reagieren.

13 Aufgabenstellung

●●

a. Bereiten Sie in Absprache mit Ihrer Deutschlehrerin bzw. Ihrem Deutschlehrer im Team ein Referat über ein aktuelles Thema schriftlich vor, wobei gegensätzliche Standpunkte zu berücksichtigen sind.
Mögliche Themenbereiche für Referate können sein: Arbeitsmarkt, soziale Fragen, Probleme der Jugendlichen, Sportarten etc. Stellen Sie auch einmal ein Sachbuch, ein literarisches Werk oder einen Film zu einem aktuellen oder brisanten Thema vor.

b. Aller Anfang ist schwer! Schreiben Sie eine Einleitung zu einem der Themen und entwerfen Sie eine Grobgliederung.

c. Diskutieren Sie auch, welche Probleme sich ergeben können, wenn eine Gruppe ein Referat gemeinsam vorbereitet. Worauf müssen Sie bei einer Teamarbeit besonders achten?

Präsentationsmedien, die: technische Hilfsmittel zur visuellen Aufbereitung einer Präsentation (Flipchart, Pinnwand, Overheadprojektor, Powerpoint-Präsentation)

Sie werden im Laufe Ihrer Schulzeit bis zu Ihren abschließenden Prüfungen diverse Projekte, die Sie allein oder im Team erarbeitet haben, Ihrer Klasse oder einem externen Publikum vorstellen, bis hin zur Präsentation und Verteidigung Ihrer Diplomarbeit. Auch bei Lehrveranstaltungen an der Universität oder Fachhochschule und bei Ihren beruflichen Tätigkeiten werden Sie sich immer wieder vor Publikum präsentieren.

Im Vorjahr haben Sie gelernt, ein Referat vorzubereiten und durchzuführen. Lernen Sie nun, Themen professionell mit Medienunterstützung zu präsentieren.

Präsentationen – Kurzvorträge oder Referate, die mit medialer Unterstützung umgesetzt werden

Vorbereitung: Was darf ich nicht vergessen?

- **Zielgruppe erkunden:** Wer ist mein Publikum? Was kann ich an Wissen voraussetzen? Welche Erwartungen hat mein Publikum?
- **Ziele festlegen:** Welche Ziele möchte ich erreichen? Möchte ich informieren? Möchte ich überzeugen?
- **Zeitlicher Rahmen:** Wie viel Zeit habe ich zur Verfügung?
- **Ort:** Wie ist die Raumausstattung und Größe des Raumes (Beleuchtung, Verdunklungsmöglichkeiten, Podium)?
- **Medieneinsatz:** Welche Medien sind vorhanden?

Die Präsentationsmedien, die Sie während Ihres Referates einsetzen, haben ihre Vor- und Nachteile. Pinnwand und Flipchart sind für Workshops und Teambesprechungen geeignet. Für Vorträge und Referate bieten sich Overheadprojektor und Powerpoint-Präsentationen mithilfe eines Beamers an.

Wählen Sie die Medien, die Sie einsetzen wollen, je nach Thema, Zielgruppe und Zahl der Zuhörerinnen bzw. Zuhörer aus.

visualisieren: veranschaulichen, sichtbar machen

Präsentationsmedien sind technische Hilfsmittel zu Ihrer Unterstützung. Im Mittelpunkt Ihrer Präsentation sollten aber immer noch **Sie** stehen. Veranstalten Sie daher keine multimediale Show. Die Medien, die Sie einsetzen, sollen nicht von Ihrem Vortrag ablenken, sondern das Verständnis fördern. Gestalten Sie daher nicht zu viele Folien, überladen Sie diese auch nicht mit zu vielen Informationen.

CHECKLISTE – Visualisierung

- zentrale Begriffe verwenden und diese hervorheben
- maximal sieben bis neun Stichwörter auf eine Folie schreiben (60 % der Folie beschriften)
- maximal zwei Schriftarten und drei Farben einsetzen
- Folie durch Punkte, Striche, Zahlen oder Pfeile gliedern

Tappen Sie nicht in die **Präsentationsfalle**!

Wer hat folgende Szenarien nicht schon selbst erlebt? Sie kommen gut vorbereitet zur Präsentation und dann ist der Raum schlecht abgedunkelt oder lässt sich gar nicht verdunkeln, die Batterie des Mikrofons ist leer, das Kabel zwischen Laptop und Beamer fehlt ...

Eine Generalprobe ist unerlässlich! Überprüfen Sie vor jeder Präsentation die Bedienung der Geräte, proben Sie den Ablauf und die Dauer der Präsentation.

Wenn der Beamer ausfällt oder der Laptop den Geist aufgibt, sollten Sie eine Alternative in Form ausgedruckter Folien bereithaben.

Vermeiden Sie letzte hektische Vorbereitungen. Seien Sie rechtzeitig im Präsentationsraum. Halten Sie alle Ihre Unterlagen und Kopien, die Sie verteilen wollen, bereit.

14 Aufgabenstellung

●

Erarbeiten Sie eine Kurzpräsentation von maximal fünf Minuten zu einem der folgenden Themen:

- *Stellen Sie eine Sportart, einen Film oder ein Buch vor.*
- *Machen Sie Vorschläge zur Umgestaltung Ihres Klassenzimmers, des Pausenraumes, des Schulbuffets etc.*
- *Schlagen Sie Ihrer Klasse vor, an einer Sprachwoche im Ausland teilzunehmen.*
- *Überzeugen Sie Ihre Deutschlehrerin bzw. Ihren Deutschlehrer von einem Theaterbesuch. Schlagen Sie ein bestimmtes Stück, das Sie sehen wollen, vor.*

15 Aufgabenstellung

●●●

Geben Sie ein kollegiales Feedback zu einer Präsentation, die eine bzw. einer Ihrer Mitschülerinnen bzw. Mitschüler gehalten hat.

siehe Band 1, Kapitel „Zuhören und Sprechen“

Legen Sie vor der Abhaltung der Präsentation gemeinsam mit Ihrer Deutschlehrerin bzw. Ihrem Deutschlehrer die Hauptkriterien für die Bewertung fest. Erstellen Sie ein Raster, das zumindest Inhalt, Verständlichkeit, Visualisierung, Gliederung und Sprechweise beinhaltet.

Beachten Sie beim Feedback-Geben, aber auch beim Feedback-Nehmen die grundlegenden Regeln dafür:

Feedback geben
- Ich-Botschaften verwenden
- ehrlich sein
- sachlich richtig und genau sein
- beschreiben und nicht werten
- die Stärken betonen

Feedback nehmen
- den anderen aussprechen lassen
- keine Verteidigungshaltung einnehmen
- konzentriert zuhören
- bei Unklarheiten rückfragen
- mit eigenen Worten das Mitgeteilte wiederholen
- Feedback annehmen

2.2.2 Dialogische Rhetorik: Diskussion und Interview

Diskussion, die (lat. discutare): zerschlagen, zerlegen

Debatte, die (franz. débattre): niederschlagen

Kontrahentin, die bzw. Kontrahent, der: Gegnerin bzw. Gegner im Streit oder Wettkampf

Zur dialogischen Rhetorik rechnet man Gesprächsformen wie Plauderei, Teambesprechung, Diskussion, Debatte, Interview, Verkaufsgespräch, Einvernahme, Telefongespräch etc. Die **dialogischen Formen** wollen nicht nur informieren, sie wollen vor allem überzeugen, überreden, beeinflussen und manipulieren.

In einer **Diskussion** werden zu einem vorher festgelegten Thema verschiedene Ansichten und Argumente vorgebracht. Der **Meinungsaustausch** führt dazu, dass die Teilnehmerinnen und Teilnehmer die Standpunkte der Beteiligten kennenlernen, ihren Horizont erweitern und oft auch die Grundlage für einen Kompromiss schaffen. Bei der **Podiumsdiskussion** diskutiert eine kleine Gruppe vor einem Publikum.

In einer **Debatte** versucht sich eine Gruppe von Teilnehmerinnen und Teilnehmern mit ihren Ansichten gegenüber einer anderen Gruppe durchzusetzen. Die Kontrahentinnen und Kontrahenten zeigen die Nachteile der gegnerischen Position auf. Häufig finden solche Streitgespräche zwischen politischen Gegnerinnen bzw. Gegnern statt.

16 Aufgabenstellung

siehe Band 1, Kapitel „Zuhören und Sprechen“

verifizierbar: überprüfbar, nachprüfbar

Wiederholen Sie in einem Klassengespräch, was Suggestivfragen und Killerphrasen sind. Präzisieren Sie auch die Rolle der Diskussionsleiterin bzw. des Diskussionsleiters. Wie sollte eine Diskussionsleiterin bzw. ein Diskussionsleiter in folgenden Situationen reagieren?

- *Eine Diskussionsteilnehmerin fällt einer anderen ständig ins Wort.*
- *Ein Diskussionsteilnehmer stellt Behauptungen auf, die nicht verifizierbar sind.*
- *Eine Teilnehmerin stellt ständig Suggestivfragen.*
- *Ein Teilnehmer antwortet mit Killerphrasen.*
- *Eine Teilnehmerin weicht ständig vom Thema ab.*

Erfolgreich diskutieren

- Bringen Sie Ihre Beiträge in der **Ich-Form**.
- **Fallen Sie** anderen **nicht ins Wort**.
- Lassen Sie sich aber auch **nicht unterbrechen**.
- **Weichen Sie nicht** vom Thema **ab**.
- Stellen Sie **keine Suggestivfragen**.
- Reden Sie **nicht zu lange**.
- Antworten Sie nicht auf **Killerphrasen**.
- Versuchen Sie, die Gegnerin bzw. den Gegner zu **verstehen**, auch wenn Sie mit ihrer bzw. seiner Aussage nicht einverstanden sind.
- Bleiben Sie **freundlich**.
- Greifen Sie die **Sache** an, aber nicht die Gegnerin bzw. den Gegner.
- Suchen Sie **Übereinstimmungen**.

17 Aufgabenstellung

●●

Bereiten Sie sich in einer Paararbeit auf eine Diskussionsrunde vor, die als Rollenspiel durchgeführt werden soll.

Bei diesem **Rollenspiel** übernehmen Sie den Standpunkt einer Interessengruppe in einem Konflikt und stellen deren Sicht der Dinge dar. Es handelt sich nicht um eine echte Diskussion, Sie lernen aber durch diese Übung, sich in die Rolle anderer zu versetzen.

Mögliche Themen für den Konflikt:

- *Bau einer Schnellstraße oder einer Ortsumfahrung*
- *Umwidmung einer stark befahrenen Straße in eine Fußgängerzone*
- *Bau eines Sozialsupermarktes (dieser verkauft verbilligte Produkte an Personen, die an oder unter der Armutsgrenze leben)*
- *Umwidmung des schuleigenen Fußballplatzes in ein öffentliches Sportzentrum*

Überlegen Sie sich, wer die Rolle der Diskussionsleitung übernimmt und wer mögliche Interessengruppen (Kontrahentinnen und Kontrahenten) sind, die zu einer Diskussionsrunde eingeladen werden sollten.

Bereiten Sie Ihre Argumentationslinie sorgfältig vor. Denken Sie auch an mögliche Gegenargumente, die eingebracht werden könnten. Je stärker Sie Ihre eigene Aussage mit Beispielen und Fakten abstützen können, desto plausibler werden Sie argumentieren können.

siehe Kapitel „Schreibhandlungen“

Vergessen Sie nicht, dass Sie während der Diskussion schnell reagieren müssen. Ihre Kenntnisse über die Bedeutung des Statements werden Ihnen dabei ebenfalls helfen, präzise zu sein.

CHECKLISTE – Wie bereite ich mich auf eine Diskussion vor?

- die eigenen Kernaussagen auf verschiedene Art und Weise vorbereiten (Analogie, Vergleich, Statement, Geschichte, Beispiel)
- das Hauptargument möglichst rasch einbringen
- Gegenargumente antizipieren
- die wichtigste Botschaft (mit Variationen) wiederholen
- andere ausreden lassen
- keine Anfangsfloskeln verwenden
- aktiv eingreifen und nicht warten, bis Sie endlich auch an die Reihe kommen
- sich nicht unterbrechen lassen, z. B. Formulierungen verwenden wie: *„Ich muss den Gedanken noch zu Ende bringen“* oder *„Darf ich den Gedanken noch zu Ende bringen?“*
- nur in der Sache hart bleiben, aber Verständnis für die andere Sichtweise zeigen
- schwache Argumente entlarven, indem Sie auf die Schwächen dieses Arguments zurückkommen
- die anderen Teilnehmerinnen und Teilnehmer und deren Reaktionen genau beobachten
- zu Ihrem roten Faden zurückkehren und sich nicht davon abbringen lassen

antizipieren: *etwas (gedanklich) vorwegnehmen*

Analogie, die: *Entsprechung, Ähnlichkeit, Übereinstimmung*

In Anlehnung an: Knill, Marcus: Zur Diskussion. Online: http://www.rhetorik.ch/Auftreten/Diskussion.html (20.05.2019)

Interview, das: Der Begriff stammt vom französischen „entrevue" ab und bedeutet „verabredete Zusammenkunft". Alltagssprachlich wird der Begriff heute vor allem im Journalismus verwendet.

Ein **Interview** ist ein Gespräch zwischen zwei oder mehreren Gesprächspartnerinnen bzw. Gesprächspartnern, wobei eine bzw. einer die Fragen stellt, die bzw. der andere antwortet.

Dabei beachten sollte man, dass nicht jede Frage-Antwort-Situation ein Interview im **journalistischen** Sinn darstellt. Von einem journalistischen Interview spricht man erst, wenn sich beide Beteiligten darüber im Klaren sind, dass der Dialog, den sie führen, **öffentlich** ist bzw. Teile des Gesprächs veröffentlicht werden. Es handelt sich nicht um ein reines Frage-Antwort-Spiel, sondern um einen Dialog, der durch **Rede und Gegenrede** gekennzeichnet ist. Außerdem sind **Thema** und Sachverhalt des Interviews vorher **bekannt.** Meist hat ein **Vorgespräch** stattgefunden, bei welchem denkbare Fragen aufgelistet wurden.

18 Aufgabenstellung

●●

Lesen Sie das Gedicht „Interview" von Marie Luise Kaschnitz. Unter einem Interview stellen Sie sich sicher etwas anderes vor. Welche typischen Merkmale eines Interviews fehlen?

Der Aussage der Dichterin liegt eine Frage zugrunde. Welche könnte es sein?

Was ist die wichtige Botschaft, die die Dichterin der Leserin bzw. dem Leser vermitteln möchte?

Marie Luise Kaschnitz *(1901–1974), deutsche Schriftstellerin*

Marie Luise Kaschnitz – **Interview**

Wenn er kommt, der Besucher
Der Neugierige und dich fragt,
Dann bekenne ihm, dass du keine
Briefmarken sammelst,
Keine farbigen Aufnahmen machst,
Keine Kakteen züchtest.
Dass du kein Haus hast,
Keinen Fernsehapparat,
Keine Zimmerlinde.
Dass du nicht weißt,
Warum du dich hinsetzt und schreibst,
Unwillig, weil es dir kein Vergnügen macht.
Dass du den Sinn deines Lebens immer noch nicht
Herausgefunden hast, obwohl du schon so alt bist.
Dass du geliebt hast, aber unzureichend,
Dass du gekämpft hast, aber mit zaghaften Armen.
Dass du an vielen Orten zuhause warst,
Aber ein Heimatrecht hast an keinem.
Dass du dich nach dem Tode sehnst und ihn fürchtest.
Dass du kein Beispiel geben kannst als dieses:
Immer noch offen.

Kaschnitz, Marie-Luise: Interview. In: Kaschnitz Gedichte. Ausgewählt von Elisabeth Borchers, Frankfurt am Main, Insel Verlag, 2002, S. 128

Man unterscheidet je nach Intention verschiedene **Arten von Interviews:**

- **nach dem Ausmaß der Standardisierung:** Die **standardisierte Befragung** lässt keine Rückfragen zu, es wird nur auf die vorgegebenen Fragen (meist mittels Fragebogen) geantwortet. Dadurch können innerhalb kurzer Zeit viele Daten erhoben werden; wichtige Zusatzinformationen gehen aber verloren, da das Gespräch nicht in die Tiefe geht. Das **halb standardisierte Interview** ist oft der Ausgangspunkt eines Interviews und dient der Ermittlung eines Sachverhalts. Das Interview erfolgt mittels eines Leitfadens oder Fragenkatalogs, der aber zulässt, den Wortlaut der Fragen zu verändern, Zusatzfragen zu stellen oder nachzufragen, wenn etwas nicht verstanden wurde. Das **nicht standardisierte oder narrative Interview** hat meist einen sehr freien, aber dennoch gesteuerten Gesprächsverlauf, der am ehesten einem Alltagsgespräch ähnelt. Vorteilhaft dabei ist, dass Detailwissen und viele Einzelinformationen gewonnen werden können.

- **nach der Funktion:** Beim **Recherche-Interview** steht die Beschaffung von Informationen oder Daten im Vordergrund. Beim **Meinungsinterview** wird die oder der Befragte um ihre bzw. seine Meinung bzw. um die Beurteilung eines Sachverhaltes gebeten. Manchmal dient das Interview auch zur **Selbstdarstellung** der interviewten Person. In der Praxis kommen oft Überschneidungen der drei Formen vor.

- **nach der Art des Kontakts:** direktes, telefonisches oder schriftliches Interview

- **nach der Anzahl der befragten Personen:** Einzel- oder Gruppeninterview

- **nach der Anzahl der Interviewerinnen bzw. Interviewer:** eine Interviewerin bzw. ein Interviewer, ein Tandem, ein Hearing

- **nach dem Autoritätsanspruch der Interviewerin bzw. des Interviewers:** Das „weiche Interview" verlangt eine entgegenkommende Gesprächsführung, das „harte Interview" erfordert eine rasche Aufeinanderfolge von Fragen, um mögliche Abwehrmechanismen der Befragten bzw. des Befragten zu unterbinden. Dazwischen liegt das „neutrale Interview", das eher die informationssuchende Funktion betont.

Tandeminterview, das: *wird von zwei Interviewerinnen bzw. Interviewern geführt*

Hearing, das: *Mehrere Interviewerinnen bzw. Interviewer fragen das Expertenwissen (weniger hingegen die persönlichen Ansichten) ab.*

In Anlehnung an: Bortz, Jürgen / Döring, Nicola: Forschungsmethode und Evaluation für Human- und Sozialwissenschaftler. 4. Auflage, Springer, Heidelberg, 2009, S. 237–247

19 Aufgabenstellung

●●

Sammeln Sie Interviews aus Tageszeitungen und Zeitschriften.

a. Vergleichen Sie die Interviews und untersuchen Sie deren Gestaltung. Finden Sie Gemeinsamkeiten und Unterschiede.

b. Wählen Sie ein Interview aus. Analysieren Sie die Fragetechnik, die angewendet wird. Wie werden geschlossene und offene Fragen eingesetzt, um gezielt das Gespräch zu lenken? Wie wird das Interview begonnen, wie vertieft, wie beendet? Wie geschickt bestimmt die Fragestellerin bzw. der Fragesteller den Verlauf des Gesprächs?

Gibt es ein zentrales Thema oder werden mehrere Themen angesprochen?

Welche Art von Interview ist es Ihrer Meinung nach? Wird das gesamte Interview in Form der direkten Rede wiedergegeben? Gibt es Zusatzinformationen über die Interviewpartnerin bzw. den Interviewpartner?

siehe Band 1, Kapitel „Zuhören und Sprechen"

abc

Bevor Sie selbst ein Interview oder eine Befragung durchführen, sollten Sie sich im Klaren darüber sein, mit welcher Fragetechnik Sie dies tun werden, um ans Ziel zu kommen.

Je nachdem, was Sie herausfinden wollen, können Sie **unterschiedliche Fragetypen** für Ihr Interview einsetzen.

Teil 2: Fragetypen (siehe auch S. 33)

- **Offene Fragen:** Sie bieten ein breites Spektrum an Antwortmöglichkeiten.

  Meinungsfragen („*Wie stehen Sie zu ...?*“), **Motivationsfragen** („*Welchen Sinn hat ... für Sie ...?*“) und **Positionsfragen** („*Was heißt ... für Sie ...?*“) fördern die Beziehung zwischen den Gesprächspartnerinnen bzw. -partnern und zeigen Wertschätzung für die Befragte bzw. den Befragten.

  Offene Fragen eignen sich daher vor allem am Beginn eines Gesprächs und geben der Interviewten bzw. dem Interviewten Platz zur Selbstdarstellung.

- **Geschlossene Fragen:** Sie grenzen die Antwortmöglichkeiten ein bzw. definieren durch die Fragestellung selbst die zur Auswahl stehenden Antworten.

  Entscheidungsfragen: Diese können nur mit „*Ja*“ oder „*Nein*“ beantwortet werden oder erlauben eine sehr spezifische Antwort.

  Alternativfragen: Diese sind eine Kombination von zwei (selten mehr) Wahlmöglichkeiten. Eine derartige Frage lässt der Befragten bzw. dem Befragten nur die Möglichkeit, mit einer der angebotenen Varianten zu antworten. Trifft keine Wahlmöglichkeit zu, wird die Frage oft verkürzt mit „*weder noch*“ oder ausführlicher mit „*weder das eine noch das andere*“ beantwortet.

  Paraphrasierung: Die Botschaft wird verkürzt auf den Sachverhalt in eigenen Worten wiedergegeben. Ziel ist es, das Verständnis zu prüfen, den Inhalt zu ergänzen oder zu korrigieren. Beispiel: „*Habe ich Sie richtig verstanden, dass es Ihnen vor allem darum geht, ...?*“

  Journalistische W-Fragen: Diese Fragen dienen vor allem der Informationsbeschaffung. Beispiele hierfür sind: „*Was geschah? Wer ist beteiligt? Wo geschah es? Wann geschah es? Wie geschah es? Warum geschah es?*“

In Anlehnung an: Fragetechnik. Online: https://de.wikipedia.org/wiki/Fragetechnik (20.05.2019)

Im Laufe einer Projekt- oder Diplomarbeit ist es jederzeit möglich, dass Sie eine Befragung durchführen müssen, um z. B. Daten zu sammeln oder um an interessante Informationen, beispielsweise durch ein Interview mit Vertreterinnen bzw. Vertretern aus Wirtschaft, Politik oder Kultur, zu kommen.

20 Aufgabenstellung

●●

Ein gut geführtes Interview bedarf einer sorgfältigen Vorbereitung. Um für Ihre zukünftigen Interviews gerüstet zu sein, sollten Sie ein Konzept zur Hand haben: Erstellen Sie daher einen Interview-Leitfaden, den Sie auch in anderen Unterrichtsgegenständen einsetzen können, wenn es um Befragungen geht.

Der Leitfaden soll Ihnen als roter Faden dienen, Sie aber nicht einengen.

Gliedern Sie Ihren **Interview-Leitfaden** nach **Phasen** und überlegen Sie sich, mit welchen Fragen Sie Ihre jeweilige Gesprächspartnerin bzw. Ihren jeweiligen Gesprächspartner zum Reden bringen können. Achten Sie auch auf die Reihenfolge Ihrer Fragen, sie beeinflusst den Verlauf des Gespräches sehr.

Transkription, die (auch): Verschriftlichung von Gesprächen nach bestimmten Regeln, meist zum Zweck der Weiterverarbeitung

CHECKLISTE – Interview

Phase 0: Kontaktaufnahme vor dem Interview
Wer ist die Interviewperson? Wie wird sie kontaktiert? Warum wurde sie ausgesucht? Worum soll es gehen? Wie lange soll das Gespräch dauern?

Phase 1: Gesprächseinstieg
Kurze Vorstellung der eigenen Person. Was passiert mit den Daten? Wie lange wird das Interview dauern?

Phase 2: Hauptteil des Interviews
Um welchen Themenkreis wird es im Interview gehen? Welche Fragen sind sinnvoll? Offene und geschlossene Fragen stellen, nachfragen, paraphrasieren etc.

Phase 3: Zusammenfassung
Einen inhaltlichen Bogen über das gesamte Interview spannen, nach Ergänzungen fragen

Phase 4: Gesprächsabschluss
Dank für das gegebene Interview

Phase 5: Nachgespräch und Verabschiedung
Small Talk, Verabschiedung

Phase 6: Schriftliche Aufbereitung des Interviews
Transkription, Auswertung

Phase 7: Freigabe des Interviewtexts
Einverständnis der interviewten Person mit dem verschriftlichten Interviewtext

21 Aufgabenstellung

●●

Suchen Sie sich einen der folgenden Interviewanlässe aus:

- *Sie interviewen eine neue Klassenlehrerin bzw. einen neuen Klassenlehrer, die bzw. den Sie noch nicht so gut kennen.*
- *Sie führen ein Interview mit Ihrer Direktorin bzw. Ihrem Direktor.*
- *Sie befragen die Bürgermeisterin oder den Bürgermeister Ihres Ortes, Ihrer Schulstadt etc.*
- *Sie befragen Augenzeuginnen oder -zeugen aktueller Ereignisse.*

Erstellen Sie anschließend einen Interviewtext (in der direkten Rede) oder einen Bericht für die Schülerzeitung, den Jahresbericht der Schule oder die Website der Schule.

Vergessen Sie nicht, bei einer Tonaufnahme das schriftliche Einverständnis der interviewten Person einzuholen!

Folgende Fragen sollten Sie vor Durchführung des Interviews klären:
Wie lautet das Generalthema? Was wollen Sie wissen? Welche Informationen über die Interviewpartnerin bzw. den Interviewpartner besitzen Sie bereits? Wie können Sie mit der Interviewpartnerin bzw. dem Interviewpartner in Kontakt treten und Ihr Anliegen vortragen? Welche Fragen wollen Sie stellen, wie werden Sie die Antworten festhalten (schriftlich oder mit einem Aufnahmegerät)?

Ihr persönlicher Lernerfolg

Schätzen Sie selbst ein, was Sie jetzt wissen und können:

✓ oder ✗

		LESEN	ÜBEN
Sie wissen, wie kommunikative Prozesse ablaufen.	◯	S. 30	
Sie kennen die Bedeutung der Körpersprache.	◯	S. 31	S. 32
Sie wissen, wie sprachliche Kommunikation funktioniert, und können sie gestalten.	◯	S. 33-35	S. 34-35
Sie erkennen Kommunikationsstörungen und wissen damit umzugehen.	◯	S. 36-39	S. 36-39
Sie können ein Referat mit Medienunterstützung erstellen und es auch präsentieren.	◯	S. 42-44	S. 43; 45
Sie wissen, worauf man in einer Diskussion achten muss.	◯	S. 46-47	S. 46-47
Sie können ein Statement verfassen.	◯	S. 40-41	S. 41
Sie wissen, wie man ein Interview durchführt.	◯	S. 48-51	S. 49-51
Sie können die wichtigsten Fragetechniken einsetzen.	◯	S. 33; 50	S. 33; 51

3

LESEN

In diesem Kapitel lernen Sie, …

… welche Bedeutung Lesen für Ihr Lernen hat,

… welche Medien (Printmedien, Hörbuch, E-Book) Sie beim Lesen einsetzen können,

… mit welchen Lesetechniken Sie Ihre Lesekompetenz trainieren,

… wie Sie die SQ3R-Technik beim Lesen von Sachtexten einsetzen,

… wie Sie kurze, literarische Texte interpretierend lesen,

… wie Sie Ihr Lesen in einer Lesemappe dokumentieren,

… wie Ihre Lesemappe zu einem Leseportfolio wird.

Kompetenzen hier entlang ▶▶▶

3.1 Lesen – Auslesen – Nachlesen

3.1.1 Was Bücher bewirken können

„Ein Buch ist wie ein Garten, den man in der Tasche trägt."

(Arabisches Sprichwort)

„In omnibus requiem quaesivi, et nusquam inveni nisi in angulo cum libro. (In allem habe ich Ruhe gesucht und habe sie nirgends gefunden, außer in einer Ecke mit einem Buch.)"

(Eco, Umberto: Der Name der Rose. München, Deutscher Taschenbuch Verlag, 1991, S. 13)

„Wer zu lesen versteht, besitzt den Schlüssel zu großen Taten, zu ungeträumten Möglichkeiten, zu einem berauschend schönen, sinnerfüllten und glücklichen Leben."

(Aldous Huxley, 1894–1963, britischer Schriftsteller)

„Warum soll man sich nicht mit Büchern unterhalten? Sie sind oft ebenso klug wie Menschen und oft ebenso spaßhaft, und sie drängen sich weniger auf."

(Hermann Hesse, 1877–1962, deutscher Schriftsteller)

„Lesen, ein Buch lesen – für mich ist das das Erforschen eines Universums."

(Marguerite Duras, 1914–1996, franz. Schriftstellerin)

„Die Bekanntschaft mit einem einzigen guten Buch kann ein Leben ändern."

(Marcel Prévost, 1862–1941, franz. Schriftsteller)

Duden: Zitate und Aussprüche. Band 12. Mannheim, Duden-Verlag, 1993

1 Aufgabenstellung

●●

Schreiben Sie zu den Zitaten Ihre eigenen Gedanken, Ihre persönliche Stellungnahme und Meinung.

Wählen Sie ein Zitat aus, das Ihnen besonders zusagt. Begründen Sie Ihre Wahl.

Was können Bücher? Was bedeuten Bücher für Sie?

Was bedeutet Lesen für einen jungen Menschen unserer Zeit?

2 Aufgabenstellung

●

Was beinhaltet die Tätigkeit „Lesen"?

Was bedeutet „auslesen"? Was könnte „nachlesen" heißen? Was bedeutet daher der Name des ORF-Magazins „ORF-Nachlese"?

Welche Bedeutungsänderung bringen die Präfixe (Vorsilben) in den Verben *vor*lesen, *durch*lesen, *ab*lesen, *aus*lesen, *nach*lesen? Verwenden Sie ein Etymologie- bzw. Herkunftswörterbuch!

3 Aufgabenstellung

Geben Sie mit wenigen Sätzen Inhalt und Aussage des folgenden Textes wieder. Wie beurteilen Sie das Bild einer Welt, in der die Menschen das Lesen und Schreiben dem Computer überlassen? Diskutieren Sie in einem Klassengespräch, inwiefern Lesen und Schreiben noch Kulturtechniken sind.

Die Welt, in der wir nichts mehr zu schreiben und zu lesen brauchen

Rudolf Taschner

Der Informatiker David Gelernter beschrieb jüngst das düstere Bild einer Welt, aus der eine uralte Kulturtechnik verschwunden ist. François Truffauts „Fahrenheit 451"[1] ist uns näher, als wir glauben.

David Gelernter, Informatiker, Visionär, der den Welterfolg des World Wide Web frühzeitig vorausgesehen hat, und Pionier des „Cloud Computings"[2], sprach letzten Sonntag im Renaissance-Theater von Berlin und entwarf das Bild einer zukünftigen Welt, dessen Düsternis erschauern lässt.

Wir wissen bereits jetzt, wenn wir Bestellungen via Internet aufgeben, dass die Firmen aufgrund der Wahl, die wir getroffen haben, unsere Vorlieben immer präziser kennen und demnach die Angebote ausrichten, die sie uns über E-Mail zukommen lassen. Natürlich sitzt niemand bei diesen Firmen an der Schreibmaschine, der diese Annoncen den Neigungen der Kunden entsprechend auswählt. All dies geschieht vollautomatisch. Man erhält eine persönlich adressierte Nachricht, verfasst von einer toten Maschine.

David Gelernter denkt nun einen Schritt weiter: Der Computer, den ich bei mir zu Hause bediene, wird in Zukunft in der Lage sein, meine Antworten auf die elektronischen Briefe, die ich zuhauf erhalte, in den elektronischen Kavernen[3] nicht nur zu speichern, sondern sogar so weit zu verarbeiten, dass es in Zukunft gar nicht mehr nötig sein wird, dass ich selbst noch diese Antworten tippen muss.

Die Maschine kennt nicht nur meine Präferenzen, sie kennt auch meinen Wortschatz, meinen Stil. Die Adressaten meiner elektronischen Post werden gar nicht merken, dass es nicht mehr ich selbst war, sondern meine aus Transistoren und Chips bestehende Gedankenprothese, die ihnen schreibt. Ich bin entlastet. Folgerichtig weitergedacht, werden wir wie unbeteiligte Beobachter erleben dürfen, wie unser gesamter Schriftverkehr vollautomatisch zwischen den Myriaden[4] von Absendern und Adressaten hin- und herläuft.

Mag sein, dass wir anfangs noch ein wachsames Auge auf die elektronisch generierte[5] Korrespondenz legen. Doch bald werden wir uns mit Stichproben begnügen. Bis wir schließlich ermüdet das System sich selbst überlassen. Wir brauchen nichts mehr zu schreiben. Auch nichts mehr zu lesen. Nichts mehr.

Wozu auch? Es gibt keine Überraschungen mehr. Die Maschinen haben das volle Repertoire aller einst geschrieben Habenden gespeichert. Das reicht. Mag sein, dass es manchmal Missverständnisse gibt – doch auch dafür ist vorgesorgt: Es gibt elektronische Advokaten, gleichsam Metasysteme, die über die Korrespondenzen „Buch führen" (welch antiquiertes Wort!) und bei Fehlern, die innerhalb der Briefwechsel auftreten, die Angelegenheiten so bereinigen, dass Menschen aus Fleisch und Blut nicht daran beteiligt sein müssen.

Am Ende wird Schreiben und Lesen eine Kulturtechnik geworden sein, die man buchstäblich nur mehr vom Hörensagen kennt: Ein paar tausend Jahre lang haben sich die Vorfahren damit abplagen müssen, ähnlich, wie deren Vorfahren noch die Oden der Dichter auswendig gelernt und im steten Gesang ihren Kindern vererbt haben. Nun aber reicht es, dass hochauflösende Fernsehbilder uns unterhalten. Wir geraten von der schriftlichen in die ikonische Ära.

Wie unzeitgemäß, dass ich zuweilen noch gern mit der Hand schreibe. Noch dazu in der alten Schrift, von der vor 70 Jahren die braune Diktatur behauptet hat, sie passe nicht „in das Zeitalter von Stahl und Eisen, Glas und Beton". Und schon gar nicht in das Zeitalter des Computers.

Taschner, Rudolf: Die Welt, in der wir nichts mehr zu schreiben und zu lesen brauchen. In: Die Presse, 29.02.2012. Online: https://diepresse.com/home/meinung/quergeschrieben/rudolftaschner/736329/Die-Welt-in-der-wir-nichts-mehr-zu-schreiben-und-zu-lesen-brauchen? (20.05.2019)

Zum Autor:
Rudolf Taschner ist Mathematiker und Betreiber des math.space im quartier 21, Museumsquartier Wien.

[1] *Fahrenheit 451 ist ein Science-Fiction-Film des Regisseurs François Truffaut aus dem Jahr 1966. Er entstand aus dem gleichnamigen Roman von Ray Bradbury. Der Titel bezieht sich auf die Temperatur, bei der Bradbury fälschlicherweise annahm, dass sich Papier ohne äußere Einwirkung entzündet (etwa 451 Grad Fahrenheit oder umgerechnet 233 Grad Celsius).*

[2] *Cloud Computing (deutsch: Rechnen in der Wolke) umschreibt das Konzept, IT-Infrastruktur (Speicherplatz, Software) auszulagern und nicht mehr über den lokalen Rechner, sondern in einer „Wolke" (engl. „cloud") zu bedienen. Der Zugriff auf diese Systeme erfolgt meist über das Internet.*

[3] *Kaverne: (künstlich angelegter) unterirdischer Hohlraum*

[4] *Myriade: sehr große Anzahl, unzählige*

[5] *generieren: erzeugen, hervorbringen*

3.1.2 Lesen mit den Ohren – das Hörbuch, ein neues Medium

Hör mal, wer da spricht

Hörbücher sind Ausdruck einer neuen Kultur der Mündlichkeit. Vor allem bei jüngeren Hörern sind sie so beliebt wie nie.

Von Stephan Hilpold

Das Hörbuch boomt, und das mittlerweile schon seit Jahren. Rund 200 marktrelevante[1] Verlage bieten Saison für Saison die neuesten Hörwürmer feil […]. „Der Deutsche liest nicht laut, nicht fürs Ohr, sondern bloß mit den Augen; er hat seine Ohren dabei ins Schubfach gelegt.“ Friedrich Nietzsches[2] spöttische Diagnose von einst […] gilt längst nicht mehr. Das herkömmliche Medium der Literatur, das Buch, hat einen – zwar noch kleinen, aber dafür im zweistelligen Bereich wachsenden – Konkurrenten bekommen. Dieser funktioniert nach eigenen Regeln. Auch wenn das Hörbuch aufs Engste mit dem Buch verknüpft ist.

Immer häufiger erscheinen die Spitzentitel der Verlage zeitgleich in Buch- und Hörform. […] Das Hörbuch, nichts als ein Anhängsel des Buches, ein weiteres Medium, um allenfalls einen größeren Marktbereich abzudecken? Mitnichten. Hörbücher oder, wie Marketingexperten jugendkompatibler[3] sagen, Audio-Books sind Ausdruck einer Wiederkehr des Mündlichen unter den Paradigmen[4] allgemeiner Zeitknappheit. Sie setzen einer einseitigen visuellen Überflutung das gesprochene Wort entgegen.

Hörbücher entziehen dem Leser die Schrift und kurbeln damit die Fantasie der Hörerin bzw. des Hörers an, der zur Erfassung eines gesprochenen Textes nun einmal mehr Zeit braucht als zur Erfassung eines gelesenen. Diese Zeitdifferenz[5] kommt der Imagination[6] zugute. Und das schätzen – erstaunlicherweise – immer mehr jüngere Menschen. […]

Hilpold, Stephan: Hör mal, wer da spricht. In: Der Standard / Album, 12. / 13.07.2003. Online: https://derstandard.at/1358420/Hoer-mal-wer-da-spricht (20.05.2019), stark gekürzt

[1] *relevant / marktrelevant: wichtig / für den Markt wichtig*
[2] *Friedrich Nietzsche (1844–1900), deutscher Philosoph*
[3] *jugendkompatibel: jugendgemäß*
[4] *Paradigma (Plural: Paradigmen): Beispiel, Muster*
[5] *Differenz / Zeitdifferenz: Unterschied / Zeitunterschied*
[6] *Imagination: Vorstellungskraft; bildhaftes, anschauliches Denken*

4 Aufgabenstellung

a. ● ●

Formulieren Sie in einem Partnergespräch Ihre Meinung zum Thema Hörbücher. Was halten Sie von der These, wonach beim Hören von Audio-Books mehr Zeit für die eigene Fantasie und Vorstellungskraft bleibt?

b. ●

Erzählen Sie aus Ihrer Kindheit: Ist Ihnen vorgelesen worden? Haben Sie Märchen-CDs gehört?

c. ●

Was bevorzugen Sie selbst: Texte zu lesen oder Texte zu hören, also Texte vorgelesen zu bekommen?

d. ○

Diskutieren Sie in einem Klassengespräch, ob Bücher ersetzbar oder unersetzbar sind.

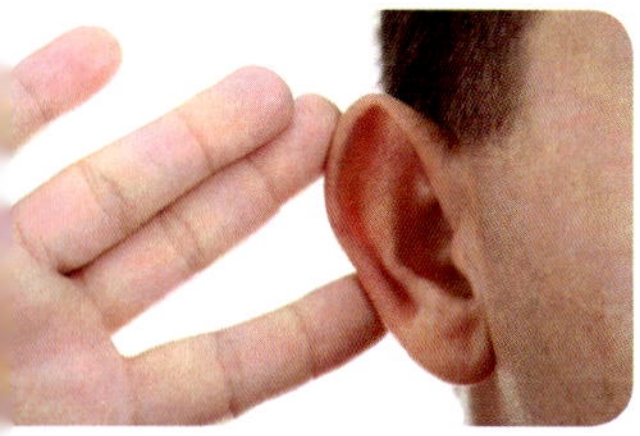

e. ●

Der vorliegende Textausschnitt ist ein Zeitungsbericht, also ein Sach- oder Gebrauchstext. Fassen Sie ihn in zwei bis drei Sätzen zusammen.

3.2 Das Lesen von Sachtexten

3.2.1 Die SQ3R-Technik oder wie Sie Sachtexte lesen (sRDP-Textsorte: Zusammenfassung)

Lesen ist eine kulturelle Fertigkeit, die unverzichtbar ist. Diese brauchen Sie nicht nur in der Schule, sondern auch im Alltag. Nur wenn Sie schnell und gut lesen können, werden Ihnen **Lernen** und Informationsaufnahme leicht fallen. Lesen und insbesondere die Lesegeschwindigkeit kann man trainieren. **Lesetechniken** unterstützen Sie dabei.

siehe Band 1, Kapitel „Lesen"

Lesetechnik bei Sachtexten (Wiederholung)

Wenn Sie auf der Suche nach Informationen sind, **überfliegen** Sie Texte gemäß **SQ3R-Technik** (die **fünf Schritte zum sinnerfassenden Lesen**) oder **lesen** diese **an**, um zu überprüfen, ob die Informationen für Ihre Zwecke geeignet erscheinen.

In einem zweiten Schritt lesen Sie Texte **intensiv**.

SQ3R-Technik		
1. Survey	**navigierendes** und **diagonales Lesen** (erste Orientierung, Sichtung des Materials)	**Überfliegen** des Textes (Überschriften, Absatzüberschriften, Bilder), **stichprobenartiges** Anlesen, Anlesen der ersten Zeilen eines Absatzes
2. Question	W-Fragen an den Text stellen	Wer? Was? Wo? Wann? Wie? Warum?
3. Read	**kursorisches** und **intensives Lesen**	Lesen des **vollständigen** Textes, **mehrfaches Lesen**, Unterbrechungen und erneutes Lesen einzelner Textstellen
4. Recite	Inhalt mit eigenen Worten wiedergeben, **zusammenfassen**	Schlüsselbegriffe herausschreiben, W-Fragen beantworten
5. Review	die ersten vier Schritte nochmals anhand der Notizen durchgehen	Zusammenhänge erkennen, Gesamtüberblick über den Text herstellen

5 **Aufgabenstellung**

a. ●

Lesen Sie die kurzen Zeitungstexte von Seite 58 und notieren Sie, worum es in beiden Texten wahrscheinlich geht.

Text 1: ______________________________

Text 2: ______________________________

b. ●

Überfliegen (= schnelles Lesen) Sie die beiden Texte nochmals und notieren Sie, was Sie verstanden haben.

Text 1:

Der Buchmarkt verliert vor allem jüngere Käufer

Seit Monaten kursieren Zahlen über den dramatischen Rückgang an Buchkäufern. Von bis zu sieben Millionen weniger Käufern war die Rede. Nun wurden auf der Jahrestagung der IG Belletristik & Sachbuch erste Zahlen präsentiert, die die Annahmen bestätigen.

Jana Lippmann, Leiterin der Marktforschung des Börsenvereins, stellte erste Ergebnisse und Befunde vor. Von 2012 bis 2016 **gingen dem Buchhandel laut GfK[1] 6,1 Millionen Buchkäufer verloren.** Die Käuferreichweite – der Anteil der Bevölkerung, der Bücher kauft – sank von 54,5 Prozent im Jahr 2012 auf 45,6 Prozent im Jahr 2016, also um knapp neun Prozentpunkte. Die Zahlen für das erste Halbjahr 2017 zeigen, dass sich der Trend fortsetzt: **In den ersten sechs Monaten gingen weitere 600.000 Käufer verloren.** [...]

Michael Roesler-Graichen: Der Buchmarkt verliert vor allem jüngere Käufer. In: Börsenblatt, 18.01.2018. Online: https://www.boersenblatt.net/artikel-studie_des_boersenvereins.1422566.html (20.05.2019), gekürzt

[1] *GfK: Marktforschungsunternehmen*

Text 2:

Highlights Österreich

- Der Umsatz im Segment „eBook" beträgt 2018 etwa 46 Mio. €.
- Laut Prognose wird im Jahr 2022 ein Marktvolumen von 54 Mio. € erreicht; dies entspricht einem jährlichen Umsatzwachstum von 3,8% (CAGR 2018-2022).
- Die Penetrationsrate liegt 2018 bei 11,1% und erreicht im Jahr 2022 voraussichtlich 12,3%.
- Der durchschnittliche Erlös pro Nutzer (ARPU, engl. Average Revenue Per User) beträgt derzeit 47,06 €.
- Im weltweiten Vergleich zeigt sich, dass am meisten Umsatz in den USA generiert wird (4.804 Mio. € in 2018).

Highlights Österreich: Statistika Ebook. Online: https://de.statista.com/outlook/213/128/ebook/oesterreich (30.11.2018)

c. ●
Klären Sie die Fremdwörter in den beiden Texten. Verwenden Sie dazu ein Wörterbuch.

Text 1:

Belletristik: ______________________

Text 2:

Umsatz: ______________________

Segment: ______________________

Marktvolumen: ______________________

Penetrationsrate: ______________________

Recherchieren Sie im Internet, was Sie zum Thema „Kindle" finden.

d. ●
Lesen Sie die Texte mehrmals und unterstreichen Sie Passagen mit den für Sie wichtigen Informationen (= Schlüsselwörtern). Vermeiden Sie es, vollständige Sätze zu unterstreichen!

e. ●
Fassen Sie anschließend jeden Text in ein bis zwei Sätzen zusammen.

f. ●
Gehen Sie die vier Schritte nochmals durch und kontrollieren Sie Ihre Notizen.

g. ○
Vergleichen Sie abschließend in einem Klassengespräch Ihre Ergebnisse.

Paperback, das: Taschenbuch

Hardcover, das: Buch mit festem Einband

h. ○
Welche Gründe könnte es geben, dass insbesondere junge Menschen weniger Bücher kaufen? Warum ist das E-Book so erfolgreich? Wenn Sie bei einem Buch die Wahl zwischen E-Book und Buch (Hardcover- oder Paperback-Version) haben, welche würden Sie wählen?

6 Aufgabenstellung sRDP

a.

Üben Sie in Form einer Einzelarbeit die ersten vier Schritte der SQ3R-Technik anhand des unten stehenden Textes:

- Überfliegen Sie den Text, damit Sie sich eine ungefähre Vorstellung vom Inhalt machen können.
- Klären Sie eventuell unbekannte Wörter mithilfe eines Wörterbuches.
- Beantworten Sie die W-Fragen: Wer? Was? Wann? Wo? Wie? Warum?

b.

Verfassen Sie eine **Zusammenfassung** und bearbeiten Sie dabei folgende Schreibaufträge:

- **Benennen** Sie die wesentlichen Inhalte der im Text genannten Studie.
- **Erklären** Sie die im Text zitierte Veränderung des Leseverhaltens, die die Nutzung von E-Books bedingt.

Schreiben Sie ca. 270 bis 330 Wörter. Markieren Sie Absätze mittels Leerzeilen.

E-Books verändern die Kulturtechnik Lesen

„Das Lesen von E-Books wird sich in den nächsten Jahren rasant verbreiten und einen Paradigmenwechsel[1] in der Kulturtechnik Lesen bewirken." Das ist die zentrale These des „Trendreports E-Reading 2012", der von dem Marktforscher Q|Agentur für Forschung im Auftrag der E-Book-Leihplattform Skoobe erstellt wurde.

Die Studie zeige, so Skoobe, dass das E-Book bereits heute in der Mitte der Buchwelt angekommen ist: Die stärkste Altersgruppe unter den 650 befragten E-Book-Lesern bildeten mit 37 Prozent die 40- bis 49-Jährigen – meist Vielleser mit einem abgeschlossenen Hochschul- oder Fachhochschulstudium (41 Prozent). Das Durchschnittsalter des E-Book-Lesers liegt bei 44 Jahren. Mit 60 Prozent sind Frauen unter den befragten E-Book-Lesern deutlich häufiger vertreten als Männer.

Die Studie gibt auch Aufschluss über die Nutzungsgewohnheiten von E-Book-Lesern. Bei einem Mittelwert von zwölf Stunden beim privaten Lesen macht das digitale Lesen bereits 8,5 Stunden aus, so der Trendreport.

E-Book-Leser, so ein weiterer Befund des Reports, kommen gut mit den Lesegeräten zurecht. Sie halten sie mehrheitlich nicht nur für praktikabel[2] und benutzungsfreundlich, sondern empfinden auch das Lesen am Bildschirm nicht für problematisch (51 Prozent: „trifft voll und ganz zu"). Im Gegensatz dazu sagen 72 Prozent der Gesamtbevölkerung, dass sie nicht von einem Display oder einem Bildschirm lesen wollen.

Die Nutzung digitaler Bücher eröffnet nach Meinung der Befragten neue Möglichkeiten. 61 Prozent der Befragten gaben an, mehr Zeit mit Lesen zu verbringen, 60 Prozent, insgesamt mehr Bücher zu lesen als früher.

Die meisten Nutzer verändern auch ihr Leseverhalten: selektives Lesen, das Anlesen unbekannter Bücher, parallele Lektüre mehrerer Bücher sowie schnelleres Lesen nähmen erheblich zu. Ein hoher Prozentsatz (66 Prozent) vertritt auch die Auffassung, mehr Bücher lesen zu wollen, wenn es „gegen eine angemessene Gebühr Zugang zu einer großen Menge digitaler Bücher" gäbe.

Das deckt sich mit der Einschätzung von Christian Damke, dem Geschäftsführer von Skoobe: „Unsere Erfahrung belegt, dass die meisten Leser die Möglichkeit des flexiblen Zugriffs auf eine mobile Bibliothek schätzen."

O. V.: E-Books verändern die Kulturtechnik Lesen. In: Börsenblatt, 04.12.2012. Online: https://www.boersenblatt.net/574908/ (20.05.2019)

[1] *Paradigmenwechsel: Wechsel von einer (wissenschaftlichen) Grundauffassung zu einer anderen*
[2] *praktikabel: für einen bestimmten Zweck brauchbar*

7 Aufgabenstellung

sRDP

Üben Sie die SQ3R-Technik anhand des folgenden Interviews:

a. ●

Lesen Sie den Text, klären Sie Ihnen unbekannte Fremdwörter und beantworten Sie die W-Fragen (Wer? Was? Wann? Wie? Wo? Warum?).

b. ●

Verfassen Sie eine **Zusammenfassung**, indem Sie die folgenden Arbeitsschritte bearbeiten. Achten Sie dabei besonders auf die Verben, die Ihnen genau vorgeben, was Sie tun müssen.

- **Geben** Sie in wenigen Sätzen die wesentlichen Aussagen des Textes **wieder**.
- **Beschreiben** Sie die Aktivitäten der Initiative „Zeitung in der Schule".
- **Erklären** Sie die Ziele dieser Initiative.

Schreiben Sie ca. 250 Wörter.

INTERVIEW MIT BARBARA ASCHENBRENNER
„Steigerung der Lesemotivation"

Interview: Thomas Aistleitner

Blogs, Chats, SMS, Graphic Novels, iPod, E-Books. Die Mediennutzung Jugendlicher ist vielen Erwachsenen fremd. Umso wichtiger ist es, den Jugendlichen in der Schule die Fähigkeiten zu vermitteln, Texte sinnerfassend zu lesen, Wichtiges von Nebensächlichem zu unterscheiden und Information von Meinung zu trennen. Die Initiative „Zeitung in der Schule" (ZiS) hilft dabei.

Literacy.at: Frau Mag. Aschenbrenner, die Initiative „Zeitung in der Schule" gibt Schulklassen die Möglichkeit, aktuelle Zeitungen zu lesen, zu analysieren und zu vergleichen. Wie wichtig ist so ein Angebot in Zeiten von Internet, Blogs und Chatrooms?

Barbara Aschenbrenner: Gedruckte Texte sind nach wie vor überall präsent. Wir versuchen ganz im Sinne von Media Literacy Kinder und Jugendliche bei der kritisch-reflexiven Nutzung von Medien zu unterstützen.

Wie kommt man zu diesem Angebot?

Pädagoginnen und Pädagogen können für ihre Klassen eine Zeitung oder auch mehrere Printmedien für einen bestimmten Zeitraum zum Vergleichen bestellen. Für den Einsatz im Unterricht gibt es Zusatzangebote, Arbeitshefte und Unterrichtsmaterialien.

Also ein Angebot eher für ältere SchülerInnen?

Wir haben verschiedene Angebote. Mit „miniZ" ist der Einstieg in die Zeitungswelt schon in der Volksschule möglich. Dafür bieten wir Arbeitshefte für verschiedene Gegenstände. Insgesamt richtet sich ZiS an SchülerInnen von 8 bis 18 Jahren.

Was kostet es, sich Zeitungen schicken zu lassen?

Die ZiS-Zeitungsprojekte (Zeitungsbestellung) sind kostenlos, die Unterrichtsmaterialien, die von ZiS eigens hergestellt werden, gibt es günstig zu bestellen.

ZiS bringt ja nicht nur Zeitungen in die Schule, es werden auf der Website auch ausgesuchte Artikel vorgestellt, zum Beispiel Kommentare aus der Tagespresse. Wie werden diese Texte ausgesucht?

Sie sprechen von „ZiS aktuell". Sechs Ausgaben pro Jahr bieten Pädagoginnen und Pädagogen in fast allen Gegenständen zahlreiche Zeitungsartikel mit vielfältigen Gruppen- und Einzelaufgaben. „ZiS aktuell" erscheint als Spiralmappe mit ca. 170 Seiten und ist für Jugendliche von 13 bis 18 Jahren geeignet.

Unter welchen Gesichtspunkten entsteht „ZiS aktuell"?

Bei der Auswahl der Artikel sind mehrere Gesichtspunkte entscheidend: Aktualität, dass sie für Jugendliche relevant sind, dass sie Interesse und Diskussionsfreude wecken, dass sie motivieren, sich mit dem jeweiligen Thema auseinanderzusetzen, und dass sie zum jeweiligen Unterrichtsfach passen. (Es geht einfach darum, ob man damit im Unterricht arbeiten kann.)

Wie viele Pädaginnen und Pädagogen arbeiten bei ZiS mit?

Unser pädagogisches Team besteht aus rund 30 Personen (Anm.: ständiges Redaktionsteam). Manche sind als Autorinnen und Autoren für „miniZ", manche für „ZiS aktuell" und manche als Didaktikreferentinnen/-referenten bei den ZiS-Seminaren tätig. Manche Kolleginnen und Kollegen sind in mehreren Arbeitsbereichen beschäftigt.

Was sind Ihre Ziele für ZiS?

Ein großes Anliegen ist die Steigerung der Reichweite. Wir möchten noch mehr SchülerInnen in ganz Österreich für die Welt der Zeitung begeistern. Ein weiteres Ziel ist der Kontaktaufbau mit Eltern, um auch ihnen die ZiS-Projekte und Produkte für das Lesevergnügen zu Hause vorzustellen.

Gibt es Rückmeldungen, was die Arbeit von ZiS bewirkt?

Ja, die jährliche Auswertung von 12 000 Fragebögen durch das Meinungsforschungsinstitut Ifes bestätigt, dass 84 % der LehrerInnen die ZiS-Zeitungsprojekte als erfolgreich sehen. 72 % geben an, dass sich die Lesebereitschaft der SchülerInnen erhöht hat. Sogar 45 % der Pädagoginnen und Pädagogen bestätigen, dass sich das Lesevermögen der Schülerinnen und Schüler verbessert habe. Diese Zahlen motivieren uns natürlich diesen Weg weiterzugehen und auszubauen.

Welche Ziele verfolgt ZiS für die Zukunft?

Zum einen wollen wir die medienpädagogischen Seminare allen Interessierten zugänglich machen und zum anderen sind unsere Zeitungshefte, Lesepässe und Spiele auch außerhalb der Schule ein attraktives Angebot und können von Eltern online bestellt werden.

Aistleitner, Thomas: Interview mit Barbara Aschenbrenner, 12.09.2010. „Steigerung der Lesemotivation". Online: http://www.literacy.at/index.php?id=159 (20.05.2019)

8 Aufgabenstellung sRDP

Wiederholen Sie die fünf Schritte der SQ3R-Technik anhand des folgenden Textes. Verfassen Sie eine **Zusammenfassung** und bearbeiten Sie dabei folgende Schreibaufträge:

- **Geben** Sie die wichtigsten Aussagen des Textes **wieder**.
- **Benennen** Sie die im Text angeführten Empfehlungen für Eltern, um der Suchtgefahr, hervorgerufen durch Internetspiele, zu begegnen.

Schreiben Sie zwischen 270 und 330 Wörter. Markieren Sie Absätze mittels Leerzeilen.

WHO: Internetsucht wird als Krankheit anerkannt

Die WHO will maßloses Videospielen als Erkrankung klassifizieren. Experten erklären, wie es gar nicht erst so weit kommt.

Im Extremfall verlassen sie den Computer nicht einmal zum Essen oder für die Toilette – die besorgten Eltern bringen ihnen Essen ins Zimmer und räumen alles weg. Suchtexperten warnen schon länger, dass Internet- und Computerspielsüchtige immer öfter in Kliniken behandelt werden müssen.

Jetzt erkennt auch die Weltgesundheitsorganisation (WHO) das Problem in der neuen Liste zur Klassifikation von Krankheiten (ICD) an, die kommenden Sommer herausgegeben wird. In der Kategorie „Störungen auf Basis suchtartigen Verhaltens" ist der Eintrag 6D11 („Gaming Disorder", also Videospielsucht) geplant, berichtet *BBC*. In dieser Kategorie findet sich auch die Sucht nach Glücksspielen, bei denen etwa im Casino vor allem um Geld gespielt wird.

Die Zahl der Betroffenen kann von Experten nur geschätzt werden – die jüngste österreichische Studie dazu gab es 2013. Damals galten vier Prozent der 15- bis 18-Jährigen als internetsüchtig, sechs Prozent als gefährdet. Doch seither sind Internet-Verbindungen immer schneller geworden und die Smartphone- und Internet-Nutzer immer jünger. Wenn vier Prozent der Zehn- bis 19-Jährigen süchtig sind, betrifft das heute mehr als 30.000 Jugendliche in Österreich.

Etwa 150 davon werden jedes Jahr in der Linzer Spielsuchtambulanz behandelt (spielsuchtambulanz.at) – Tendenz steigend. Für den Psychiater Kurosch Yazdi ist der neue ICD-Eintrag ein Fortschritt, weil das Gesundheitssystem damit gezwungen wäre, etwas zu tun. Bei der letzten Klassifizierung 1992 gab es noch kein Internet, folglich ist in den Bundesländern unterschiedlich geregelt, ob die Behandlungskosten gedeckt werden.

Regeln vereinbaren

Yazdi betont, dass vor allem Online-Spieler betroffen sind – Spiele wie „League of Legends" oder „World of Warcraft" hätten eine Gruppendynamik, bei der Spieler das Gefühl haben, die anderen nicht im Stich lassen zu dürfen oder sonst etwas zu verpassen. Pauschale Empfehlungen, wie lange gespielt werden darf, gibt es aber nicht. „Bei manchen Spielen ist eine halbe Stunde am Tag sinnlos. Eltern müssen sich mit den Spielen auseinandersetzen und mit den Kindern gemeinsam sinnvolle Regeln vereinbaren", rät der Psychiater. Die Suchtgefahr sei letztendlich weniger eine Frage der Stundenanzahl, sondern eher eine Frage der Vielfältigkeit im restlichen Alltag. „Wenn es andere Hobbys gibt, Schule und Freunde nicht vernachlässigt werden, ist es kein Problem, wenn einmal an einem verregneten Sonntag durchgespielt wird."

Videospiele sind somit nicht per se zu verteufeln – Studien haben etwa gezeigt, dass die Beschäftigung in Maßen die Hand-Auge-Koordination verbessern und zu steigenden Leistungen in der Schule führen kann.

Warnsignale

Von einer Sucht sprechen Experten, wenn mehrere dieser Punkte zutreffen:

- **Ständiges Verlangen** online zu sein, zu spielen oder sich zumindest mit dem Computer zu beschäftigen.
- **Kontrollverlust** – wenn etwa Versuche, das Spiel zu reduzieren oder zu unterbrechen, erfolglos sind, obwohl das Bewusstsein für das Problem besteht.
- Dazu gehört auch die ständige **Steigerung** der Dauer.
- Gereiztes, nervöses Verhalten bis hin zu **Entzugserscheinungen** bei Pausen.
- Sowie **Vernachlässigung** des sozialen Umfelds, Freunde, Schule, Arbeit.

In anderen Ländern versucht man das Problem mit härteren Methoden in den Griff zu bekommen: In Korea sind Online-Spiele für Kinder unter 16 Jahren zwischen Mitternacht und 6 Uhr früh verboten, berichtet die *BBC*. Manche Spiele blenden nach einer gewissen Zeit einen Warnhinweis ein und fordern den Spieler auf, eine Pause einzulegen. Etwa zum Essen und für die Toilette.

Daneshmandi, Laila: WHO: Internetsucht wird als Krankheit anerkannt. In: Kurier, 04.01.2018. Online: https://kurier.at/wissen/who-internetsucht-wird-als-krankheit-anerkannt/304.828.146 (20.05.2019)

Hypothese, die: eine zunächst unbewiesene Annahme, Vermutung

Interpretation, die: Deutung, Auslegung, Erklärung

3.3 Das Lesen literarischer Texte

3.3.1 Interpretierendes Lesen

Die **SQ3R-Methode** können Sie nicht nur für Sachtexte, sondern auch für literarische Texte anwenden.

Interpretierendes Lesen – Lesen von literarischen Texten

1. Aufmerksames Lesen	**Intensives Lesen** des Textes (Kurzgeschichte, Erzählung etc.)
2. Notieren von Fragen, Auffälligkeiten	Notieren von **ungewöhnlichen Formulierungen**, Wörtern etc.
3. Bildung von Hypothesen	**Was könnte** die Autorin bzw. der Autor damit **gemeint haben**? Warum wurde dieser **Titel** gewählt? Wieso **endet** die Geschichte so und nicht anders?
4. Diskussion über den Text	**Diskussion** über die in der Klasse oder Gruppe gesammelten Hypothesen
5. Interpretation des Textes	Erklärung der **Bedeutung des Textes** mit eigenen Worten, Deutung

3.3.2 Was Kurzgeschichten bewirken können

Kurzgeschichten eignen sich besonders gut, um das Lesen literarischer Texte zu trainieren. Manche Texte werden Ihnen von der ersten Zeile an gefallen, bei anderen werden Sie sich vielleicht anfangs schwer tun zu verstehen, was die Autorin oder der Autor den Leserinnen und Lesern mitteilen möchte.

9 Aufgabenstellung

●

Lesen Sie die Geschichte über die „Drei Fragen" von Leo Tolstoi und wenden Sie dabei die fünf Schritte der SQ3R-Methode an:

a. Lesen Sie zunächst bis zu Marke (1) und notieren Sie die drei Fragen, die der König stellt. Wie würden Sie die Fragen beantworten? Halten Sie Ihre Antworten schriftlich fest, bevor Sie weiterlesen.

b. Der König will wissen, was die wichtigsten Aufgabenbereiche eines Monarchen sind. Wie könnten sich diese von den Aufgaben einer Monarchin bzw. eines Monarchen der Gegenwart unterscheiden?

c. Lesen Sie die Geschichte aufmerksam weiter. Wenn Ihnen etwas unklar ist, unterbrechen Sie den Lesefluss und lesen Sie die entsprechende Stelle mehrmals, bis Sie den Inhalt verstanden haben.

d. Tolstoi trägt viele mögliche Antworten von Ratgebern des Königs zusammen. Notieren Sie diese.

e. Lesen Sie anschließend bis zu Marke (2) weiter. Schildern Sie kurz die Begegnung mit dem Einsiedler. „Du hast ja die Antwort schon bekommen", beteuert der Einsiedler. Dabei hat er selbst kein Wort gesprochen. Wie wurden die Antworten gegeben?

Leo Tolstoi – **Drei Fragen**

Es lebte einmal ein König, der dachte, es könnte ihm nichts missglücken, wenn er immer die Zeit wüsste, in der er sein Werk zu beginnen hätte, wenn er ferner wüsste, mit welchen Menschen er sich einlassen und mit welchen er sich nicht einlassen dürfte, vor allem aber, wenn er immer wüsste, welches Werk das wichtigste wäre. So dachte der König. Darum ließ er in seinem Reiche verkünden, er wolle denjenigen reich belohnen, der ihn lehren würde, wie man für jedes Werk die rechte Zeit herausfinden könnte, wie man erkennen könnte, welche Menschen die unentbehrlichsten sind, und wie man sicher wissen könnte, welches Werk vor allem das wichtigste sei. (1)

Nun kamen gelehrte Männer zu dem Könige gegangen, und alle antworteten verschieden auf seine Fragen. Seine erste Frage beantworteten die einen so: Um für jedes Werk die angemessene Zeit zu wissen, müsse man vorher eine Einteilung nach Tagen, Monaten und Jahren aufstellen und sich streng an das halten, was man für den einzelnen Tag festgesetzt habe. Dann meinten sie, wird jedes Werk zur rechten Zeit durchgeführt werden. Andere meinten, man brauche nicht im Vorhinein festzustellen, welches Werk zu welcher Zeit zu geschehen habe, und man dürfe nicht mit leerer Spielerei die Zeit hinbringen und müsse stets auf alles achten, was geschieht, und dann tun, was nötig ist. Wieder andere meinten, wenn der König noch so aufmerksam alles verfolge, was geschieht, könne er als einzelner Mensch nicht immer die richtige Entscheidung darüber treffen, was in einer bestimmten Zeit geschehen müsse. Er müsse vielmehr einen Rat weiser Männer haben und mit diesem Rat entscheiden, was in einer bestimmten Zeit zu tun sei. Noch andere meinten, es gäbe Dinge, die so wenig Verzögerung dulden, dass man die Ratgeber nicht fragen könne, man müsse sofort entscheiden, ob die Zeit für das Werk die Passende sei oder nicht. Um aber das zu wissen, müsse man vorher wissen, was geschehen wird. Das aber können nur Zauberer wissen. Um also die richtige Zeit für jedes Werk zu kennen, müsse man die Zauberer befragen.

Ebenso verschieden beantworteten sie die zweite Frage. Die einen meinten, die unentbehrlichsten Männer für den König seien seine Helfer, die Staatsmänner; andere meinten, am unentbehrlichsten seien ihm die Priester; noch andere meinten, es seien die Ärzte, und wieder andre, die unentbehrlichsten seien die Krieger.

Auf die dritte Frage: was das Wichtigste sei, antworteten die einen, das Wichtigste in der Welt seien die Wissenschaften, andere meinten, das Wichtigste sei die Kriegskunst, noch andere, die Gottesverehrung.

Alle Antworten waren verschieden. Darum stimmte der König keinem von ihnen zu und gab keinem die verheißene Belohnung. Um aber zuverlässigere Antworten auf seine Fragen zu bekommen, beschloss er, einen Einsiedler zu befragen, dessen Weisheit in großem Rufe stand.

Der Einsiedler lebte in einem Walde, verließ seine Wohnstätte nie und empfing nur einfache Leute. Darum zog der König ein schlechtes Kleid an, stieg vom Pferd, lange ehe er die Zelle des Einsiedlers erreicht hatte, ließ sein Gefolge zurück und ging allein zu ihm.

Als der König sich näherte, grub der Einsiedler vor seinem Häuschen die Beete um. Als er den König erblickte, begrüßte er ihn und setzte seine Arbeit ruhig fort. Der Einsiedler war hager und schwach und keuchte, wenn er seinen Spaten in die Erde steckte und die kleinen Schollen umwandte.

Der König trat auf ihn zu und sagte: „Ich bin zu dir gekommen, weiser Einsiedler, um dich zu bitten, mir auf die drei Fragen Antworten zu geben: Welche Zeit muss man festhalten und nicht versäumen, um nicht hinterher zu bereuen; welche Menschen sind die unentbehrlichsten, mit welchen Menschen also muss man sich am meisten und mit welchen am wenigsten einlassen, und welche Dinge sind die wichtigsten, was muss man also vor allen Dingen tun?"

Der Einsiedler hörte dem König zu, aber er antwortete nicht. Er spie in seine Hand und fing wieder an,die Erde umzuschaufeln. „Du bist müde", sagte der König. „Gib mir den Spaten, ich will für dich die Arbeit machen." „Ich danke", sagte der Einsiedler, reichte ihm den Spaten und setzte sich auf die Erde. Der König grub zwei Beete, dann blieb er stehen und wiederholte seine Frage. Der Einsiedler antwortete nicht. Er erhob sich und streckte den Arm nach dem Spaten aus: „Jetzt ruhe du; ich will jetzt ...", sagte er. Der König aber gab ihm den Spaten nicht und fuhr fort zu graben. Eine Stunde verging, die zweite; die Sonne wollte hinter den Bäumen versinken, da steckte der König den Spaten in den Boden und sagte: „Ich bin zu dir gekommen, weiser Mann, damit du mir antwortest auf meine Frage. Wenn du nicht antworten kannst, so sage das, und ich will nach Hause gehen." „Ei sieh, es kommt jemand hierher geeilt", sagte der Einsiedler, „lass sehen, wer das ist."

Der König schaute sich um. Richtig, vom Felde her kam ein bärtiger Mann gelaufen. Der Mann hielt sich den Leib mit den Händen, und durch die Hände strömte Blut. Als der bärtige Mann zu dem König gelangt war, fiel er zu Boden, die Augen fielen ihm zu, er rührte sich nicht und stöhnte nur schwach. Der König und der Einsiedler lockerten die Kleider des Mannes. In seinem Unterleibe war eine tiefe Wunde. Der König wusch sie, so gut er konnte, und verband sie mit seinem Taschentuch und mit einem Handtuch des Einsiedlers. Aber das Blut hörte nicht auf zu strömen, und der König löste zu wiederholten Malen den Verband, der ganz vom warmen Blute feucht war, wusch ihn wieder aus und verband von neuem die Wunde. Als das Blut gestillt war, kam der Verwundete zu sich und bat um Wasser. Der König brachte frisches herein und gab dem Verwundeten zu trinken.

Die Sonne war unterdessen ganz untergegangen, und es war kühl geworden. Der König trug nun, unterstützt von dem Einsiedler, den verwundeten Mann in die Zelle und legte ihn auf das Bett. Der Verwundete schloss die Augen und wurde still. Der König aber war so müde geworden von dem Weg und von der Arbeit, dass er auf der Schwelle zusammengekauert ebenfalls einschlummerte und in einen tiefen Schlaf verfiel, dass er so die ganze kurze Sommernacht verschlief, und als er am andren Morgen erwachte, lange gar nicht begreifen konnte, wo er war, und wer dieser sonderbare, bärtige Mann war, der auf dem Boden lag und ihn verwundert mit seinen leuchtenden Augen ansah. „Verzeih mir", sagte der bärtige Mann mit schwacher Stimme, als er sah, dass der König erwacht war und ihn anblickte. „Ich kenne dich nicht, und ich weiß nicht, was ich dir verzeihen soll", sagte der König. „Du kennst mich nicht, aber ich kenne dich. Ich bin dein Feind, der Feind, der geschworen hat, sich an dir zu rächen, weil du meinen Bruder hast hinrichten lassen und mir meine Güter genommen hast. Und ich wusste, dass du ohne Gefolge zu dem Einsiedler gegangen bist, und habe den Entschluss gefasst, dich zu töten, wenn du wiederkommst. Aber es währte einen ganzen Tag, und du kamst nicht. Da kam ich aus dem Hinterhalt, um zu sehen, wo du bist, und stieß auf dein bewaffnetes Gefolge. Sie erkannten mich und haben mich verwundet. Ich entkam ihnen, aber ich wäre gestorben durch den Blutverlust, wenn du meine Wunde nicht verbunden hättest. Ich habe dich töten wollen, und du hast mir das Leben gerettet. Von nun an, wenn ich am Leben bleibe, und du es willst, will ich als treuester Sklave dir dienen, und auch meinen Söhnen will ich das zu tun befehlen. Verzeih mir!" Der König war sehr erfreut darüber, dass es ihm so leicht gelungen war, sich mit einem Feinde zu versöhnen; er verzieh ihm nicht nur, er versprach ihm sogar, ihm seine Güter zurückzugeben und mehr als das, ihm seine Diener und seinen Arzt zu schicken. Der König nahm nun Abschied von dem Verwundeten, ging hinaus auf die Treppe, um mit den Augen nach dem Einsiedler zu spähen. Ehe er ihn verließ, wollte er ihn zum letzten Male bitten, ihm auf seine Fragen zu antworten. Der Einsiedler war draußen. Bei den Beeten, die er gestern gegraben hatte, lag er am Boden und steckte Samenkörner hinein. Der König trat an ihn heran und sagte: „Zum letzten Mal bitte ich dich, weiser Mann, antworte mir auf meine Fragen." (2) „Aber du hast ja die Antwort schon bekommen", sagte der Einsiedler. Er richtete sich auf seinen hageren Schenkeln ein wenig auf und betrachtete von unten herauf den König, der vor ihm stand. „Ich habe die Antwort schon bekommen?", fragte der König. „Gewiss", sagte der Einsiedler. „Hättest du gestern nicht mit meiner Kraftlosigkeit Mitleid gehabt und nicht diese Beete für mich gegraben, und wärest du allein zurückgegangen, so hätte dieser Jüngling dich überfallen, und du hättest bereut, dass du nicht länger bei mir geblieben bist. Die richtige Zeit war also die, in der du die Beete gegraben hast. Und ich war der wichtigste Mann. Und das wichtigste Werk war, mir Gutes zu erweisen. Und dann, als er herbeigeeilt kam, war die richtigste Zeit die, als du ihn pflegtest. Denn hättest du seine Wunden nicht verbunden, so wäre er gestorben, ohne sich mit dir versöhnt zu haben. Und so war er denn auch der wichtigste Mensch, und war du ihm tatest, war die wichtigste Tat. Merke dir, die wichtigste Zeit ist nur eine: der Augenblick, und sie ist darum die Wichtigste, weil wir nur in ihr Gewalt über uns haben, und der unentbehrlichste Mensch ist der, mit dem der Augenblick uns zusammenführt, denn niemand kann wissen, ob er je wieder einmal mit einem anderen Menschen zusammenkommt, und die wichtigste Tat ist, ihm Gutes erweisen. Denn nur dazu ward der Mensch ins Leben gesandt."

Tolstoi, Leo: Drei Fragen. In: Die leere Trommel. Märchen und Legenden aus dem alten Russland. München: Diederichs Verlag, 2010, S. 282–287, gekürzt und verändert

Zum Autor:
Lew Nikolajewitsch Tolstoi (1828–1910) ist einer der bedeutendsten russischen Schriftsteller. „Anna Karenina" (1877/78) gilt als sein bestes Werk (Neuverfilmung: 2012, Regie Joe Wright), „Krieg und Frieden" (1868/69), ein vierteiliger historischer Roman, zählt zu einem der bedeutendsten Werke der Weltliteratur.

f. Formulieren Sie Hypothesen zu den folgenden Fragen:

- In welcher Zeit könnte der König leben?
- Welche Bedeutung kommt dem Einsiedler zu?
- Der Einsiedler weist auf den Augenblick hin. Warum ist dieser so wichtig?
- Was möchte Tolstoi seinen Leserinnen und Lesern mit dieser Geschichte sagen? Wie sollten wir mit unseren Mitmenschen umgehen?
- Vergleichen Sie die Antworten, die Sie vor dem Lesen der Geschichte auf die drei Fragen gegeben haben, mit den Antworten des Autors.

g. Diskutieren Sie in einem Klassengespräch Ihre Annahmen und Vermutungen.

h. Schreiben Sie anschließend einen Beitrag für Ihr Kulturportfolio nieder, in dem Sie mit eigenen Worten die Bedeutung der Geschichte erklären.

10 Aufgabenstellung

a. ●

Lesen Sie die Kurzgeschichte „Schönes goldenes Haar“ und formulieren Sie Hypothesen zu folgenden Fragen:

- In welcher Zeit könnte diese Kurzgeschichte spielen?
- Was erfahren Sie über Laurela? Wie alt könnte sie sein?
- Warum ist Laurelas Mutter beunruhigt? Wie reagiert der Vater?
- Wie wird das Familienleben beschrieben?
- Wofür stehen die goldenen Haare?
- Welche Rolle spielt die direkte Rede?
- Woran erinnern sich die Eltern während ihrer Gesprächspausen?
- Was ist das eigentliche Thema der Geschichte?

b. ○

Diskutieren Sie anschließend in der Klasse über Ihre Vermutungen. Verfassen Sie in der Folge einen Beitrag für Ihr Kulturportfolio, in dem Sie mit eigenen Worten die Kurzgeschichte deuten.

Gabriele Wohmann – **Schönes goldenes Haar**

„Ich versteh dich nicht“, sagte sie, „so was von Gleichgültigkeit versteh ich einfach nicht. Als wär’s nicht deine Tochter, dein Fleisch und Blut da oben.“ Sie spreizte den Zeigefinger von der Faust und deutete auf die Zimmerdecke. Aufregung fleckte ihr großes freundliches Gesicht. Sie ließ die rechte Hand wieder fallen, schob den braunen Wollsocken unruhig über das Stopfei[1]. Gegenüber knisterte die Wand der Zeitung. Sie starrte seine kurzen festen Finger an, die sich am Rand ins Papier krampften: fette Krallen, mehr war nicht von ihm da, keine Augen, kein Mund. Sie rieb die Fingerkuppe über die Wollrunzeln.

„Denk doch mal nach“, sagte sie. „Was sie da oben vielleicht jetzt treiben. Man könnte meinen, du hättest deine eigene Jugend vergessen.“

Seine Jugend! Der fremde freche junge Mann; es schien ihr, als hätten seine komischen dreisten Wünsche sie nie berührt. Sie starrte die fleischigen dreisten Krallenpaare an und fühlte sich merkwürdig losgelöst. Es machte ihr Mühe, sich Laurela vorzustellen, da oben, über ihnen, mit diesem netten, wirklich netten und sogar hübschen und auch höflichen jungen Mann, diesem Herrn Fetter – ach, war es überhaupt ein Vergnügen für Frauen? Sie seufzte, ihr Blick bedachte die Krallen mit Vorwurf. Richtige Opferlämmer sind Frauen.

„Ich versteh's nicht", sagte sie, „deine eigene Tochter, wirklich, ich versteh's nicht."

Der Schirm bedruckter Seiten tuschelte.

„Nein, ich versteh's nicht." Ihr Ton war jetzt werbendes Gejammer. Wenn man nur darüber reden könnte. Sich an irgendwas erinnern. Sie kam sich so leer und verlassen vor. Auf den geräumigen Flächen ihres Gesichtes spürte sie die gepünktelte Erregung heiß. Er knüllte die Zeitung hin, sein feistes viereckiges Gesicht erschien.

„Na, was denn, was denn, Herrgott noch mal, du stellst dich an", sagte er.

Sie roch den warmen Atem seines Biers und der gebratenen Zwiebeln, mit denen sie ihm sein Stück Fleisch geschmückt hatte. Sie nahm den Socken, bündelte die Wolle unterm Stopfei in der heißen Faust. Nein: Das hatte mit den paar ausgeblichenen Bildern von damals überhaupt nichts zu tun.

„Na, weißt du", sagte sie, „als wärst du nie jung gewesen." Sie lächelte steif, schwitzend zu ihm hin.

Er hob wieder die Zeitung vors Gesicht: Abendversteck. Jung? Sein Hirn schweifte gemächlich zurück. Jung? Und wie. Alles zu seiner Zeit. Er rülpste Zufriedenheit aus dem prallen Stück Bauch überm Gürtel. Kein Grund zur Klage. Richtige Hühner, die Frauen, ewiges Gegacker. Er spähte über die Zeitung in ihr hilflos redseliges Gesicht: Mit wem würde sie quasseln[2] und rumpoussieren[3], wenn Laurela erst mal weg wäre? Er stand rasch auf, drehte das Radio an. Die Musik schreckte das Wohnzimmer aus seinem bräunlichen Dösen.

Sie sah ihm zu, wie er zum Sessel zurückging, die Zeitung aufnahm, sich setzte. Sie lehnte sich ins Polster, presste das Stopfei gegen den Magen. Das war ihr Abend, gewiss, er und sie hier unten, sie mussten warten, das war von jetzt an alles. Und Wunder, dass sie ihr nachliefen. Sie wollte nachher noch anfangen mit dem blauen Kleid, ganz eng unterm Busen, das hob ihn so richtig in die Höhe. Das Blau passte gut zum Haar. So hübsches Haar. Sie räusperte sich, hörte das pappende Geräusch ihrer Lippen, saß mit offenem Mund, starrte die Zeitung an, die fetten kräftigen Krallen rechts und links.

„Sie hat hübsches Haar", sagte sie. „Wie Seide, wie Gold." Er knickte die Seiten in ihre geknifte[4] Form zurück. „Na klar", sagte er.

Sie sah die Krallenpfoten zum Bierglas tappen und es packen. Sie hörte ihn schmatzen, schlucken. So schönes goldenes Haar. Sie bohrte die Spitze der Stopfnadel in den braunen Wollfilz. Seine und ihre Tochter. Sie betrachtete die geätzte Haut ihres Zeigefingers. Seine und ihre Tochter. Sie reckte sich in einem warmen Anschwellen von Mitleid und stolzer Verwunderung.

Wohmann, Gabriele: Schönes goldenes Haar. In: Schlaglichter. Zwei Dutzend Kurzgeschichten. Stuttgart / Leipzig, Klett Verlag, 2008, S. 36–38

[1] *Stopfei: Gegenstand aus Holz in Form eines Hühnereis, das zum Stopfen eines Loches verwendet wird. Durch das Spannen des Gewebes über das Stopfei wird das Stopfen erleichtert.*
[2] *quasseln: schwatzen, unaufhörlich und schnell reden*
[3] *(rum)poussieren (franz.): umschmeicheln, umwerben*
[4] *kniffen: falten, knicken*

11 Aufgabenstellung

Lesen Sie die folgende Kurzgeschichte und formulieren Sie Hypothesen.

- Was ist das Thema der Geschichte?
- An welchem Ort könnte diese Kurzgeschichte spielen?
- Wie viele Personen kommen in der Geschichte vor?
- Was erfahren Sie über Kirsten? Wie alt könnte sie sein? Wie sieht sie aus?
- Was erfahren Sie über die Ich-Erzählerin?
- Welche Rolle spielt die Erzählform des inneren Monologs?
- Welche Problematik wird mit der Geschichte dargestellt?

Verfassen Sie anschließend einen Beitrag für Ihr Kulturportfolio, in dem Sie Ihre Hypothesen über die Deutung der Kurzgeschichte niederschreiben.

Tanja Zimmermann – **Eifersucht**

Diese Tussi! Denkt doch wohl, sie wär die Schönste! Juhu, die Dauerwelle wächst schon raus. Und diese Stiefelchen von ihr sind auch zu albern. Außerdem hat sie sowieso keine Ahnung. Von nix und wieder nix hat die 'ne Ahnung.

Immer, wenn sie ihn sieht, schmeißt sie die Haare zurück wie 'ne Filmdiva.

Das sieht doch ein Blinder, was die für 'ne Show abzieht. Ja, okay, sie kann ganz gut tanzen. Besser als ich. Zugegeben. Hat auch 'ne ganz gute Stimme, schöne Augen, aber dieses ständige Getue. Die geht einem ja schon nach fünf Minuten auf die Nerven.

Und der redet mit der ... stundenlang. Extra nicht hingucken. Nee, jetzt legt er auch noch den Arm um die. Ich will hier weg! Aber aufstehen und gehen, das könnte der so passen. Damit die ihren Triumph hat.

Auf dem Klo sehe ich in den Spiegel, finde meine Augen widerlich, und auch sonst, ich könnte kotzen. Genau, ich müsste jetzt in Ohnmacht fallen, dann wird ihm das schon leidtun, sich stundenlang mit der zu unterhalten.

Als ich aus dem Klo komme, steht er da: „Sollen wir gehen?" Ich versuche es betont gleichgültig mit einem Wenn-du-willst, kann gar nicht sagen, wie froh ich bin. An der Tür frage ich, was denn mit Kirsten ist.

„Oh Gott, eine Nervtante, nee, vielen Dank!" ...

„Och, ich find die ganz nett, eigentlich", murmel ich.

Zimmermann, Tanja: Eifersucht. In: Schlaglichter. Zwei Dutzend Kurzgeschichten. Stuttgart / Leipzig, Klett Verlag, 2008, S. 35–36

12 Aufgabenstellung

●

Suchen Sie nach weiteren Kurzgeschichten in der Bibliothek oder im Internet und wählen Sie eine Kurzgeschichte, die Ihnen gefällt, für das interpretierende Lesen aus. Gehen Sie nach der SQ3R-Methode vor:

- Formulieren Sie Hypothesen, in welcher Zeit die Geschichte spielen könnte. Warum könnte die Autorin bzw. der Autor einen bestimmten Titel gewählt haben?
- Halten Sie Ihre Hypothesen sowie Ihre Interpretation der Geschichte schriftlich fest.
- Verfassen Sie anschließend eine Inhaltsangabe.
- Recherchieren Sie im Internet nach Informationen über die Autorin bzw. den Autor. Versuchen Sie, dadurch einen Bezug zwischen Kurzgeschichte und Entstehungszeit herzustellen.
- Suchen Sie nach weiteren Kurzgeschichten, die die Autorin bzw. der Autor verfasst hat, und stellen Sie einen eigenen Abschnitt in Ihrem Kulturportfolio unter dem Titel „Geschichten – interpretierend gelesen" zusammen.

13 Aufgabenstellung

○

Wählen Sie einige Interpretationen aus, die Ihrer Meinung nach gut gelungen sind, und stellen Sie diese der Klasse vor.

3.4 Leseportfolio

3.4.1 Das Lesen dokumentieren

Sie haben im Vorjahr bereits viele Anregungen zum Führen eines Portfolios kennengelernt. Suchen Sie sich Lektüre aus, die Sie interessiert, besprechen Sie dies mit Ihrer Lehrkraft und führen Sie ein **Leseportfolio**. Auf diese Weise haben Sie ein Dokument, das **Ihre persönlichen Vorlieben dokumentiert** und auf das Sie später auch zurückgreifen können, wenn Sie sich auf die Reife- und Diplomprüfung vorbereiten.

Das Leseportfolio sollte aus mehreren **Lesemappen** bestehen, an denen Sie laufend arbeiten, indem Sie Ihre Texte überarbeiten, ergänzen oder vielleicht auch einen Text gegen einen neuen austauschen.

Diese Lesemappe sollte ein **persönliches Buch zu einem Buch** sein und weit mehr enthalten als eine Inhaltsangabe und eine Charakteristik der handelnden Personen. Halten Sie darin fest, was Ihnen **persönlich wichtig** an diesem Buch ist.

siehe Band 1, Kapitel „Portfolio“

Dokumentieren Sie daher wichtige Textstellen, einzelne Figuren, Ihre Gedanken zum Buch. Halten Sie auch fest, wann Sie bestimmte Abschnitte gelesen haben. Die Lesemappe enthält aber auch Fragen, die beim Lesen auftreten, sowie eine Bewertung des Gelesenen.

Damit aus der Lesemappe ein echtes Portfolio wird, ist es wichtig, über die eigene Arbeit zu **reflektieren**. Schreiben Sie Ihre Gedanken nieder, wie es Ihnen beim Lesen ergangen ist, wo Sie Schwierigkeiten beim Verständnis gehabt haben, welche Aufgaben Ihnen leicht gefallen sind.

Vergessen Sie nicht, Ihre Arbeiten von Zeit zu Zeit auch von den Mitschülerinnen und Mitschülern bzw. von der Lehrkraft **evaluieren** zu lassen. Dieses Feedback sollte eine Anregung zum Redigieren und Reflektieren sein. Durch ein Vor- und Schlusswort dokumentieren Sie Ihre Entwicklungsschritte und zeigen Ihre Lernfortschritte auf.

Von der Lesemappe zum Leseportfolio

Die **Lesemappe** eines literarischen Textes ist Teil des Leseportfolios und besteht aus:

- der Dokumentation der **persönlichen Eindrücke** zum Text
- einem **Personenregister** oder den **Steckbriefen** der Protagonistinnen und Protagonisten
- der Zusammenfassung wichtiger Passagen sowie einer **Inhaltsangabe**
- einer Sammlung von **Textstellen** und **Zitaten**
- der Recherche über die **Autorin** bzw. den **Autor**

Die Lesemappe wird Teil des **Leseportfolios** durch:

- die Dokumentation des **Arbeitsprozesses**
- die **Selbst-** und **Fremdevaluation**
- ein **Vor-** und **Nachwort**

3.4.2 Von der Lesemappe zum Leseportfolio: Ideen und Vorschläge

14 Aufgabenstellung

●

Legen Sie eine Lesemappe zu Wolfgang Borcherts **„Nachts schlafen die Ratten doch“** an:

a. Dokumentieren Sie Ihre persönlichen Eindrücke. Machen Sie sich schon beim Lesen Notizen, formulieren Sie Fragen zur Handlung und zu den beiden Protagonisten. Markieren Sie Unklarheiten mit einem Fragezeichen.

b. Dokumentieren Sie Ihren Arbeitsprozess: Kennzeichnen Sie Sinneinheiten (Einleitung, Hauptteil, Schluss) mit unterschiedlichen Farben. Kreisen Sie Schlüsselwörter ein, ziehen Sie Pfeile oder Linien zu anderen Textstellen.

c. Legen Sie Steckbriefe der beiden Protagonisten an.

d. Verfassen Sie eine Inhaltsangabe der Kurzgeschichte.

e. Stellen Sie Hypothesen über diese Kurzgeschichte auf und beantworten Sie folgende Fragen: In welcher Zeit spielt die Geschichte? Achten Sie auf den Titel der Kurzgeschichte. Was soll durch die Art der sprachlichen Darstellung (monologisch? dialogisch?) bewirkt werden? Legen Sie Ihre Antworten in einer Interpretation schriftlich dar.

f. Zitieren Sie die Textstellen, die Ihnen besonders relevant oder interessant erschienen sind.

g. Was haben Sie über den Autor herausgefunden?

h. Erzählen Sie die Geschichte wahlweise aus der Sicht des Jungen oder des Mannes (1. Person Singular).

i. Schließen Sie Ihre Arbeit mit einer kurzen Selbstreflexion ab: Wie ist es Ihnen beim interpretierenden Lesen und Dokumentieren gegangen? Wo hatten Sie Schwierigkeiten, den Text zu verstehen?

j. Verfassen Sie ein kurzes einleitendes Vorwort für die Lesemappe und schließen Sie mit einer persönlichen Aussage über die Kurzgeschichte.

k. Holen Sie sich auch den Kommentar einer Mitschülerin oder eines Mitschülers bzw. von Ihrer Lehrkraft. So wird Ihre Lesemappe über die Kurzgeschichte „Nachts schlafen die Ratten doch“ zu einem Abschnitt Ihres Leseportfolios.

Bild von Trümmerfrauen

Das zerstörte und ausgebombte Hamburg 1945

Wolfgang Borchert – **Nachts schlafen die Ratten doch**

Das hohle Fenster in der vereinsamten Mauer gähnte blaurot voll früher Abendsonne. Staubgewölke flimmerte zwischen den steilgereckten Schornsteinresten. Die Schuttwüste döste.

Er hatte die Augen zu. Mit einmal wurde es noch dunkler. Er merkte, daß jemand gekommen war und nun vor ihm stand, dunkel, leise. Jetzt holen sie mich! dachte er. Aber als er ein bißchen blinzelte, sah er nur zwei etwas ärmlich behoste Beine. Die standen ziemlich krumm vor ihm, daß er zwischen ihnen durchsehen konnte. Er riskierte ein kleines Geblinzel an den Hosenbeinen hoch und erkannte einen älteren Mann. Der hatte ein Messer und einen Korb in der Hand. Und etwas Erde an den Fingerspitzen.

Du schläfst hier wohl, was? fragte der Mann und sah von oben auf das Haargestrüpp herunter. Jürgen blinzelte zwischen den Beinen des Mannes hindurch in die Sonne und sagte: Nein, ich schlafe nicht. Ich muss hier aufpassen.

Der Mann nickte: So, dafür hast du wohl den großen Stock da?

Ja, antwortete Jürgen mutig und hielt den Stock fest.

Worauf passt du denn auf?

Das kann ich nicht sagen. Er hielt die Hände fest um den Stock.

Wohl auf Geld, was? Der Mann setzte den Korb ab und wischte das Messer an seinen Hosenbeinen hin und her.

Nein, auf Geld überhaupt nicht, sagte Jürgen verächtlich. Auf ganz etwas anderes.

Na, was denn?

Ich kann es nicht sagen. Was anderes eben.

Na, denn nicht. Dann sage ich dir natürlich auch nicht, was

ich hier im Korb habe. Der Mann stieß mit dem Fuß an den Korb und klappte das Messer zu.

Pah, kann mir denken, was in dem Korb ist, meinte Jürgen geringschätzig, Kaninchenfutter.

Donnerwetter, ja! sagte der Mann verwundert, bist du ein fixer Kerl! Wie alt bist du denn?

Neun.

Oha, denk mal an, neun also. Dann weißt du ja auch, wie viel drei mal neun sind, wie?

Klar, sagte Jürgen, und um Zeit zu gewinnen, sagte er noch: Das ist ja ganz leicht. Und er sah durch die Beine des Mannes hindurch. Dreimal neun, nicht? fragte er noch einmal, siebenundzwanzig. Das wußte ich gleich.

Stimmt, sagte der Mann, und genauso viel Kaninchen habe ich.

Jürgen machte einen runden Mund: Siebenundzwanzig?

Du kannst sie sehen. Viele sind noch ganz jung. Willst du?

Ich kann doch nicht. Ich muß doch aufpassen, sagte Jürgen unsicher.

Immerzu? fragte der Mann, nachts auch?

Nachts auch. Immerzu. Immer. Jürgen sah an den krummen Beinen hoch. Seit Sonnabend schon, flüsterte er.

Aber gehst du denn gar nicht nach Hause? Du mußt doch essen.

Jürgen hob einen Stein hoch. Da lag ein halbes Brot und eine Blechschachtel.

Du rauchst? fragte der Mann, hast du denn eine Pfeife?

Jürgen faßte seinen Stock fest an und sagte zaghaft: Ich drehe. Pfeife mag ich nicht ab.

Schade, der Mann bückte sich zu seinem Korb, die Kaninchen hättest du ruhig mal ansehen können. Vor allem die Jungen. Vielleicht hättest du dir eines ausgesucht. Aber du kannst hier ja nicht weg.

Nein, sagte Jürgen traurig, nein, nein.

Der Mann nahm den Korb hoch und richtete sich auf. Na ja, wenn du hierbleiben mußt – schade. Und er drehte sich um.

Wenn du mich nicht verrätst, sagte Jürgen da schnell, es ist wegen den Ratten. Die krummen Beine kamen einen Schritt zurück: Wegen den Ratten?

Ja, die essen doch von Toten. Von Menschen. Da leben sie doch von.

Wer sagt das?

Unser Lehrer.

Und du paßt nun auf die Ratten auf? fragte der Mann.

Auf die doch nicht! Und dann sagte er ganz leise: Mein Bruder, der liegt nämlich da unten. Da. Jürgen zeigte mit dem Stock auf die zusammengesackten Mauern. Unser Haus kriegte eine Bombe. Mit einmal war das Licht weg im Keller. Und er auch. Wir haben noch gerufen. Er war viel kleiner als ich. Erst vier. Er muß hier ja noch sein. Er ist doch viel kleiner als ich.

Der Mann sah von oben auf das Haargestrüpp. Aber dann sagte er plötzlich: Ja, hat euer Lehrer euch denn nicht gesagt, daß die Ratten nachts schlafen?

Nein, flüsterte Jürgen und sah mit einmal ganz müde aus, das hat er nicht gesagt.

Na, sagte der Mann, das ist aber ein Lehrer, wenn er das nicht mal weiß. Nachts schlafen die Ratten doch. Nachts kannst du ruhig nach Hause gehen. Nachts schlafen sie immer. Wenn es dunkel wird, schon.

Jürgen machte mit seinem Stock kleine Kuhlen in den Schutt. Lauter kleine Betten sind das, dachte er, alles kleine Betten.

Da sagte der Mann (und seine krummen Beine waren ganz unruhig dabei): Weißt du was? Jetzt füttere ich schnell meine Kaninchen und wenn es dunkel wird, hole ich dich ab. Vielleicht kann ich eins mitbringen. Ein kleines oder, was meinst du?

Jürgen machte kleine Kuhlen in den Schutt. Lauter kleine Kaninchen. Weiße, graue, weißgraue. Ich weiß nicht, sagte er leise und sah auf die krummen Beine, wenn sie wirklich nachts schlafen.

Der Mann stieg über die Mauerreste weg auf die Straße. Natürlich, sagte er von da, euer Lehrer soll einpacken, wenn er das nicht mal weiß.

Da stand Jürgen auf und fragte: Wenn ich eins kriegen kann? Ein weißes vielleicht?

Ich will mal versuchen, rief der Mann schon im Weggehen, aber du mußt hier solange warten. Ich gehe dann mit dir nach Hause, weißt du? Ich muß deinem Vater doch sagen, wie so ein Kaninchenstall gebaut wird. Denn das müßt ihr ja wissen.

Ja, rief Jürgen, ich warte. Ich muss ja noch aufpassen, bis es dunkel wird. Ich warte bestimmt. Und er rief: Wir haben auch noch Bretter zu Hause. Kistenbretter, rief er.

Aber das hörte der Mann schon nicht mehr. Er lief mit seinen krummen Beinen auf die Sonne zu. Die war schon rot vom Abend, und Jürgen konnte sehen, wie sie durch die Beine hindurch schien, so krumm waren sie. Und der Korb schwenkte aufgeregt hin und her. Kaninchenfutter war da drin. Grünes Kaninchenfutter, das war etwas grau vom Schutt.

Borchert, Wolfgang: Nachts schlafen die Ratten doch. In: Das Gesamtwerk. 2. Auflage, Reinbek bei Hamburg, Rowohlt, 2011, S. 255–258, Originalschreibweise

Zum Autor:
Wolfgang Borchert (1921–1947), siehe auch Kapitel „Schreibhandlungen", S. 138f.

15 Aufgabenstellung

Legen Sie eine Lesemappe zum Thema **„Gedichte“** an. Sammeln Sie Gedichte zu einem bestimmten Thema, etwa Liebesgedichte, Gedichte über Tiere, Umwelt, Freundschaft, Jahreszeiten, Trauer etc., und schreiben Sie Ihre Gedanken zum Text oder zu einzelnen Zeilen nieder.

Das folgende Gedicht ist ein Gedicht von Gedichten. Können Sie sich vorstellen, was dieser Text sagen will? Könnten Sie sich vorstellen, nach diesem Muster selbst ein Gedicht zu verfassen?

Kurt Marti – **gedicht von gedichten**

ein gedicht
das nicht zu begreifen ist
möchte vielleicht betastet sein

ein gedicht
das nicht zu betasten ist
möchte vielleicht betreten sein

ein gedicht
das nicht betreten ist
möchte vielleicht betrachtet sein

ein gedicht
das nicht zu betrachten ist
möchte vielleicht begriffen sein

Marti, Kurt: gedicht von gedichten. In: Namenszug mit Mond. Gedichte. Zürich, Nagel & Kimche, 1996, Originalschreibweise

Kurt Marti
(geb. 1921), Schweizer Pfarrer und Schriftsteller

Gedichte über das Wetter ...

Michael Köhlmeier – **Der große Regen**

Oben in der Stadt fiel das Wetter vom Berg auf die
Maximilianstraße, wir unten beim Bahnhof blieben trocken
Bis auf ein paar Tropfen. Wir konnten die Häuser

Oben nicht mehr sehen, und der Bus kam aus
Einer Wolke auf uns zu, der Fahrer winkte und
Grinste und zeigt uns den aufgestellten Daumen.

Als die Bäche an den Straßenrändern uns erreichen,
War wieder blauer Himmel. Die Amseln fingen wieder an.
Ich stand noch eine Weile. Stand noch eine Weile.

Köhlmeier, Michael: Der große Regen. In: Der Liebhaber bald nach dem Frühstück. Gedichte. München, Carl Hanser Verlag, 2012, S. 86

Michael Köhlmeier
(geb. 1949), österreichischer Schriftsteller

Das Wetter steht oft als Synonym für Stimmungen und Gefühle. Finden Sie weitere Gedichte, in denen Stimmungen durch das Wetter ausgedrückt werden. Versuchen Sie sich selbst am Schreiben eines Stimmungsgedichts.

Sarah Kirsch
(1935–2013), deutsche Dichterin

Sarah Kirsch – **Regenzeit**

In den Häusern brennt Licht grüne Äpfel
Leuchten aus abgestorbenen Blättern
Die verdammte Hellhörigkeit heißer Tage
Jedes Wort aus den Kammern Flüche und
Kälbergebrüll explodierende Trecker
Ist dauerndem Rauschen gewichen, lautlos
Wird das Korn auf die Speicher geblasen.

Kirsch, Sarah: Regenzeit. In: Sämtliche Gedichte. München, Deutsche Verlags-Anstalt, 2005, S. 302

Ihr persönlicher Lernerfolg

Schätzen Sie selbst ein, was Sie jetzt wissen und können:

✓ oder ✗

		LESEN	ÜBEN
Sie erkennen die Bedeutung des Lesens für Ihr persönliches Lernen.	○	S. 55	S. 54–55
Sie kennen die unterschiedlichen Lesetechniken und können sie gezielt einsetzen.	○	S. 57; 62	S. 58
Sie können die SQ3R-Technik (fünf Schritte zum sinnerfassenden Lesen) auf Sachtexte anwenden.	○	S. 57	S. 57-61
Sie können mithilfe der SQ3R-Technik literarische Texte (Kurzgeschichten) lesen und interpretieren.	○	S. 62	S. 62-67
Sie können die von Ihnen gelesenen Werke durch das Führen einer Lesemappe dokumentieren.	○	S. 68	S. 69-71
Sie kennen den Unterschied zwischen einer Lesemappe und einem Leseportfolio.	○	S. 68	
Sie können über den Prozess des Lesens reflektieren und holen sich auch Feedback dazu.	○	S. 68	S. 69

4

SPRACHE

In diesem Kapitel lernen Sie, ...

... was der Begriff Sprache alles bedeuten kann,

... wie unterschiedlich Frau und Mann kommunizieren,

... welchen permanenten Änderungen die Sprache ausgesetzt ist,

... wie Jugendliche kommunizieren,

... wie die Sprache in SMS, Blogs etc. reduziert wird,

... was Dialekte sind,

... welche Rolle Dialekte in der Literatur spielen.

Kompetenzen hier entlang ▶▶▶

4.1 Vom Umgang mit der Sprache

4.1.1 Was ist Sprache?

„Kommt, reden wir zusammen. Wer redet, ist nicht tot."
(Gottfried Benn, 1886–1956, deutscher Lyriker)

„Die Sprache ist natürlich im ersten Moment immer ein Hindernis für die Verständigung."
(Marcel Marceau, 1923–2007, Pantomime)

„Wenn alle Menschen nur dann redeten, wenn sie etwas zu sagen haben, würden sie bald den Gebrauch der Sprache verlieren."
(William Shakespeare, 1564–1616, englischer Dramatiker, Lyriker und Schauspieler)

Mehr als 600 Millionen Wörter prasseln auf die Mitteleuropäerin bzw. den Mitteleuropäer im Laufe ihres bzw. seines Lebens aus Lautsprechern und Zeitungen nieder. Wer bei uns durchschnittlich viel fernsieht und Radio hört, hört im Laufe seines Lebens doppelt so viel, wie er spricht. Buch und Zeitung, Radio und Fernsehen haben uns auch hinsichtlich der Sprache zu Konsumentinnen bzw. Konsumenten eines Massenguts gemacht.

Das eigene Formulieren (Sprechen) ist für unsere Wahrnehmung des Lebens genauso wichtig wie das Hören (Zuhören). Erst wenn wir etwas begreifen, erkennen wir auch dessen Inhalt. Eine durchschnittliche Sprecherin bzw. ein durchschnittlicher Sprecher verfügt über einen **aktiven Wortschatz** von etwa 8000 bis 10 000 Wörtern. Für **Alltagsgespräche** reichen im Allgemeinen 400 bis 800 Wörter aus (Grundwortschatz oder Basiswortschatz).

Die **neuen Kommunikationsbereiche** wie **Chat** oder **SMS** kommen mit einem Wortschatz von nur noch ca. 100 bis 200 Wörtern aus.

Mit der Sprache erfassen wir Tatsachen und bewerten sie:

- Wir erzählen und schaffen dadurch Kontakt, Nähe und Beziehung.
- Wir geben Impulse zu Handlungen.
- Wir ordnen Sachverhalte, analysieren und klassifizieren.
- Wir informieren über Geschehenes, über Tatsächliches und Beabsichtigtes.
- Wir bringen Menschen dazu, etwas zu tun oder zu unterlassen, etwas gut oder schlecht zu finden.
- Wir üben Zwang aus und unterdrücken.
- Wir trösten und richten auf.
- Wir verhalten uns angepasst oder aggressiv.

1 Aufgabenstellung
●●
Wählen Sie zwei der oben angegebenen Möglichkeiten für den Einsatz von Sprache und finden Sie beispielhafte Situationen dafür. Formulieren Sie diese in kurzen Darstellungen (aus auktorialer Erzählperspektive in der Ich-Form).

2 Aufgabenstellung

●●

Wie ist das Gedicht von Erich Fried zu verstehen? Welche unterschiedlichen Bedeutungen hat der Begriff „Wort" für ihn?

Erich Fried – **Logos**

Das Wort ist mein Schwert
Und das Wort beschwert mich

Das Wort ist mein Schild
Und das Wort schilt mich

Das Wort ist fest
und das Wort ist lose

Das Wort ist mein Fest
und das Wort ist mein Los

Fried, Erich: Logos. In: Gesammelte Werke. Gedichte 1. Berlin, Wagenbach, o. J.

Erich Fried
(1921-1988), österreichischer Lyriker, Übersetzer und Essayist

Sprache hat eine **soziale Funktion.**
Die Sprache ist ein Kommunikationsmittel: Sie transportiert unsere Erfahrungen, unsere Absichten, unsere Handlungen. Sie definiert unser soziales Handeln im Guten (Zuwendung und Freundlichkeit, Hilfe, Trost) wie im Schlechten (Abweisung, Verletzung oder sogar Beleidigung, Entmutigung).

Sprache zeigt eine **soziale Zuordnung.**
Bestimmte sprachliche Formen weisen auf soziale Zugehörigkeit hin. Wir sprechen hierbei von **Soziolekten:**

- Jugendsprache
- Fachsprachen (z. B. verwendet von Medizinerinnen / Medizinern, Computerspezialistinnen / Computerspezialisten, Handwerkerinnen / Handwerkern, Seefahrerinnen / Seefahrern, Gärtnerinnen / Gärtnern)

Unter **Soziolekten** versteht man somit alle gruppen- oder schichtenabhängigen Sprachen: Jugendsprachen, Fachsprachen und von der sozialen Schicht geprägte Sprachen.

Sprache weist auch auf eine regionale Zugehörigkeit hin.
Regional gefärbte Sprachen nennt man **Dialekte** (Mundarten). Dialekte sind älter als Hochsprachen.

Sprache hat einen **gemeinsamen Code.**
Was alle Sprachen verbindet, ist die Konvention innerhalb einer Gesellschaft, die Übereinkunft darüber, was welche Bedeutung hat.

3 Aufgabenstellung

○

Denken Sie über folgende Zitate nach und präsentieren Sie Ihre Gedanken dazu in einem anschließenden Klassengespräch Ihren Mitschülerinnen und Mitschülern.

„Die Sprache ist die Kleidung der Gedanken."
(Samuel Johnson, 1709–1784, englischer Gelehrter und Schriftsteller)

„Die Grenzen meiner Sprache bedeuten die Grenzen meiner Welt."
(Ludwig Wittgenstein, 1889–1951, österreichischer Philosoph)

„Das Menschlichste, was wir haben, ist doch die Sprache."
(Theodor Fontane, 1819–1898, deutscher Dichter)

4 Aufgabenstellung

●●

Stellen Sie den Text „Ein Tisch ist ein Tisch“ von Peter Bichsel und das Anliegen darin vor und beantworten Sie folgende Fragen:

- In welcher Situation befindet sich der alte Mann?
- Wie möchte er seine Welt verändern?
- Welche Bedeutung hat in diesem Zusammenhang seine Sprache für ihn?
- Welche Folgen hat es, dass er seine Sprache verändert?

Vergleichen Sie die Situation des Protagonisten am Anfang und am Ende des Textes. Welche Aussage entnehmen Sie dem Text im Hinblick auf das Thema Sprache, welche in Bezug auf das Thema Mensch und Gesellschaft?

Peter Bichsel
(geb. 1935 in Luzern) wird der „Meister der kleinen Form“ genannt, weil er mit seinen Prosatexten prägnant (knapp und treffend) die Probleme der Menschen in den Mittelpunkt seiner Darstellung rückt.

Peter Bichsel – **Ein Tisch ist ein Tisch**

Ich will von einem alten Mann erzählen, von einem Mann, der kein Wort mehr sagt, ein müdes Gesicht hat, zu müd zum Lächeln und zu müd, um böse zu sein. Er wohnt in einer kleinen Stadt, am Ende der Straße oder nahe der Kreuzung. Es lohnt sich fast nicht, ihn zu beschreiben, kaum etwas unterscheidet ihn von anderen. Er trägt einen grauen Hut, graue Hosen, einen grauen Rock und im Winter den langen grauen Mantel und er hat einen dünnen Hals, dessen Haut trocken und runzelig ist, die weißen Hemdkragen sind ihm viel zu weit.

Im obersten Stock des Hauses hat er sein Zimmer, vielleicht war er verheiratet und hatte Kinder, vielleicht wohnte er früher in einer andern Stadt. Bestimmt war er einmal ein Kind, aber das war zu einer Zeit, wo die Kinder wie Erwachsene angezogen waren. Man sieht sie so im Fotoalbum der Großmutter. In seinem Zimmer sind zwei Stühle, ein Tisch, ein Teppich, ein Bett und ein Schrank. Auf einem kleinen Tisch steht ein Wecker, daneben liegen alte Zeitungen und das Fotoalbum, an der Wand hängen ein Spiegel und ein Bild.

Der alte Mann machte morgens einen Spaziergang und nachmittags einen Spaziergang, sprach ein paar Worte mit seinem Nachbarn, und abends saß er an seinem Tisch.

Das änderte sich nie, auch sonntags war das so. Und wenn der Mann am Tisch saß, hörte er den Wecker ticken, immer den Wecker ticken.

Dann gab es einmal einen besonderen Tag, einen Tag mit Sonne, nicht zu heiß, nicht zu kalt, mit Vogelgezwitscher, mit freundlichen Leuten, mit Kindern, die spielten – und das Besondere war, dass das alles dem Mann plötzlich gefiel.

Er lächelte.

„Jetzt wird sich alles ändern“, dachte er.

Er öffnete den obersten Hemdknopf, nahm den Hut in die Hand, beschleunigte seinen Gang, wippte sogar beim Gehen in den Knien und freute sich.

Er kam in seine Straße, nickte den Kindern zu, ging vor sein Haus, stieg die Treppe hoch, nahm die Schlüssel aus der Tasche und schloß sein Zimmer auf.

Aber im Zimmer war alles gleich, ein Tisch, zwei Stühle, ein Bett. Und wie er sich hinsetzte, hörte er wieder das Ticken und alle Freude war vorbei, denn nichts hatte sich geändert.

Und den Mann überkam eine große Wut.

Er sah im Spiegel sein Gesicht rot anlaufen, sah, wie er die Augen zukniff; dann verkrampfte er seine Hände zu Fäusten, hob sie und schlug mit ihnen auf die Tischplatte, erst nur einen Schlag, dann noch einen, und dann begann er auf den Tisch zu trommeln, und schrie dazu immer wieder:

„Es muß sich ändern, es muß sich ändern!“

Und er hörte den Wecker nicht mehr. Dann begannen seine Hände zu schmerzen, seine Stimme versagte, dann hörte er den Wecker wieder, und nichts änderte sich.

„Immer derselbe Tisch“, sagte der Mann, „dieselben Stühle, das Bett, das Bild. Und dem Tisch sage ich Tisch, dem Bild sage ich Bild, das Bett heißt Bett, und den Stuhl nennt man Stuhl. Warum denn eigentlich?“ Die Franzosen sagen dem Bett „li“, dem Tisch „tabl“, nennen das Bild „tablo“ und den Stuhl „schäs“, und sie verstehen sich. Und die Chinesen verstehen sich auch.

„Warum heißt das Bett nicht Bild“, dachte der Mann und lächelte, dann lachte er, lachte, bis die Nachbarn an die Wand klopften und „Ruhe“ riefen.

„Jetzt ändert es sich“, rief er und er sagte von nun an dem Bett „Bild“.

„Ich bin müde, ich will ins Bild“, sagte er, und morgens blieb er oft lange im Bild liegen und überlegte, wie er nun dem Stuhl sagen wolle, und er nannte den Stuhl „Wecker“.

Er stand also auf, zog sich an, setzte sich auf den Wecker und stützte die Arme auf den Tisch. Aber der Tisch hieß jetzt nicht mehr Tisch, er hieß jetzt Teppich.

Am Morgen verließ also der Mann das Bild, zog sich an, setzte sich an den Teppich auf den Wecker und überlegte, wem er wie sagen könnte.

Dem Bett sagte er Bild.
Dem Tisch sagte er Teppich.
Dem Stuhl sagte er Wecker.
Der Zeitung sagte er Bett.
Dem Spiegel sagte er Stuhl.
Dem Wecker sagte er Fotoalbum.
Dem Schrank sagte er Zeitung.
Dem Teppich sagte er Schrank.
Dem Bild sagte er Tisch.
Und dem Fotoalbum sagte er Spiegel.

Also:

Am Morgen blieb der alte Mann lange im Bild liegen, um neun läutete das Fotoalbum, der Mann stand auf und stellte sich auf den Schrank, damit er nicht an die Füße fror, dann nahm er seine Kleider aus der Zeitung, zog sich an, schaute in den Stuhl an der Wand, setzte sich dann auf den Wecker an den Teppich und blätterte den Spiegel durch, bis er den Tisch seiner Mutter fand.

Der Mann fand das lustig, und er übte den ganzen Tag und prägte sich die neuen Wörter ein. Jetzt wurde alles umbenannt: Er war jetzt kein Mann mehr, sondern ein Fuß, und der Fuß war ein Morgen und der Morgen ein Mann.

Jetzt könnt ihr die Geschichte selbst weiterschreiben. Und dann könnt ihr, so wie es der Mann machte, auch die anderen Wörter austauschen:

läuten heißt stellen,
frieren heißt schauen,
liegen heißt läuten,
stehen heißt frieren,
stellen heißt blättern.

Sodass es dann heißt: Am Mann blieb der alte Fuß lange im Bild läuten, um neun stellte das Fotoalbum, der Fuß fror auf und blätterte sich auf dem Schrank, damit er nicht an die Morgen schaute.

Der alte Mann kaufte sich blaue Schulhefte und schrieb sie mit den neuen Wörtern voll, und er hatte viel zu tun damit, und man sah ihn nur noch selten auf der Straße.

Dann lernte er für alle Dinge die neuen Bezeichnungen und vergaß dabei mehr und mehr die richtigen. Er hatte jetzt eine neue Sprache, die ihm ganz allein gehörte.

Hie und da träumte er schon in der neuen Sprache und dann übersetzte er die Lieder aus seiner Schulzeit in seine Sprache und er sang sie leise vor sich hin.

Aber bald fiel ihm auch das Übersetzen schwer, er hatte seine alte Sprache fast vergessen, und er mußte die richtigen Wörter in seinen blauen Heften suchen. Und es machte ihm Angst, mit den Leuten zu sprechen. Er musste lange nachdenken, wie die Leute zu den Dingen sagen.

Seinem Bild sagen die Leute Bett.
Seinem Teppich sagen die Leute Tisch.
Seinem Wecker sagen die Leute Stuhl.
Seinem Bett sagen die Leute Zeitung.
Seinem Stuhl sagen die Leute Spiegel.
Seinem Fotoalbum sagen die Leute Wecker.
Seiner Zeitung sagen die Leute Schrank.
Seinem Schrank sagen die Leute Teppich.
Seinem Tisch sagen die Leute Bild.
Seinem Spiegel sagen die Leute Fotoalbum.

Und es kam so weit, daß der Mann lachen mußte, wenn er die Leute reden hörte.

Er mußte lachen, wenn er hörte, wie jemand sagte: „Gehen Sie morgen auch zum Fußballspiel?“ Oder wenn jemand sagte: „Jetzt regnet es schon zwei Monate lang.“ Oder wenn jemand sagte. „Ich habe einen Onkel in Amerika.“

Er mußte lachen, weil er all das nicht verstand.

Aber eine lustige Geschichte ist das nicht. Sie hat traurig angefangen und hört traurig auf.

Der alte Mann im grauen Mantel konnte die Leute nicht mehr verstehen, das war nicht so schlimm. Viel schlimmer war, sie konnten ihn nicht mehr verstehen. Und deshalb sagte er nichts mehr.

Er schwieg, sprach nur noch mit sich selbst, grüßte nicht einmal mehr.

Bichsel, Peter: Ein Tisch ist ein Tisch. In: Kindergeschichten. Frankfurt am Main, Suhrkamp Taschenbuch 2642, 1997, S. 21–30, Originalschreibweise

4.1.2 Die Macht der Sprache

Viele Dichter haben sich mit dem Thema Sprache **auseinandergesetzt** und sehen deren Funktion mitunter auch **kritisch**.

5 Aufgabenstellung

●

Stellen Sie sich vor, Sie müssten jemandem das folgende Gedicht und das Anliegen des Dichters erklären. Wovor hat er Angst, warum hat er Angst? Was fürchtet er konkret? Woran übt er Kritik? Was fordert er?

Rainer Maria Rilke *(1875–1926) gilt als einer der bedeutendsten deutschsprachigen Lyriker. Rilke sah sich als Vermittler zwischen den Kulturen. Er beherrschte neben der deutschen auch die tschechische, russische, italienische, dänische und französische Sprache. Rilke wird vor allem mit seinen Jugendwerken dem literarischen Impressionismus zugerechnet.*

Rainer Maria Rilke – **Ich fürchte mich so vor der Menschen Wort**

Ich fürchte mich so vor der Menschen Wort.
Sie sprechen alles so deutlich aus:
Und dieses heißt Hund und jenes heißt Haus,
und hier ist Beginn, und das Ende ist dort.

Mich bangt auch ihr Sinn, ihr Spiel mit dem Spott,
sie wissen alles, was wird und war;
kein Berg ist ihnen mehr wunderbar;
ihr Garten und Gut grenzt gerade an Gott.

Ich will immer warnen und wehren: Bleibt fern.
Die Dinge singen hör ich so gern.
Ihr rührt sie an: Sie sind starr und stumm.
Ihr bringt mir alle die Dinge um.

Rilke, Rainer Maria: Ich fürchte mich so vor der Menschen Wort.
In: Ausgewählte Gedichte. Bindlach, Gondrom, 2005

6 Aufgabenstellung

●

Auch Hans Magnus Enzensberger steht der Sprache kritisch gegenüber. Was wirft er ihr vor? Was meint er mit „Dosis steigern“ und „geringfügigere Gefühle“ im Zusammenhang mit Sprache?

Hans Magnus Enzensberger *(geb. 1929), deutscher Dichter, Schriftsteller, Herausgeber, Übersetzer und Redakteur*

Hans Magnus Enzensberger – **Leisere Töne**

Immer nur die Dosis steigern,
ganz verkehrt. Vorübergehend
das meiste beiseite lassen –
auch nicht schlecht: weichere Wörter,
weniger Krach in der Lyrik
und im Verbrauchermarkt.

Möglicherweise kommt sie ja noch,
die blaue Stunde, vorübergehend,
bevor der nächste Versager beginnt,
in die Menge zu feuern.

Flaumige Sachen, adagio,
bis zur Gedankenlosigkeit aufmerksam
an etwas Nachgiebiges rühren,
an einen Mundwinkel oder ein Moos.
Überhaupt, auf die geringfügigeren Gefühle
Ist am ehesten noch Verlaß.

Enzensberger, Hans Magnus: Leisere Töne. In: Gedichte 1950–2000, Frankfurt am Main, Suhrkamp Verlag, 2006, S. 201, Originalschreibweise

7 **Aufgabenstellung**

●●

Vergleichen Sie die beiden sprachkritischen Gedichte von Rilke und Enzensberger. Was beklagen die Autoren? Inwiefern unterscheiden sie sich in ihren Anliegen und ihrer Aussage? Inwiefern unterscheidet sich auch die Sprache der Texte?

Wir **ordnen und klassifizieren** mit der Sprache. Wir ordnen Wörter nach ihrer **Aussage**. Vor allem Verben (Modalverben und modifizierende Verben) helfen dabei, eine Aussage zu differenzieren. Mit einem Modalverb kann eine nähere Bestimmung ausgedrückt werden, sei es die Notwendigkeit, ein Zwang, eine Fähigkeit oder Möglichkeit, eine Erlaubnis oder ein Wunsch. Wir ordnen Wörter nach ihrer emotionalen Richtung. Wir setzen voraus, dass Wörter wertfrei sind, dass sie Fakten neutral wiedergeben. Wörter sind jedoch „parteilich". Sie beinhalten positive und negative Aussagen, sie sind **positiv oder negativ besetzt.** Meist prüfen wir nicht lange und gehen eher sorglos mit parteilichen Wörtern um. Wir suchen nicht nach Kriterien dafür, wie oft jemand gelogen hat oder gestohlen haben muss, damit wir ihr bzw. ihm das Etikett Lügnerin bzw. Lügner oder Diebin bzw. Dieb umhängen.

siehe Übungsband 1/2, Kapitel „Verb (das Zeitwort)":

- ***können, mögen*** *(Fähigkeit, Möglichkeit, abgeschwächter Wunsch)*
- ***sollen, wollen*** *(Notwendigkeit, Wunsch)*
- ***dürfen, müssen*** *(Erlaubnis, Zwang)*

Wir **informieren** auch mit der Sprache. Eine Information ist idealerweise objektiv. Sie enthält Daten und Fakten ohne Kommentar. Eine Information ist eine einfache Mitteilung: kein Befehl, keine Manipulation, kein Geschwätz, keine Zustimmung, keine Abwertung – überhaupt keine Wertung. Eine Information sollte neutral sein!

siehe Band 1 und Band 2, Kapitel „Schreibhandlungen"

Wir üben aber auch **Macht** mit der Sprache aus, wir **manipulieren!** Wörter beeinflussen unser Denken. Manipulation ist die Bezeichnung für einen verdeckten, gezielten Einfluss auf Entscheidungen von Menschen, den diese aber nicht als Beeinträchtigung ihres freien Willens wahrnehmen können.

8 **Aufgabenstellung**

○

a. Versuchen Sie in einem Klassengespräch, die Begriffe „beeinflussen", „überzeugen" und „manipulieren" zu erklären.

b. Wo, wann und wie werden wir in unserem Alltag beeinflusst, überzeugt, manipuliert? Erklären Sie, inwieweit und warum die Grenzen fließend sind.

c. Je besser Sie über die Beeinflussung durch die Sprache Bescheid wissen, desto eher können Sie ihr widerstehen. Wer Manipulations- und Beeinflussungstechniken erkennt, fällt ihnen nicht zum Opfer.
Sie kennen sicher Reiseprospekte mit tollen Angeboten, die sich vor Ort ganz anders darstellen. Suchen Sie weitere „verdächtige" Ausdrücke und versuchen Sie zu beschreiben, was sie wirklich bedeuten.

Verdächtiger Ausdruck	Übersetzung
aufstrebender Badeort	Der Ferienort ist eine Baustelle.
naturbelassener Strand	
alle Zimmer zum Meer gelegen	
sauber und zweckmäßig eingerichtet	

4.1.3 Sprache der Männer, Sprache der Frauen – die unterschiedliche Kommunikation

Männer und Frauen reden oft aneinander vorbei, sie haben unterschiedliche Kommunikationsstile – das ist zumindest eine weit verbreitete Ansicht. Aber lassen sich diese Missverständnisse tatsächlich durch das Geschlecht erklären?

Helmut Ebert, *Kommunikationsforscher und Professor am Institut für Germanistik an der Universität Bonn*

9 Aufgabenstellung

●●

Klären Sie folgende Fragen zum Interview mit Helmut Ebert:

- Welche Unterlagen hat Helmut Ebert für seine Forschungen verwendet? Worauf hat er geachtet?
- Gibt es seiner Meinung nach verschiedene – männliche und weibliche – Verhaltensmuster in der Kommunikation?
- Nennen Sie markante Unterschiede zwischen männlichem und weiblichem Argumentationsverhalten.
- Ist der Argumentationsstil ein Problem zwischen den Geschlechtern oder zwischen unterschiedlichen Menschentypen?
- Was fordert Helmut Ebert im Hinblick auf die Beziehungsebene?

Frauensprache, Männersprache „War doch nur ein Vorschlag, kein Auftrag!“

Interview von Silke Lode […]

sueddeutsche.de: Herr Ebert, Sie haben jetzt wissenschaftlich belegt, dass es im Berufsalltag markante Unterschiede in der Sprache von Männern und Frauen gibt – wie haben Sie das herausgefunden?

Helmut Ebert: Wir wollten feststellen: Gibt es wirklich diese Unterschiede? Können wir unterschiedliche Stile identifizieren? Zu dem Zweck haben wir vier Arbeitsbesprechungen in der Zentrale des Landschaftsverbandes Rheinland aufgezeichnet. Das hat rund 100 Seiten Text ergeben, den wir anschließend ausgewertet haben.

Wir haben darauf geachtet, dass wenigstens eine Arbeitsbesprechung von einer Frau geleitet wurde.

Drei Besprechungen führte ein Mann. Die Teilnehmer waren etwa zu gleichen Teilen Männer und Frauen.

sueddeutsche.de: Gab es ein Ergebnis, das Sie überrascht hat?

Ebert: Überraschend war die Bestätigung: Es gibt verschiedene Stile. Ich nenne das soziale Stile, weil natürlich auch Männer weibliche Stilzüge verwenden. Allerdings nicht so häufig.

sueddeutsche.de: Können Sie konkrete Beispiele nennen, wie Männer oder Frauen ihre Anliegen unterschiedlich zum Ausdruck bringen?

Ebert: Ein Beispiel sind Aufforderungen. Die werden von Frauen häufiger indirekt formuliert, Männer sind direkter. „Du gibst mir das dann jetzt, bitte!“– das wäre eine männliche Formulierung, „Könnte ich das vielleicht haben?“ eine weibliche.

Die Folge: Eine Frau fordert einen Mann indirekt zu etwas auf. Wenn der Mann das Muster nicht versteht, kann es sein, dass er nicht auf die Forderung eingeht. Seine Tatenlosigkeit ist Folge eines Missverständnisses: „War doch nur ein Vorschlag, kein Auftrag.“

sueddeutsche.de: Gibt es weitere markante Unterschiede?

Ebert: Lösungsvorschläge sind ein anderes Beispiel. Während der Entscheidungsfindung präsentieren Frauen offen und tolerant Lösungen als „Möglichkeiten“. Männer bieten ihren Vorschlag eher als endgültig an.

Für Frauen ist die geäußerte Position also verhandelbar, für Männer nicht wirklich. Allerdings gehen Männer davon aus, dass auch die Lösungsvorschläge von Frauen nicht verhandelbar sind. Daher ist es schwierig, Entscheidungen im Konsens zu treffen.

sueddeutsche.de: Sie haben auch zehn Erfolgsregeln für gelungene Kommunikation entwickelt. Da sprechen Sie an, dass man falsche Bescheidenheit, aber auch übertriebene Selbstinszenierung vermeiden soll. Lassen sich diese beiden Eigenschaften den Geschlechtern zuordnen?

Ebert: Ja, das hat unser Ergebnis gezeigt. Frauen werten häufig die eigene Arbeit und die eigene Person ab, Männer neigen dazu, die eigene Person und Leistung aufzuwerten, auch in Bewerbungen, wie ich an anderer Stelle gezeigt habe. Das hat zur Folge, dass die Leistungen der Frauen von Vorgesetzten nicht wahrgenommen werden und ihr Potential nicht voll ausgeschöpft wird. Aber das ist natürlich kein Naturgesetz. Jeder Mensch kann den Sozialstil des anderen Geschlechts erwerben.

sueddeutsche.de: Wie können Männer oder Frauen die jeweils anderen sozialen Stile erlernen?

Ebert: Zum einen geht es um das Bewusstmachen unterschiedlicher Muster, zum anderen muss man schauen, wann welches Verhalten zielführend ist. Dann setzt eigentlich ein Stück Verhaltenstraining ein. Man kann erlernte Muster nur bedingt ändern, indem man die Muster erklärt. Das Erklären und Durchschauen ist der erste Schritt. Das Einüben ist der zweite Schritt.

sueddeutsche.de: Sind einige Ihrer Erfolgsregeln besonders wichtig?

Ebert: Für Männer könnte es die Regel sein: „Bei der Entwicklung von Lösungsvorschlägen ruhig mal laut denken", also die Gedanken mitteilen und nicht schweigen, bis man die Lösung gefunden hat und diese dann als endgültig hinstellen. Für Frauen könnte gelten: Wichtige Beiträge sprachlich hervorheben, um die Aufmerksamkeit der Männer sicherzustellen.

Und für beide gilt: Man muss daran denken, dass dem Erfolg in der Sache der Erfolg auf der Beziehungsebene vorausgeht. Und die Beachtung der Beziehungsebene meint nicht die Hinwendung zu einer „Kuschelkommunikation", sondern gemeint ist, dass nur gegenseitige Anerkennung und Respekt ein positives Gesprächsklima schaffen. Letztlich ist die Gleichheit der Kommunikationspartner Voraussetzung für Fortschritte.

sueddeutsche.de: Haben Sie sich selbst schon einmal ertappt, dass Sie an Ihren Kolleginnen vorbeireden?

Ebert: Da muss ich nachdenken. Ich glaube ja. Leider fällt mir im Augenblick kein konkretes Beispiel ein, aber mein bester Korrektor ist meine Frau.

sueddeutsche.de: Und mit Ihren Kollegen passiert Ihnen das nicht?

Ebert: Schon, vielleicht mit Kollegen oder Geschäftspartnern, die sehr dominant männliche Verhaltensmuster verwenden. Ich formuliere oft zurückhaltend und verwende sicherlich auch „weibliche" Stilmerkmale, sonst wäre ich vermutlich auch nicht zu diesem Thema gekommen.

sueddeutsche.de: Aber ist dann dieses Kommunikationsproblem nicht vielmehr ein Problem zwischen verschiedenen Menschen und Typen als ein Problem zwischen den Geschlechtern?

Ebert: Unser Ausgangspunkt war die Frage: Sprechen Frauen anders als Männer? Und das lenkt tatsächlich die Aufmerksamkeit ein wenig in eine falsche Richtung, als sei das Ganze eine Sache des biologischen Geschlechts. Ich würde sagen, es ist ein allgemeines Problem unterschiedlicher Menschentypen bzw. sozialer Stile und die kann man eben auch an Verhaltensmustern von Frauen und Männern festmachen.

Man sollte vielleicht nicht von „dem weiblichen Stil" und „dem männlichen Stil" sprechen. Dann vermeidet man das Missverständnis, es ginge um so etwas wie eine „biologische Programmierung". Es geht vielmehr um soziale Verhaltensmuster. Bestimmte Stilzüge werden ja auch durch die Sozialisation als Mädchen oder Junge erlernt.

sueddeutsche.de: Warum haben Sie dann in Ihrer Studie die Kategorien „Männer" und „Frauen" so stark hervorgehoben?

Ebert: Das war der Ausgangspunkt und das ist ja auch nicht widerlegt worden. Aber wir wollten nicht den Eindruck verfestigen, alles sei eine Sache des Geschlechts. Es geht um Muster, die sich auch am Geschlecht festmachen lassen, obwohl das Geschlecht nicht die Ursache ist, sondern die Sozialisation, die Erziehung und die Kultur, die z. B. die Organisation der Arbeit seit ewigen Zeiten am Geschlecht festgemacht hat. Dadurch wurde eine „Grenze" zwischen den Geschlechtern gezogen, die kulturell rigider ist, als es die Natur jemals vorgesehen hat.

Lode, Silke: Frauensprache, Männersprache. „War doch nur ein Vorschlag, kein Auftrag!" In: Süddeutsche Zeitung, 17.05.2010. Online: https://www.sueddeutsche.de/karriere/frauensprache-maennersprache-war-doch-nur-ein-vorschlag-kein-auftrag-1.494644 (20.05.2019), gekürzt

10 Aufgabenstellung sRDP

Verfassen Sie eine **Zusammenfassung** des vorgestellten Interviews und bearbeiten Sie dabei die folgenden Arbeitsschritte:

- **Beschreiben** Sie die im Interview dargestellte Problematik.
- **Untersuchen** Sie die Fragen, die sich in diesem Zusammenhang stellen.

Schreiben Sie ca. 300 Wörter.

***Intensitätspartikel*, das:** *Abtönungspartikel, z. B. sehr, wenig, überaus, einigermaßen*

Wie reden Frauen und Männer? Gibt es so etwas wie eine Frauensprache bzw. Männersprache? Dieses Thema interessiert nicht nur Sprachwissenschaftlerinnen und Sprachwissenschaftler. Das Interesse an derartigen Fragestellungen ist groß, weil sie einen Aspekt des Verhältnisses zwischen Frau und Mann darstellen. Merkbare Unterschiede im Sprachgebrauch von Männern und Frauen finden sich vor allem bei der Verwendung von Kraftausdrücken, von Intensitätspartikeln, in der Art des Unterbrechens einer Gesprächspartnerin bzw. eines Gesprächspartners oder im Erteilen von Befehlen.

Warum wir einander so oft missverstehen

Meist ist es **angelerntes Verhalten** (Buben wird in der Erziehung oft aggressiveres Verhalten zugebilligt, was sich sprachlich in Kraftausdrücken und allgemeinem Macht- und Statusgehabe äußern kann), das bei der Entwicklung geschlechtsspezifischer Sprachstile keine unbedeutende Rolle spielt.

Typische Sprachmuster von **Frauen**
Frauen treffen häufig bedürfnisbezogene Aussagen („Ich-Botschaften"), um auf ihr Gegenüber bestmöglich einzugehen. Sie rechtfertigen sich und verniedlichen ihre Aussagen eher, um andere nicht anzugreifen. Sie sind harmoniebedürftiger; in dem Bemühen, wenig anzuecken, **werden eigene Aussagen gerne abgeschwächt.** Frauen setzen des Weiteren oft **Fragen** ein, um mit ihrem Gegenüber im Gespräch zu bleiben. Sie suchen in der Gesprächspartnerin bzw. im Gesprächspartner eine Verbündete bzw. einen Verbündeten und benutzen oft Anschlusstechniken, z. B. die Wiederholung des Gesagten, um Gemeinsamkeiten zu schaffen.
Nicht zuletzt haben Frauen ein viel größeres Vokabular für Gefühle als Männer und sind auch bereit, es zu verwenden.

Typische Sprachmuster von **Männern**
Die Sprache der Männer ist im Gegensatz zu der von Frauen eher **statusorientiert**. Viele Männer wollen Widerstand, sie provozieren die Gesprächspartnerin bzw. den Gesprächspartner gerne, aber meist nur, um sie bzw. ihn zum (verbalen) Kampf zu ermuntern. Vieles dreht sich dabei um **Machtgewinn** und **Wettbewerbsverhalten**. Fragen werden von Männern meist zum reinen Informationsgewinn gestellt, es handelt sich selten um rhetorische Fragen.

Weiblicher Gesprächsstil

Frauen sind aktive Zuhörerinnen:

- mehr Satzvollendungen und
- mehr Unterstützungen

Frauen gebrauchen Abschwächungen:

- mehr Fragen statt Aussagen
- häufiger „mögen" und „denken"

Gesprächsstil nicht dominant, kooperativ

Männlicher Gesprächsstil

Männer

- liefern häufig Redebeiträge ohne Bezug
- stellen Scheinbezüge her
- bevorzugen statusmanifestierende sprachliche Mittel, z. B. „wir Ärzte"

Gesprächsstil dominant, nicht kooperativ

Brenner, Julia: Männersprache / Frauensprache. Geschlechtsspezifische Kommunikation. Studienarbeit. München, GRIN-Verlag für akademische Texte, 2003, S. 23

11 Aufgabenstellung

○

In gewissen Fällen bedienen sich auch Männer eines weiblichen und Frauen eines männlichen Sprachregisters. Dies ist vor allem in Gesprächsgruppen mit starkem Machtgefälle zu beobachten: Einer bzw. einem Vorgesetzten gegenüber wird tendenziell eher ein weibliches Register benutzt, einer bzw. einem Untergebenen gegenüber ein männliches.

Diskutieren Sie in einem Klassengespräch, wie Sie die geschlechtsspezifischen verbalen Ausdrucksformen von Frauen und Männern einschätzen.

Sprachregister, das: *In der Sprachwissenschaft ist damit ein Sprachstil gemeint, der für eine bestimmte Situation charakteristisch ist.*

Gender, das: *bedeutet soziales Geschlecht im Gegensatz zum biologischen Geschlecht*

Mainstream, der (engl.): *vorherrschende gesellschaftspolitische Strömung*

Mit der Frage nach der Gleichstellung von Frauen und Männern befasst sich eine Strategie, für die sich in Europa die Bezeichnung **Gender Mainstreaming** durchgesetzt hat.

Mit Gender sind die gesellschaftlichen Geschlechterrollen gemeint, genauer gesagt, die Vorstellungen und Erwartungen, wie Frauen und Männer sind bzw. sein sollen. Die Geschlechterrollen können sich im Lauf der Zeit ändern und sind innerhalb und zwischen den Kulturen unterschiedlich.

Gender Mainstreaming basiert auf der Erkenntnis, dass es keine geschlechtsneutrale Wirklichkeit gibt. Geschlechtergerechtigkeit verlangt, dass bei allen gesellschaftlichen und politischen Vorhaben die unterschiedlichen Interessen und Lebenssituationen von Frauen und Männern zu berücksichtigen sind.

Gibt es auch eine Gleichberechtigung in der Sprache?

Eine gendergerechte Sprache ist noch keine Selbstverständlichkeit, wenn man bedenkt, wie lange es gedauert hat, bis 2012 die österreichische Bundeshymne geändert und gendergerecht formuliert wurde.

Die Sprache ist eines der wesentlichen Ausdrucksmittel in unserer Gesellschaft. Sie trägt unsere Kommunikation, vermittelt Werte und Normen und ist Abbild unserer sozialen Realität. Frauen sind in unserer Sprache aber zum großen Teil unsichtbar. In der deutschen Sprache wird die männliche Form häufig als allgemeine Form („generisches Maskulinum“) – auch für Frauen – verwendet. Frauen werden meist nur mitgemeint. Dadurch werden alte Rollenbilder bestärkt. Männliche Berufsbezeichnungen suggerieren, dass manche Berufe in erster Linie für Männer geschaffen wären, z.B. Lokführer, Hausmeister, Institutsvorstand etc.

Sonnenmoser, Marion: Männliche Sprachform führt zu geringem gedanklichen Einbezug von Frauen. In: Psychologie Heute, Februar 2002. Online: http://frauensprache.com/geringer_einbezug.htm (20.05.2019)

siehe Band 1, Kapitel „Sprache“

12 Aufgabenstellung

●●

Wiederholen Sie in einer Teamarbeit die Formen geschlechtergerechten Formulierens.

Was versteht man unter geschlechtsneutralen Formulierungen? Wie stehen Sie zu einem Vorschlag des Duden, das Indefinitpronomen „man“ durch „wir“ zu ersetzen?

4.2 Entwicklungen der Gegenwart

4.2.1 Jugendjargon – die reduzierte Kommunikation

Jargon, der (franz.): Fachsprache, Standessprache

Als **Jargon** bezeichnet man eine gruppentypische und gruppenspezifische Ausdrucksweise innerhalb einer Berufsgruppe (Fachjargon) oder sozialen Gruppe (Soziolekt). Der Begriff stammt aus Frankreich, wo im 15. Jahrhundert eine kriminelle Bande eine eigene Geheimsprache für sich entwickelt hatte, die sie Jargon nannte.

Die Verwendung eines speziellen Jargons, beispielweise der Jugendsprache, dient heute dazu, sich von anderen abzugrenzen und eine eigene Identität zu entwickeln.

Es existieren viele Gruppensprachen: z.B. Computerjargon, Drogenjargon, Graffiti-Jargon, Hip-Hop-Jargon, Jugendsprache, Netzjargon oder Schülersprache. Vor allem in der Berufswelt spielt der Fachjargon eine große Rolle: Dazu zählen etwa die Bergmannssprache, die Jägersprache oder das Juristendeutsch. Zum Fachjargon, nicht zu verwechseln mit der Fachsprache, gehören etwa das Beamtendeutsch oder der Sportjargon.

In Anlehnung an: Jargon. Online: https://de.wikipedia.org/wiki/Jargon (20.05.2019)

siehe Band 1, Kapitel „Sprache“

Formen der Jugendsprache

Im Laufe der Zeit hat sich eine Reihe von Begriffen für unterschiedliche Formen der Jugendsprache herausgebildet, unter anderem Comicdeutsch, Schülersprache, Denglisch, Graffiti-Jargon, Hip-Hop-Jargon oder Netzjargon. Diese Begriffe sind nicht ausschließlich auf Sprechweisen der Jugendlichen beschränkt, bedienen sich aber vorwiegend des Wortschatzes Jugendlicher.

Phonetik, die: Lautlehre

Die Jugendsprache weist aber nicht nur im Wortschatz Besonderheiten auf, sondern verfügt auch im Bereich der Phonetik und des Satzaufbaus über Eigenheiten. Die meisten Ausdrücke sind sehr kurzlebig. Jugendsprache ist oft auch sehr provokant. Ein weiteres Merkmal sind Kürzungen (*„so einem“* wird zu *„so 'nem“*) sowie der Gebrauch von Anglizismen und Denglisch. Häufig genutzt werden sogenannte Interjektionen (Ausrufewörter), die oft auch aus der Sprache des Comics kommen (z. B. *„hä“, „hey“, „brr“, „autsch“, „seufz“*).

13 Aufgabenstellung

●●

Kennen Sie folgende Begriffe? Recherchieren Sie im Internet, welche Bedeutung diese Wörter haben könnten.

Abschleppwagen		laser, voll laser, endlaser	
abgespaced		Cryley	
Hood		bashen	
Bitch, please!		Lachflash	
Mecces; Mäki		#smexy	
telen		#WTF	

14 Aufgabenstellung

●●

„Rogge“ hat nichts mit trockenem Roggenbrot zu tun, sondern heißt *„total toll“*, und *„froggy“* ließe sich mit *„ausgelassen“* übersetzen. Besprechen Sie die jugendsprachlichen Begriffe, die laut Lexika einiger renommierter Verlage als Jugendsprache gebräuchlich sind. Welche Begriffe verwenden Sie?

Verstehe einer die Jugend!

„Pyro“ oder „rogge“: Beeinflusst durch Technik, Migration und Populärkultur, kreiert die Jugend munter ihre eigene Sprache. Eine Übersetzung […]

JUGEND-ABC

A wie abpixxeln: verschwinden oder abhauen
B wie Blümchenkiller: Vegetarier
C wie chillaxen: Mix aus chillen und relaxen
D wie Dudelrechteck: iPod
E wie elephantös: großartig
F wie froggy: verrückt, ausgelassen
G wie Gartensalami: Gurke
H wie Hade: ciao, baba, tschüss
K wie kontakten: kontaktieren
L wie lurchen: sich ausruhen
M wie Millimeterficker: Schlaumeier
N wie Nebengeräusch: Freund/in
R wie rolexen: angeben
R wie rogge: total toll
P wie PP: persönliches Pech
S wie smirten: Flirten beim Rauchen
S wie Strottel: Streber und Trottel
T wie Taube: Mädchen
U wie U-Haft: Schule
V wie Vertreterschal: Krawatte
W wie wulfen: z.B. auf Kosten anderer leben
Z wie Z wie Zornröschen: Zicke

Schafferhofer, Julia: Verstehe einer die Jugend! In: Kleine Zeitung, 25.08.2012. Online: http://www.kleinezeitung.at/nachrichten/chronik/3101122/verstehe-jugend.story (14.05.2013), gekürzt

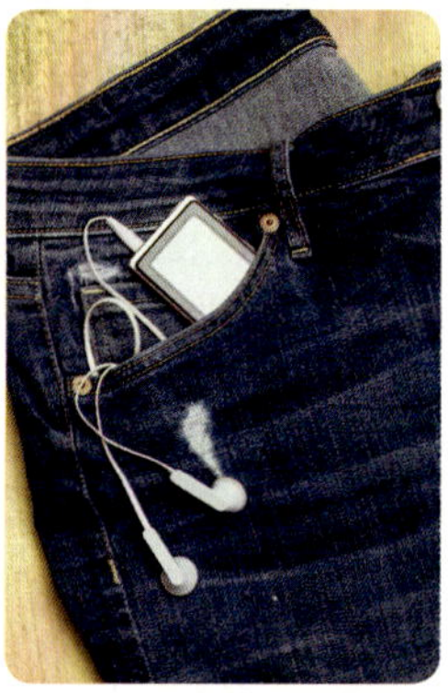

15 Aufgabenstellung

●●

a. Fassen Sie zusammen, was Sie über die Jugendsprache in den beiden folgenden Texten erfahren. Gibt es *die* Jugendsprache?

b. Jugendsprache erweitert oft die Bedeutung eines Wortes. Finden Sie aktuelle Beispiele.

c. Erstellen Sie eine Hitliste der fünf beliebtesten Wörter, die Sie zur aktuellen Jugendsprache zählen würden.

d. Welche Begriffe sind gerade „in“? Was sagen Ihnen Begriffe wie *„Gemma Billa“* oder *„Gemma Mci / Mäki“* (= McDonald's)?

e. Fragen Sie Ihre Eltern, welche Begriffe in ihrer Jugendzeit typisch waren.

www.kiezdeutsch.de

Sprechen Sie Jugendsprache? – Quiz

„Yolo", „Swag" und „Alpha-Kevin" waren einmal – „Fly sein", „Uhrensohn" und „Banalverkehr" sind die Vokabeln der heutigen Jugend. Wie bewandert sind Sie in der deutschen Jugendsprache?

„GmbH Bierkules und nimm Junggesellenbesteck mit! Lass später noch ein Fußpils checken Brudi, denn heute ist Blutgruppe Wodka angesagt. Dann kann die Enthirnungsphase starten bis die naise Blaupause beginnt. Yolbe" – So würde ein Sechzehnjähriger in Jugendsprache seinem Freund auftragen, Bier zu holen und einen Flaschenöffner mitzunehmen, auch wenn sie sich später noch ein Bier für den Weg kaufen würden. Dann könne der Alkoholexzess beginnen, bis sie schließlich in einen alkoholbedingten Schlaf fallen. Die Auflösung für „Yolbe" befindet sich im Quiz.[1]

„Amayzan" oder „fraisen" übersetzt der Pons-Verlag mit „toll" und „essen". 1.500 Wörter aus dem deutschsprachigen Raum sind in dessen „Wörterbuch der Jugendsprache – Das Original – unzensiert" gesammelt und für Menschen über zwanzig übersetzt.

„Was ist das für 1 Sprache?"

„Was ist das für 1 Life?", ein Satz, den wohl der Rapper Money Boy geprägt hat, wurde 2016 zum österreichischen Jugendsatz des Jahres gekürt. Dabei setzt die österreichische Lyrikern Friederike Mayröcker die Zahl als unbestimmten Artikel bereits seit Jahrzehnten in ihren Gedichten ein. Nicht nur die „1" als Abkürzung für „ein" und englische Wörter, die verdeutscht werden, auch „Von(g)olisch" ist in der deutschen Jugendsprache angekommen. Dabei wird mit dem „von(g)" ein Satz um eine zusätzliche Information ergänzt. Wichtig ist jedoch, dass das „von(g)" immer durch ein „her" ergänzt wird. Ohne „her" ist das sinnlos – vong Logik her.

Sie finden das verwirrend? Oder sprechen Sie die Jugendsprache fließend? Wie unterscheiden sich die heutigen Jugendwörter von denen Ihrer Jugendzeit? Testen Sie ihr Wissen! (luh, 05.01.2017)

Sprechen Sie Jugendsprache? In: Der Standard, 05.01.2017. Online: https://derstandard.at/2000048613299/Sprechen-Sie-Jugendsprache (20.05.2019)

[1] Yolbe: You only live bis Elternsprechtag

Studie: So spricht Österreichs Jugend

Grazer Germanisten haben die Gespräche junger Menschen von Dornbirn bis Eisenstadt belauscht und dabei eine Reihe grammatikalischer Besonderheiten entdeckt

Graz – „Woasch eh, der hot voll a zache Fressen!" Dass dieses Zitat einem wissenschaftlichen Gesprächskorpus und nicht einem Polizeiverhör zur Aufklärung einer Schlägerei entnommen ist, mag überraschen. Tatsächlich entstammt der Satz einem Gespräch zwischen jungen Leuten in einem Innsbrucker Jugendzentrum, das der Germanist Arne Ziegler und sein Team für ein vom Wissenschaftsfonds FWF gefördertes Forschungsprojekt zum Thema „Jugendsprache(n) in Österreich" mitgeschnitten haben.

Dabei geht es den Forschern weniger um die gerade angesagten Begriffe in der Kommunikation zwischen Jugendlichen als um Veränderungen in der sprachlichen Tiefenstruktur, also der Grammatik. Was am Eingangszitat interessiert, ist also nicht so sehr die Verwendung des Adjektivs „zach" für „hässlich", sondern die markante Wortstellung in diesem Satz: „Die sogenannte externe Intensivierung der Nominalphrase – ‚voll eine hässliche Fresse' statt ‚eine voll hässliche Fresse' – kommt in der Erwachsenensprache so gut wie nicht vor", sagt Projektmitarbeiterin Melanie Lenzhofer.

Um sicherzugehen, dass es sich bei den ermittelten Besonderheiten wirklich um jugendspezifische Formen handelt, haben die Forscher jedem aufgezeichneten Gespräch unter Jugendlichen zum Vergleich eines unter Erwachsenen aus der gleichen Region zur Seite gestellt. Außerdem kommen die Wortspender aus sämtlichen Landeshauptstädten sowie den jeweiligen ländlichen Regionen, damit auch eventuelle Stadt-Land-Unterschiede erfasst werden können.

„Wir haben bisher relativ große Unterschiede zwischen städtischen und ländlichen Jugendjargons beobachtet", sagt Lenzhofer. So scheinen Jugendliche in größeren Städten beispielsweise das Präteritum deutlich häufiger als Gleichaltrige auf dem Land zu verwenden, berichtet die Germanistin. Warum sich diese im gesprochenen Österreichisch unübliche Zeitform („ich sah" statt „ich habe gesehen") gerade bei der städtischen Jugend immer mehr durchsetzt, ist noch ungeklärt. „In Deutschland synchronisierte[1] oder produzierte Fernsehserien, in denen das Präteritum häufig vorkommt, werden ja auch von den Jugendlichen in ländlichen Regionen konsumiert", wundert sich Lenzhofer. „Aber möglicherweise ist dort der Einfluss des Dialekts noch stärker."

Ausgeprägter Dialekt

Die häufig vorgebrachte These vom allgemeinen Dialektschwund bei jungen Menschen können die Forscher jedenfalls nicht bestätigen. Mitunter zeige sich sogar ein gegenteiliges Bild: „In bestimmten Cliquen wird bewusst ein ausgeprägter Dialekt als Gruppenmerkmal gepflegt", sagt die Germanistin. Aber ist es neben der regionalen Herkunft nicht auch eine Frage von sozialem Hintergrund und Bildungsstand, wie Jugendliche sprechen? „Wir gehen nicht davon aus, dass es nur eine Jugendsprache gibt", betont Lenzhofer. „Da die einzelnen Jugendgruppen sehr heterogen[2] sind, gibt es selbstverständlich auch viele unterschiedliche Jugendsprachen."

Aus diesem Grund haben die Forscher von allen Jugendlichen, die an ihrem Projekt teilnahmen, auch Metadaten wie den eigenen und den elterlichen Bildungshintergrund und Ähnliches erhoben. „Damit können wir gegebenenfalls erkennen, welche sozialen Faktoren bestimmte sprachliche Formen motivieren", erklärt Projektleiter Arne Ziegler. Die entsprechenden Ergebnisse liegen allerdings noch nicht vor, zurzeit ist man noch mit der äußerst aufwändigen Transkriptionsarbeit[3] beschäftigt.

An die eineinhalb Stunden dauert es, bis eine einzige Minute Aufnahmematerial exakt in schriftliche Form übertragen ist. Immerhin sprechen bis zu fünf Leute oft gleichzeitig über mehrere Themen. Überlappungen transkribieren die Forscher genauestens untereinander in Partiturschreibweise[4].

Während hier also akribische Detailarbeit gefordert ist, lässt sich im untersuchten Sprachmaterial selbst eine gewisse Neigung zur verbalen Aufwandsminimierung feststellen. Die Germanisten sprechen von „syntaktischer Verkürzung", die sich etwa durch das Einsparen von Artikeln („Hast du Prüfung gehabt?" statt „Hast du eine/die Prüfung gehabt?") oder im Wegfallen von Präpositionen äußert („I will nit immer Juze gammeln" statt „Ich will nicht immer im Jugendzentrum herumhängen").

Präpositionsvermeidung komme zwar auch bei Erwachsenen vor, sagt Lenzhofer, „aber bei den Jugendlichen zeichnet sich eine höhere Frequenz ab". Gelegentlich werden Präpositionen auch durch regionalsprachlich geprägte Vorwörter ersetzt: „Gehst du morgen am Eisring?" statt „Gehst du morgen zum/auf den Eisring?". Auch bei der Ankündigung einer direkten Rede übt sich die Jugend gerne in Wortsparsamkeit: So heißt es häufig statt „ich habe gesagt", „dann hat er gesagt" schlicht „ich so", „er so". Geht ja auch und macht weniger Arbeit.

Syntaktische Reduktion

Dass der syntaktischen Reduktion durch Smartphone und Co zugearbeitet wird, liegt auf der Hand. Wer schreibt in einer E-Mail oder SMS heute noch „hahaha", wenn auch mit effizienten drei Buchstaben (höhnisch) gelacht werden kann? „LOL" heißt das halbwegs aktuelle Wort dafür, das längst auch die gesprochene Jugendsprache in Stadt und Land bereichert.

Immerhin ist es eine Frage der Lebenskunst, wie viel Zeit man mit dem Formulieren langatmiger Phrasen und Satzkonstruktionen verbringt. Eine Überlegung, die auch dem emphatischen Ausruf „YOLO" (You only live once) zugrunde liegen mag, der einigen der untersuchten Gespräche oft völlig unvermittelt philosophische Würze verleiht. Und auch wenn ein knappes „OMG!" die zu transportierenden Emotionen vielleicht nicht ganz so gut auszudrücken vermag wie die altmodische Langform („Oh mein Gott!") – ein Bekenntnis zur sprachlichen Sparsamkeit ist es allemal.

In das bekannte Lamento, wonach unser schönes Deutsch im jugendlichen Mund verstümmelt werde, möchten die Grazer Forscher dezidiert nicht einstimmen. „Wir wollen empirisch abgesicherte Erkenntnisse gewinnen, die künftig auch in den Sprachunterricht für Deutschlernende einfließen sollen", verweist Arne Ziegler auf das didaktische Ziel des Projekts. „Immerhin sind die verschiedenen Jugendsprachen Teil der österreichischen Sprachrealität, die es zu entschlüsseln gilt." […]

Griesser, Doris: Studie: So spricht Österreichs Jugend. In: Der Standard, 19.11.2014. Online: https://derstandard.at/2000008324167/Studie-zur-Jugendsprache-in-Oesterreich (20.05.2019)

---

1 *synchronisieren: zu den Bildern eines fremdsprachigen Films, Fernsehspiels die entsprechenden Worte der eigenen Sprache sprechen, die so aufgenommen werden, dass die Lippenbewegungen der Schauspieler (im Film) in etwa mit den gesprochenen Worten übereinstimmen*
2 *heterogen: uneinheitlich*
3 *Transkription: Übertragung in die Lautschrift*
4 *Partiturschreibweise: in Notenschrift auf einzelnen übereinanderliegenden Liniensystemen angeordnete Zusammenstellung aller zu einer vielstimmigen Komposition gehörenden Stimmen*

16 Aufgabenstellung

●●

Wie würden Sie den Begriff „Jugendjargon" definieren? Warum entwickeln Jugendliche eine eigene Sprache? Welche Bedeutung hat in diesem Zusammenhang der Begriff „Gruppe" bzw. „Gruppenzugehörigkeit"?

4.2.2 Instant Messaging

SMS, die/das (engl. Short Message Service): Textnachricht auf Handys

Chat, der (engl.): Plauderei, Unterhaltung

WhatsApp: plattformübergreifende, mobile NachrichtenApp, die es erlaubt, Nachrichten auszutauschen. Zusätzlich zum Nachrichtenaustausch können sich WhatsApp-Userinnen und -User auch gegenseitig Bilder, Videos und Audiodateien schicken.

Einfach nur telefonieren – diese Funktion des Mobiltelefons (Handy) reicht vielen Menschen nicht mehr. **Instant Messaging** – zu Deutsch sofortige Nachrichtenübermittlung – ist eine Kommunikationsform, die sich im Internet fest etabliert hat. Wie beim Chat können zwei Userinnen bzw. User miteinander Nachrichten und mehr austauschen, anders als beim Chat allerdings nicht in einem öffentlichen Raum. Meist erfolgt die Unterhaltung mittels Smartphone oder mobilem Internetzugang, indem Nachrichten, aber auch Bilder und Videos übermittelt werden. Instant Messaging Dienste haben sich zu einer beliebten Kommunikationsform entwickelt, insbesondere als Ersatz der kostenpflichtigen, teuren SMS. Beliebte Instant Messenger sind WhatsApp (seit 2009), Signal (seit 2010), Snapchat (seit 2011) oder Threema (2012).

Während die Zahl der Nutzer von Messaging-Apps weltweit im Jahr 2014 noch bei 1,07 Milliarden lag, soll sich die Zahl bis zum Jahr 2019 auf knapp 2,2 Milliarden belaufen. Nach einem Ranking der beliebtesten Social Networks und Messenger belegte der Facebook Messenger im Januar 2017 den zweiten Platz hinter dem sozialen Netzwerk Facebook. Auf dem dritten Platz folgte WhatsApp. In Deutschland ist WhatsApp einer der führenden Kurzmitteilungsdienste. Laut einer Umfrage aus dem Social Media-Atlas 2016/17 nutzen hierzulande 55 Prozent der Social-Media-Nutzer diesen Instant Messaging-Dienst aktiv.

Statistiken zu Instant Messaging. Online: https://de.statista.com/themen/1973/instant-messenger/ (31.01.2018)

17 Aufgabenstellung

O

Die neuen Möglichkeiten der digitalen Kommunikation mittels Instant Messaging sind aus dem Alltag nicht mehr wegzudenken. Lesen Sie die beiden Zeitungsberichte und diskutieren Sie anschließend in einem Klassengespräch über einen sinnvollen Einsatz von SMS und Instant Messaging.

Text 1:

Whatsapp wird von 64 Prozent der Bevölkerung genutzt

Messenger ändern zunehmend die Kommunikation in Österreich

Warum noch telefonieren, wenn man Whatsapp nutzen kann? Diese Form der Kommunikation setzt sich in Österreich immer stärker durch. Laut einer am Dienstag vorgestellten Studie der Telekom-Behörde RTR nutzen 73 Prozent der Bevölkerung im Alter ab 16 Jahren Messenger-Dienste für Kurznachrichten oder für Telefonie. Der mit Abstand am weitesten verbreitete Kommunikationsdienst ist WhatsApp, der von 64 Prozent der Bevölkerung genutzt wird. Es folgen Facebook Messenger, Skype oder Snapchat.

Auf Kosten von Gesprächsminuten und dem Versand von SMS

Deren Nutzung geht auf Kosten von Gesprächsminuten und dem Versand von SMS. Die Anzahl der Gesprächsminuten im Fest- und Mobilnetz ist zwischen 2012 und 2016 um 13 Prozent zurückge-gangen, die Anzahl von SMS um 61 Prozent. Dafür steigt aber das Kommunikationsvolumen. 61 Prozent der Nutzer geben an, dass dieses durch die Verwendung von WhatsApp & Co gestiegen ist. Besonders für Telefonate ins Ausland werden Messenger gerne benutzt.

Mobilfunker sauer

Heimische Mobilfunker haben mit Whatsapp und anderen Diensten keine Freude, da sie Umsätze kosten. Auch kritisieren sie, dass diese ihre Netze benutzen, ohne dafür etwas zu zahlen.

sum: Whatsapp wird von 64 Prozent der Bevölkerung genutzt. In: Der Standard, 27.06.2017. Online: https://derstandard.at/2000059878704/Whatsapp-wird-von-64-Prozent-der-Bevoelkerung-genutzt (20.05.2019)

Text 2:

Junge texten lieber mit WhatsApp statt zu telefonieren

Messenger und SMS sind häufigste Kontaktform zu Freunden – WhatsApp ist beliebtester Messenger-Dienst

Telefonieren ist bei jungen Deutschen out. Stattdessen kommunizieren Kinder und Jugendliche lieber per Messenger oder SMS. 77 Prozent der jungen Generation halten so den Kontakt zu Freunden. Besonders ältere Jugendliche bevorzugen diese Kommunikationsform. Während sich bei den 10[1]- bis 12-Jährigen 66 Prozent via Messenger mit ihren Freunden unterhalten, sind es bei den 13- bis 15-Jährigen bereits 82 Prozent und bei den 16- bis 18-Jährigen 81 Prozent. Das zeigt die Kinder- und Jugendstudie des Digitalverbands Bitkom, für die 663 Kinder und Jugendliche im Alter von 10 bis 18 Jahren befragt wurden.

Persönliche Gespräche

Auf dem zweiten Rang folgen persönliche Gespräche (68 Prozent): 65 Prozent der Jungen und 71 Prozent der Mädchen halten so häufig Kontakt zu ihren Freunden. Abgeschlagen auf dem dritten und vierten Rang stehen das Telefongespräch per Handy (37 Prozent) und Festnetz (24 Prozent). Internettelefonie und Videochats, etwa via Skype, bevorzugen 14 Prozent bei der Kontaktpflege, lediglich 6 Prozent schreiben E-Mails, 2 Prozent Briefe. Tippen und Texten empfinden gerade Jugendliche heute als einfacher und direkter, so Bitkom. Auch sind für viele Textnachrichten weniger aufdringlich als ein Telefongespräch.

Bei den Sozialen Netzwerken und Messengern ist WhatsApp quer durch alle Altersgruppen am beliebtesten: 90 Prozent aller Internetnutzer im Alter von 10 bis 18 Jahren nutzen den Chatdienst bereits.

[...]

Red: Junge texten lieber mit WhatsApp statt zu telefonieren. In: Der Standard, 31.10.2017. Online: https://derstandard.at/2000066980196/Junge-texten-lieber-mit-WhatsApp-statt-zu-telefonieren (20.05.2019), gekürzt

[1] *Laut der aktuellen Rechtschreibregeln werden die Zahlen von 1 bis 12 meist in Worten geschrieben. Sie können auch in Ziffern geschrieben werden, wenn sie besondere Aufmerksamkeit erregen sollen.*

SMS und Instant Messaging nehmen einen zunehmenden Einfluss auf soziale Interaktion und Sprache. Um mehr Inhalt in die Nachrichten zu bringen, hat sich eine weitverbreitete Abkürzungskultur entwickelt, die ursprünglich in Chats und E-Mails entstanden ist und von dort übernommen wurde. Viele der oft verwendeten Emoticons und Bildzeichen (Pflanzen, Tiere, Verkehrszeichen etc.) sind in den Smartphones bereits vorgespeichert. Mit deren Hilfe ist es möglich, seine Nachrichten nach Lust und Laune persönlich zu gestalten.

Emoticon, das (engl. Kurzwort für emotion = Gefühl und icon): *Symbole, die bestimmte Gefühlshaltungen ausdrücken (z. B. Smiley)*

Doch sind diese Texte wirklich so unverständlich? Gebrauchen Jugendliche, inzwischen auch viele Erwachsene, eine Sondersprache, wenn sie smsen oder whatsappen? Meist werden Emoticons oder Bildzeichen verwendet, um einen bestimmten Inhalt zu ergänzen, auszubauen oder zu verstärken, manchmal ersetzt das Bildzeichen auch ganz den Inhalt.

18 Aufgabenstellung

●●

Diskutieren Sie in einem Gruppengespräch folgende Fragen:

Wie viele SMS oder WhatsApp-Nachrichten versenden Sie täglich?

Für welche Zielgruppen verwenden Sie eher eine SMS, für wen eine WhatsApp Nachricht?

Welche Art von Dateien tauschen Sie dabei mit Ihren Freundinnen und Freunden aus?

Nutzen Sie Instant Messaging-Dienste wie Signal, Snapchat, Threema etc.?

Kennen Sie die Sprache der Smileys? Erstellen Sie eine Liste mit den fünf meistgenutzten Smileys.

smsen, simsen: *eine SMS versenden*

whatsappen: *über den Sofortnachrichtendienst WhatsApp mit dem Smartphone Nachrichten senden und empfangen*

4.2.3 Sprachformen in den neuen Medien

siehe Band 1, Kapitel „Medien“

Die Übermittlung von Botschaften hat aufgrund der Erfindung und Weiterentwicklung unterschiedlicher Nachrichtenträger große Fortschritte gemacht. Der absolute Volltreffer in den Bereichen Kommunikation, Information und Nachrichtenübermittlung ist zweifelsfrei die Erfindung des **Internets**. Das World Wide Web wird heute von Millionen Menschen täglich genutzt.

Subkultur, die: *eine bestimmte Untergruppe einer Kultur*

Netzjargon, der: *fester Bestandteil der Netzkultur; Umgangsformen in Newsgroups, Chats und Foren; sie sind für Außenstehende schwer verständlich*

Icon, das (engl. icon): *Bildsymbol*

Wie jedes neue Medium hat auch das Internet gesellschaftliche Veränderungen mit sich gebracht. Eine weltweite **Subkultur**, die sogenannte **Internet- und Netzkultur**, ist entstanden. Die Angehörigen benutzen eine eigene Sprache, den **Netzjargon**, um ihr Zusammengehörigkeitsgefühl auszudrücken. Die Besonderheit dabei ist, dass wie beim SMS über den Text hinaus Gefühle oder Hintergedanken (z. B. Ironie) mittels Abkürzungen vermittelt werden können. Diese Abkürzungen stehen zwischen Sternchen und bestehen vorwiegend aus Anfangsbuchstaben einzelner Wörter oder Wortgruppen (*g* = grinsen). Auch mit Emoticons (den Smileys nachempfunden) werden Gefühle ausgedrückt.

Beispiele für Ausdrücke aus dem Netzjargon:

cu see you (Sehe dich!)
brb be right back (Bin gleich wieder da!)
gn8 (Gute Nacht!)
mm mail me (Maile mir!)
oo7 (Habe ein Geheimnis!)
we weekend (Wochenende)

In Österreich wird meist die maskuline Form („der Blog“) verwendet. Die Tätigkeit des Schreibens eines Blogs bezeichnet man als bloggen. Die Begriffe Blog, Blogger oder bloggen haben in den allgemeinen Sprachgebrauch Eingang gefunden und sind im Duden eingetragen.

Posting, das (engl. posting): *Mitteilung, Beitrag in Webforen, Blogs*

posten (engl. to post): *in Internetforen und Weblogs schreiben*

Ein **Blog** oder auch **Weblog**, als Wortkreuzung aus dem englischen *World Wide Web* und *Log* für Logbuch, ist ein auf einer Website geführtes und meist öffentlich einsehbares Tagebuch oder Journal, in dem mindestens eine Person, die **Bloggerin** bzw. der **Blogger**, Sachverhalte protokolliert oder Gedanken niederschreibt.

Meist ist ein Blog endlos, das heißt eine lange, chronologisch sortierte Liste von Einträgen, sogenannten **Postings**. Die Bloggerin bzw. der Blogger ist die wesentliche Autorin bzw. der wesentliche Autor, daher sind die Eintragungen auch meist in der **Ich-Form** geschrieben. Der Blog stellt Aspekte des eigenen Lebens dar oder gibt Meinungen zu bestimmten Themen kund. Kommentare und Diskussionen der Leserinnen und Leser über einen Artikel sind meist möglich.

Die ersten Weblogs tauchten Mitte der 1990er Jahre auf und wurden Online-Tagebücher genannt. Heute betreiben dank einer einfach zu installierenden Software etwa 8,4% der Internetnutzerinnen und Internetnutzer in Deutschland einen eigenen Blog. Weltweit hat es mit Stand 2010 insgesamt etwa 200 Millionen Blogs gegeben.

In Anlehnung an: Blog. Online: https://de.wikipedia.org/wiki/Blog (20.05.2019)

Viele Menschenrechtlerinnen bzw. Menschenrechtler, insbesondere in Ländern wie dem Iran oder China, benutzen Blogs, um ohne Zensurmaßnahmen der Regierungen Berichte über Menschenrechtsverletzungen und aktuelle politische Ereignisse zu veröffentlichen. Selbst Revolutionen (wie im Frühjahr 2011 in den arabischen Ländern) wurden maßgeblich durch diese Technik beeinflusst bzw. haben sich Menschen über diese Medien vernetzt und kommuniziert. Aber auch viele Politikerinnen und Politiker, politische Parteien und große Unternehmen benutzen heute Blogs als PR-Mittel.

19 Aufgabenstellung

○

Diskutieren Sie in einem Klassengespräch die Vorteile, die diese neuen Medien mit sich bringen. Zeigen Sie aber auch die Gefahren auf, die von ihnen ausgehen.

Das **Schreiben im Netz** ist der gesprochenen Sprache viel ähnlicher als der geschriebenen – hier wird kreativer und spontaner agiert, die Userinnen und User halten sich oft nicht an orthografische und grammatische Strukturen, und die Zeichensetzung hat noch weniger Bedeutung.

Digitales Schreiben gleicht vielmehr **virtuellem Spielen** als dem Kommunikationsaustausch. Geschwindigkeit, Vergänglichkeit, Interaktivität sowie neue Normen und Spielregeln treten bei dieser Art des schriftlichen Informationsaustausches in den Vordergrund.

20 Aufgabenstellung

●●

Lesen Sie den Dialogausschnitt zwischen Faust und Gretchen aus „Faust: Der Tragödie 1. Teil" von Johann Wolfgang von Goethe.

a. Schreiben Sie in einer Partnerarbeit den Dialog zwischen Faust und Margarete als
- SMS
- Chat
- E-Mail

Twitter (engl.): Mikroblog-Dienst; eigtl. Gezwitscher

Tweet, der (engl.): kurze Textnachricht (max. 140 Zeichen)

b. Erstellen Sie eine fiktive Profilseite in einem sozialen Netzwerk (z. B. Facebook) für Margarete.

c. Posten Sie aus der Sicht von Faust oder aus der Sicht von Margarete die Begegnung.

d. Verfassen Sie als „Freundinnen" bzw. „Freunde" mögliche Reaktionen auf die Einträge von Faust oder Margarete.

e. Twittern Sie aus der Sicht Margaretes oder aus der Sicht Fausts über die Begegnung und erstellen Sie Tweets von Freundinnen oder Freunden, die dieses Treffen kommentieren. Achten Sie darauf, dass ein Tweet maximal 140 Zeichen haben darf.

Straße

Faust. Margarete vorübergehend.

Faust: Mein schönes Fräulein, darf ich wagen,
Meinen Arm und Geleit Ihr anzutragen?
Margarete: Bin weder Fräulein, weder schön,
Kann ungeleitet nach Hause gehn.

(Sie macht sich los und ab.)

Faust: Beim Himmel, dieses Kind ist schön!
So etwas hab ich nie gesehn.
Sie ist so sitt- und tugendreich
Und etwas schnippisch doch zugleich.
Der Lippe Rot, der Wange Licht,
Die Tage der Welt vergess ich's nicht!
Wie sie die Augen niederschlägt,
Hat tief sich in mein Herz geprägt!
Wie sie kurz angebunden war,
Das ist nun zum Entzücken gar!

Goethe, Johann Wolfgang von: Faust. Der Tragödie erster Teil. Stuttgart, Reclam, 1984, S. 77

4.2.4 Was man nicht sagen sollte

„Mohr im Hemd“, „Negerbrot“ oder „Zigeunerschnitzel“ sind nur einige Ausdrücke, die aus unserem Wortschatz verbannt wurden. Auch dicke Menschen werden heutzutage politisch korrekt nicht mehr als „fett“ bezeichnet. Die Debatte um die **„Political Correctness“** hat zur Bewusstseinsbildung geführt, dass Begriffe, die eine Abwertung oder Diskriminierung für eine Personengruppe bedeuten könnten, nicht verwendet werden sollen.

Die Bewegung, die von den US-amerikanischen Universitäten der späten 1960er Jahre kommt, wollte durch eine Änderung der Sprache die Diskriminierung von Minderheiten und Frauen beseitigen. Aus dieser Studentenbewegung heraus bildete sich ein **Sprachkodex** unter der – ursprünglich ironisch gemeinten – Bezeichnung „Political Correctness“. Begriffe wie „Nigger“, die an Kolonialismus, Sklavenhaltung und rechtliche Diskriminierung sowie Rassismus erinnerten, sollten aus dem allgemeinen Sprachgebrauch verschwinden. Die Gegnerinnen und Gegner dieser Bewegung kritisierten bald, dass mit den Methoden der Sprachpolizei Meinungsterror betrieben werde. Dahinter steht die Frage, ob man Ungleichheiten in der Gesellschaft tatsächlich durch die Verwendung anderer Begriffe beseitigen könne. Wer heute allerdings noch von „Niggern“ oder „Negern“ spricht, meint dies abwertend.

Das Bewusstsein, dass sich eine Gruppe durch einen bestimmten Sprachgebrauch diskriminiert fühlen könnte, kam in Europa erst sehr spät. Im deutschen Sprachgebrauch wurde Sprachsensibilität erst ab den 1990er Jahren ein Thema.

In Anlehnung an:
Auer, Katrin: „Political Correctness“ – ideologischer Code, Feindbild und Stigmawort der Rechten.
In: Österreichische Zeitschrift für Politikwissenschaft 3 (ÖZP), 31, 2002, S. 291–303

Die wichtigste Frage bei der Verwendung der korrekten Sprache ist, ob der Begriff von der derart bezeichneten Gruppe als abwertend und beleidigend empfunden wird.

Gendergerechte Sprache hat ebenfalls mit politisch korrekter Sprachverwendung zu tun. Die Gleichberechtigung der Frau in der Gesellschaft führt auch über die Sprache: Indem Frauen explizit erwähnt und nicht nur mit der männlichen Form mitgemeint werden, werden sie sichtbar gemacht.

abc

21 Aufgabenstellung

O

Wie sprachsensibel wir sind, beweist die Diskussion um Wörter wie „Negerkönig“ und „Chinesenmädchen“ in Kinderbuch-Klassikern wie „Pippi Langstrumpf“. Eine heftige Diskussion über Zensur und Glättung von Literatur ist entbrannt, als ein deutscher Verlag aus Kinderbüchern Wörter gestrichen hat, die seiner Ansicht nach politisch nicht korrekt sind. In Leserbriefen wurde dagegen argumentiert, dass damit ja keine Gruppe diskriminiert werde, man dürfe nur Kinder mit diesen Begriffen nicht alleine lassen, sondern müsse ihnen diese bzw. ihren Kontext erklären. Man könne den historischen Wortgebrauch nicht einfach übergehen und eine „reine“ Sprache herstellen. Jeder Sprachgebrauch sei in seiner zeitlichen Dimension zu sehen.

Lesen Sie den folgenden Zeitungsbericht genau und diskutieren Sie in einem Klassengespräch den Gebrauch von Begriffen, die diskriminierend oder abwertend verstanden werden können.

Welche Rolle spielen Eltern beim Lesen und Vorlesen von Kinderbüchern? Inwiefern können Darstellungen von Menschen aus exotischen Ländern (Chinesen, Türken etc.) in Kinderbüchern Einfluss auf das Menschenbild bzw. ethische und moralische Vorstellungen von Kindern nehmen?

Ethik, die: *Lehre von den sittlichen Normen des Menschen in verschiedenen Lebenssituationen*

Die Angst der Großen vor dem Kinderbuch

Von Anne-Catherine Simon

Der Trend zur Struwwelpeterei: Ohne schwarze Pädagogik[1], aber nicht weniger erziehungswütig werden heute viele Kinderbücher zurechtgestutzt. Bei diesen „Säuberungen" geht es längst nicht mehr nur ums „Negerlein".

Es gab eine Zeit, da durften in Kinderbüchern Menschenfresser vorkommen. Wenn „Zeraldas Riese" in Tomi Ungerers gleichnamigem Klassiker Jagd auf kleine Kinder macht, sieht man Ärmchen aus seinem Sack ragen und eine Mutter in Ohnmacht fallen. Damals, in den 1970er-Jahren, durfte auch ein Jäger in einem Kinderbuch küssende Hasen totschießen, oder ein Hase den Jäger. Nicht dass diese Janosch-Bilder nun verboten sind. Es fragt sich nur, ob sie heute noch so veröffentlicht werden könnten. In neuen Kinderbüchern finden sich solch „drastische" Elemente jedenfalls nicht mehr.

Ebenso wenig wie das „Negerlein". „Zensur!", protestierten einige, als Anfang dieses Jahres der Thienemann Verlag bekannt gab, dass die „Negerlein" aus Otfried Preußlers Klassiker „Die kleine Hexe" getilgt werden. Ein später Nachzügler: Längst ist in „Pippi Langstrumpf" der „Negerkönig" durch den „Südseekönig" ersetzt und der „Neger" aus Michael Endes „Traumfresserchen" verschwunden.

Türken müssen gehen, Eskimos bleiben?

Darf ein als rassistisch empfundener Begriff getilgt werden, um niemanden zu verletzen und Kindern keine schädlichen Vorstellungen zu vermitteln? Oder soll die „Kleine Hexe" ihre authentische Form und damit ihre Geschichte bewahren dürfen – nicht zuletzt, damit Eltern darüber mit ihren Kindern diskutieren können?

Die Entscheidung des Verlegers hat in diesem Fall einiges für sich. „Aber die beiden Negerlein waren nicht vom Zirkus und ebenso wenig die Türken und Indianer", heißt die betreffende Passage. „Auch die kleinen Chinesinnen und der Menschenfresser, die Eskimofrauen, der Wüstenscheich und der Hottentottenhäuptling stammten nicht aus der Schaubude. Nein, es war Fastnacht im Dorf!" Das erinnert an eine Zeit, in der Menschengruppen den Europäern als Kuriositäten[2] ausgestellt wurden. Mit den „Negerlein" sollen nun auch die „Chinesen" und „Türken" weg.

Auch die deutschen Übersetzungen haben bereits mit der „Modernisierung" begonnen. Da wurde etwa alles, was mit schwarzer Pädagogik zu tun hat, getilgt – es gibt keine Ohrfeigen mehr, keine Prügel. [...]

Furcht vor Kontrollverlust

So brav und anwendungsorientiert wie heute waren deutschsprachige Kinderbücher schon lange nicht mehr. Dabei zeigt die Erinnerung an kindliche Lektüreerlebnisse, dass es gerade die verrücktesten, „abwegigsten" Geschichten sind, die am tiefsten Wurzeln schlagen und die Persönlichkeit bereichern. Selbst der Struwwelpeter bleibt ein herrliches Buch für Kinder, auch wenn die Vorstellung abgeschnittener Daumen und lichterloh brennender Mädchen schrecklich ist. Kinder lieben, was ihre Fantasie zum Sprühen bringt, egal, wie abwegig es ist – und sie vertragen dabei sehr viel. Vorausgesetzt, ihre Welt außerhalb der Bücher ist insgesamt im Lot. Und hier liegt wohl das eigentliche Problem: Vielleicht wollen Erwachsene angesichts unsicherer Zukunftsaussichten, labiler Familienverhältnisse und Gewaltexzessen von Teenagern einfach das Gefühl haben, wenigstens irgendetwas zu kontrollieren. Eine Gesellschaft, die Kinderbücher zensiert, misstraut wohl nicht den Kinderbüchern, sondern sich selbst.

Simon, Anne-Catherine: Die Angst der Großen vor dem Kinderbuch. In: Die Presse, 15.01.2013. Online: https://diepresse.com/home/bildung/erziehung/1333057/Die-Angst-der-Grossen-vor-dem-Kinderbuch (20.05.2019), gekürzt

[1] *Schwarze Pädagogik: Sammelbegriff für Erziehungsmethoden, die Gewalt und Einschüchterung als Mittel enthalten*
[2] *Kuriosität: etwas, das merkwürdig ist*

4.3 Dialekte – die regionale Visitenkarte

Da kum i her, da g'hör i hin …

Für den Großteil der österreichischen Bevölkerung stellen **Dialekte** bzw. **dialektnahe Sprachformen** nach wie vor die eigentliche Muttersprache dar. Die Menschen bewahren auf diese Weise traditionelle Einstellungen und Denkweisen, Veränderungen erfolgen langsam.

Flur, die: kleinerer, unbesiedelter Landschaftsteill (aber: Flur, der: Hauseingang, Einfahrt, Hausflur)

Auch die Orts- und Flurnamen Österreichs dokumentieren historische Besiedlungsabläufe und sprachliche Entwicklungen und zeugen ebenso wie die österreichischen Familiennamen von Kontakten verschiedensprachiger Völker über die Jahrhunderte.

In letzter Zeit spielen in der österreichischen Umgangssprache noch andere Einflüsse eine Rolle:

- Wörter aus **deutschen Medien**: *tschüss, klasse, lecker, vor Ort, an Weihnachten, in 2008* etc.
- Wörter aus der **Wirtschaft**, wo einzelne Produktnamen zu feststehenden Begriffen wurden: *TIXO, Kelomat, Alibert, UHU, Leukoplast* etc.

In Anlehnung an: Sprachgebrauch in Österreich. Online: https://de.wikipedia.org/wiki/Sprachgebrauch_in_%C3%96sterreich (20.05.2019)

Lesetipps:

- *Johann Nestroy: Zu ebener Erde und im ersten Stock*
- *Ludwig Anzengruber: Das vierte Gebot*

Der dialektale Wortschatz unseres Landes wird im Wörterbuch der bairischen Mundarten in Österreich erfasst und beschrieben; dieses wird von der Österreichischen Akademie der Wissenschaften herausgegeben.

Die österreichische Mundart findet auch in der Dichtung und vor allem in der Lyrik ihren Niederschlag. So stammt etwa der Text der oberösterreichischen Landeshymne (per Gesetz vom 28. November 1952) vom Innviertler Mundartdichter Franz Stelzhamer (alle anderen Landeshymnen sind in der deutschen Hochsprache verfasst).

Eine andere Art von Mundartdichtung, die Alltagssituationen thematisiert, finden Sie im folgenden Text von H. C. Artmann:

H.C. Artmann – **en fedabinäu**

en mein fedabinäu
hea leara
sizt a zweagal
hea leara
des kiföd ma olawäu
des oware end
fon mein blei oo
hea leara

i kaun nix dafua
hea leara
und tschuid is dea zweag
hea leara
jo ea hod scho sogoa
mein bleischdiftschbizza
fola glane schoadn gmocht.

und a messal zun schbizzn
hea leara
weng inare sitnnotn
hea leara
deaf ma fon daham aus
ned mitdrong …
wia a owa
sol e daun meine blei schbizzn
hea leara?

a zweagal
hea leara
en so an fedabinäu
is dar wiaklech ka freid!
Aso wos fadiabt an des gaunze schuigee!!

aso wos fadiabt an de ganze schui
hea leara
bis diaf in die ferien eine
hea leara
und ma bleibt
hea leara
a dep!

Artmann, H. C.: en fedabinäu. In: The best of H. C. Artmann. Frankfurt am Main, Suhrkamp Verlag, 1975, S. 55, Originalschreibweise

22 Aufgabenstellung

●●

a. Hören Sie die Originalaufnahmen von H. C. Artmanns Lesungen seiner Gedichte auf www.lyrikline.org an.

b. Übertragen Sie das Gedicht in die Hochsprache. Bemühen Sie sich um eine möglichst stimmige Übersetzung.

c. Informieren Sie sich im Internet über die österreichische Mundartdichtung.

H. C. Artmann
(1921–2000), österreichischer Lyriker, Schriftsteller und Übersetzer. Mit seinem Gedichtband „med ana schwoazzn dintn" (1958), der sein größter Erfolg wurde, machte er die Wiener Mundartdichtung wieder berühmt.

23 Aufgabenstellung

●

Übersetzen Sie folgenden Text von Helmut Eckl aus dem Bairischen ins Hochdeutsche. Schreiben Sie den Text im Anschluss in Ihrer üblichen Umgangssprache.

Helmut Eckl –
No net ganz da Anfang

Da Max, da Moritz, ja dee zwoa,
warn de meiste Zeit alloa.
Koa Vadda, koa Muadda, irgndwo,
ganz alloaniggs hockas do.
Und weil koa Hoit, a liabs Wort is,
kimmts wias muaß und komma is.
Ner ind Schui um wos zum Lerna
genga de zwoa großn Berna;
Äpfe krampfens und dees wia,
In da Kircha sigtmas nia.
DLeid deans foppn, dViecha tratzn
swarn scho sakrisch wuide Fratzn.
Und drum nimmts a gar args End,
wiamas von so Striezen kennt.
Wias do afgmoid und aa gschriebn,
homs da Max und Moritz triebn.

Busch, Wilhelm / Eckl, Helmut: No net ganz da Anfang. In: Thalmayr, Andreas: Das Wasserzeichen der Poesie. Nördlingen, Franz Greno, 1985, S. 388

Helmut Eckl –
Noch nicht ganz der Anfang

Ihr persönlicher Lernerfolg

Schätzen Sie selbst ein, was Sie jetzt wissen und können:

✓ oder ✗

		LESEN	ÜBEN
Sie wissen, was Sprache bedeuten kann.	◯	S. 74	S. 74–77
Sie können sich kritisch mit Sprache auseinandersetzen und erkennen die unterschiedlichen Intentionen, die mit Sprache ausgedrückt werden können.	◯	S. 79	S. 78–79
Sie erkennen die unterschiedlichen geschlechtsspezifischen Kommunikationsstile.	◯	S. 82	S. 80–83
Sie wissen, dass die Sprache ständigen Veränderungen unterliegt.	◯	S. 84-93	
Sie wissen, dass die Sprache eine soziale (Soziolekte) und gruppenspezifische (Jargons), aber auch regionale Zuweisung (Dialekte) erkennen lässt.	◯	S. 84; 94	S. 84; 95
Sie wissen, wie Jugendsprache funktioniert.	◯	S. 84; 86-87	S. 85; 87
Sie wissen Bescheid über die sprachlichen Entwicklungen durch Messaging und Blogs.	◯	S. 88; 90	S. 89; 91

5

PORTFOLIO

In diesem Kapitel lernen Sie, ...

... welche Kriterien für ein erfolgreiches Portfolio-Arbeiten gelten,

... wie Sie Ihre Portfolio-Arbeit rückblickend bewerten,

... welche Rolle Feedback und Selbstreflexion im Rahmen Ihrer Portfolio-Arbeit haben,

... wie Sie Schreibanlässe für Ihr Lese- und Schreibportfolio finden,

... wie Sie Ideen für eine Schwerpunktsetzung Ihres Kulturportfolios finden,

... wie Sie Filme und deren Romanvorlagen hinsichtlich Handlung und Figuren analysieren.

Kompetenzen hier entlang ▶▶▶

5.1 Ein Jahr Arbeit am Kulturportfolio

5.1.1 Ein Rückblick als Ausblick

Seit einem Jahr führen Sie ein **Kulturportfolio**. Sie haben eine Mappe angelegt, erste Beiträge gestaltet, eventuell auch Eintrittskarten, Broschüren und Materialien von Ausstellungen, Museums- und Theaterbesuchen oder Veranstaltungen, die Sie privat besucht und dokumentiert haben, gesammelt.

Nehmen Sie Ihr Kulturportfolio zur Hand und blättern Sie es aufmerksam durch, lesen Sie den einen oder anderen Beitrag, gehen Sie auch die dazugehörenden Reflexionsbögen, die Sie selbst, eine Klassenkameradin bzw. ein Klassenkamerad oder Ihre Lehrkraft erstellt haben, nochmals durch.

1 **Aufgabenstellung**

●

a. Sie haben letztes Jahr Textsorten wie Zusammenfassung, Bericht, Inhaltsangabe ausprobiert. Wie sehen Sie Ihre Texte nun aus der zeitlichen Distanz? Welche Texte wollen Sie überarbeiten, umschreiben oder austauschen? Welchen Beitrag wollen Sie neu verfassen?

b. Ihr Kulturportfolio ist eine **Schatzkiste**, in der Sie im Vorjahr Beiträge gesammelt haben. Treffen Sie eine erste Entscheidung, welche Texte Ihnen wichtig sind und auch weiterhin Teil Ihres Kulturportfolios bleiben sollen.

c. Nehmen Sie auch die Reflexionsbögen zur Hand. Wo sehen Sie Ihre Stärken und Ihre Schwächen? Woran wollen Sie heuer verstärkt arbeiten? Setzen Sie sich **ein konkretes Ziel**, was Sie an Ihrer Portfolio-Arbeit in diesem Schuljahr verbessern oder ändern wollen.

d. Planen Sie anschließend die Überarbeitung Ihres Kulturportfolios. Markieren Sie die Beiträge, die Sie umarbeiten oder aussortieren wollen.

e. Überlegen Sie sich einen **thematischen Schwerpunkt**, den Sie heuer setzen wollen.

2 **Aufgabenstellung**

●

Begründen Sie in einem neuen Portfolio-Brief (Cover-Letter), warum Sie einige Beiträge Ihres Kulturportfolios überarbeiten möchten und welche Schwerpunkte Sie für dieses Schuljahr planen. Legen Sie auch klar, warum Sie manche Beiträge des Vorjahres als geeignete „Beweisstücke“ Ihres Lernens im Kulturportfolio beibehalten möchten.

3 **Aufgabenstellung**

●●

a. Bitten Sie eine Klassenkameradin bzw. einen Klassenkameraden um ein schriftliches Feedback zu Ihren Plänen.

b. Übernehmen auch Sie die verantwortungsvolle Aufgabe der kollegialen Rückmeldung für eine Klassenkameradin oder einen Klassenkameraden.

c. Bitten Sie auch Ihre Deutschlehrerin bzw. Ihren Deutschlehrer um eine Rückmeldung zu Ihren Plänen für dieses Schuljahr.

Reflexionsbögen siehe Band 1, Kapitel „Portfolio“

5.1.2 Nicht alles ist ein Portfolio!

Ihr Kulturportfolio ist keine Sammelmappe, sondern die Zusammenstellung der Arbeiten, die Ihnen wichtig sind. Denken Sie daran, *jeden* Beitrag Ihres Kulturportfolios hinsichtlich bestimmter Kriterien wie Qualität oder Arbeitsweise zu **evaluieren,** verstärkt **Feedback einzuholen** und dieses anschließend dazu zu nutzen, den Beitrag zu **redigieren** bzw. bearbeiten.

evaluieren (engl.): bewerten

redigieren (lat.): überarbeiten

Merkmale der Portfolio-Arbeit (Wiederholung)

- **Sammeln und auswählen:** Recherchieren und analysieren Sie Informationen, die eventuell wichtig für die Erstellung des Beitrages sind.
- **Gestalten** des Beitrages: Arbeiten Sie kreativ und gestalten Sie Ihre Einträge ansprechend.
- Erstmaliges **Redigieren:** Nehmen Sie Ihren Beitrag mit etwas zeitlicher Distanz wieder zur Hand. Geben Sie niemals einen Beitrag aus der Hand, den Sie nicht nochmals kritisch gelesen haben!
- **Reflektieren:** Hinterfragen Sie kritisch die Qualität Ihres Arbeitsprozesses.
- **Feedback** einholen (Fremdevaluation): Holen Sie Kommentare der Lehrkraft und / oder von Mitschülerinnen bzw. Mitschülern ein.
- Zweites **Redigieren:** Nehmen Sie die Rückmeldungen ernst und reagieren Sie auf Vorschläge!
- **Evaluieren:** Beschreiben Sie anschließend, was Sie an Ihrem Beitrag verbessert haben.
- **Ablegen** im Portfolio.

Entscheiden Sie zusammen mit Ihrer Lehrkraft, welchen Stellenwert in Ihrem Kulturportfolio das Führen eines **Arbeitsportfolios** haben soll, in dem Sie *alle* Überarbeitungen der Beiträge und damit auch die Entwicklung Ihres Schreibens dokumentieren.

Ab welchem Zeitpunkt soll Ihr Kulturportfolio eine Auswahl Ihrer besten Arbeiten sein und somit als **Präsentationsportfolio** dienen? Nur wenn Sie die geeigneten „Beweisstücke" Ihres Arbeitens aus der „Schatzkiste", in der Sie alle Beiträge gesammelt haben, auswählen, können Sie Ihre Lernfortschritte belegen.

Der Prozess des Auswählens von Belegstücken Ihres Lernens ist ein spannender Schritt in der Arbeit mit dem Portfolio, für den Sie ausreichend Zeit einplanen sollten. Nur so lernen Sie Ihre eigene Arbeit schätzen und können sich über Ihre gelungenen Arbeitsprodukte freuen und stolz darauf sein!

Sie dürfen nicht vergessen, in Ihrem Kulturportfolio für die Pflichtbeiträge, die Ihre Lehrkraft vorgibt, Platz zu lassen. So wird aus Ihrem Kulturportfolio auch ein **Beurteilungsportfolio**.

Pflichtbeiträge, die: literarische Texte und Sachtexte, Lesetagebücher etc., die von Ihrer Lehrkraft vorgegeben werden

Kürbeiträge, die: persönliche, je nach Interessenlage ausgewählte Beschäftigung mit Kunst und Kultur

5.2 Reflektieren kann man lernen

5.2.1 Der Schlüssel zum Erfolg

Lernen Sie, sich konkrete und erreichbare **Ziele** – nicht nur im Hinblick auf Ihr Kulturportfolio – **zu setzen**. Sie werden dann am Ende des Semesters und des Schuljahres stolz auf Ihre Lernfortschritte sein!

Neben der regelmäßigen Rückmeldung durch Ihre Lehrkraft sowie Ihre Mitschülerinnen und Mitschüler ist es wichtig zu lernen, sich selbst einzuschätzen.

5.2.2 Im Blick zurück der Blick nach vorn: Selbst- und Fremdreflexion

Was es bedeutet, die eigene Lernleistung **selbst einzuschätzen**, haben Sie bereits kennengelernt. Stellen Sie sich regelmäßig folgende Fragen: Was kann ich gut? Wo habe ich noch Schwierigkeiten? Was ist mein nächster Schritt?

Es sollte selbstverständlich für Sie sein, zu jedem Ihrer Beiträge einen kurzen Kommentar zu schreiben. Sie lernen dadurch, Ihren eigenen Text ein weiteres Mal mit einem kritischen Blick zu prüfen.

4 Aufgabenstellung

●

Setzen Sie dieses Formblatt für alle Ihre Schreibaufträge ein.

Was dieser Beitrag zeigen soll ...

Name: ____________________ Datum: ____________________

Titel des Beitrags: ______________________________

____

Ich habe diesen Beitrag ausgewählt, um zu zeigen ______________________________

____

____

____

____

Der Beitrag zeigt, dass ich gut ______________________________

____

____

Folgende **Leitfragen** sollen Ihnen helfen, sicherer im Umgang mit Ihren Schreibprodukten – nicht nur im Rahmen der Portfolio-Arbeit – zu werden. Sie können diese Fragen heranziehen, wenn Sie von Zeit zu Zeit Bilanz ziehen, eine Auswahl Ihrer Beiträge treffen müssen oder Ihr Kulturportfolio umgestalten.

CHECKLISTE – Leitfragen zur Reflexion

- Warum habe ich diesen Beitrag ausgewählt?
- Was macht diesen Beitrag so besonders gut / schwierig / interessant?
- Was sind die besonderen Stärken dieses Beitrags?
- Hat der Beitrag Schwächen?
- Was würde ich an diesem Beitrag ändern, wenn ich noch Zeit hätte?
- Welche Ziele hatte ich, als ich diesen Beitrag schrieb?
- Wie gut habe ich diese Ziele erreicht?
- Wie habe ich den Text geplant? Wie bin ich an die Arbeit herangegangen?
- Was war besonders schwierig?
- Was hat mir bei der Arbeit geholfen?
- Was sagen meine Mitschülerinnen und Mitschüler zu diesem Beitrag?
- Haben mir die Kommentare meiner Mitschülerinnen und Mitschüler geholfen, die Arbeit zu verbessern?
- Was habe ich geändert? Was ist jetzt besser?

In Anlehnung an: Brunner, Ilse / Häcker, Thomas / Winter, Felix (Hg.): Das Handbuch der Portfolioarbeit. Konzepte, Anregungen, Erfahrungen aus Schule und Lehrerausbildung. 3. Auflage, Seelze-Velber, Klett-Kallmeyer Verlag, 2009, S. 149, S. 151–153

5 Aufgabenstellung

●

Beantworten Sie bei der Neugestaltung Ihres Kulturportfolios die oben stehenden Leitfragen und schreiben Sie einige Beiträge um.

Bitten Sie anschließend Ihre Deutschlehrerin bzw. Ihren Deutschlehrer um eine Rückmeldung zu Ihrer redigierten Fassung.

6 Aufgabenstellung

○

Die Klasse veranstaltet eine Portfolio-Konferenz, während der Sie Ihre Pläne zur Überarbeitung Ihres Kulturportfolios vorstellen. Bilden Sie dafür Gruppen mit vier weiteren Mitschülerinnen oder Mitschülern und holen Sie deren Kommentare ein.

Ändern Sie nach einiger Zeit die Gruppenzusammensetzung, um eine größere Zahl an Portfolios kennenzulernen und um sich Ideen und Anregungen für die eigene Weiterarbeit zu holen.

Um ein **Partner-Feedback** mit Ihren Mitschülerinnen und Mitschülern durchzuführen, sollten Sie in der Klasse Regeln dafür aufstellen. Legen Sie vor allem Qualitätskriterien fest, nach denen die Beiträge durchgelesen und kommentiert werden.

7 Aufgabenstellung

●●

Im Rahmen einer Partnerarbeit stellt jeder einen kurzen Beitrag aus seinem Kulturportfolio zur Verfügung, der kommentiert wird. Nehmen Sie sich für jeden Beitrag etwa 30 Minuten Zeit und geben Sie ein schriftliches Feedback ab.

Spielregeln für das Partner-Feedback

- Die Textautorin bzw. der Textautor bekommt eine Rückmeldung von einem anderen Mitglied der Gruppe.
- Die Autorin bzw. der Autor erhält **Tipps** und **Hilfestellung** für die Weiterarbeit.
- Das Feedback ist respektvoll formuliert und darf nicht verletzen.
- Die Textautorin bzw. der Textautor bestimmt selbst, welche Tipps sie bzw. er befolgen will und welche sie bzw. er ablehnt.

8 Aufgabenstellung

●●●

Erstellen Sie ein optisch schön gestaltetes Formblatt für Ihr kollegiales Partner-Feedback, auf dem die folgenden Punkte vermerkt sind:

Kollegiales Partner-Feedback

- Name der Textautorin bzw. des Textautors
- Name der Feedback-Geberin bzw. des Feedback-Gebers
- Hinweis, wie intensiv ich den Beitrag gelesen habe (nur angesehen, teilweise gelesen, genau gelesen)
- Hinweis, was mir besonders gut gefallen hat
- Hinweis, was mir positiv aufgefallen ist
- Hinweis, woran eventuell noch gearbeitet werden sollte
- Hinweis, was mir eventuell fehlt
- Mein konkreter Tipp
- Mein Vorschlag für eine Überarbeitung
- Was ich aus dem Beitrag lernen konnte
- Was für mich neu ist
- Was ich sonst noch sagen will ...

9 **Aufgabenstellung**

●●●

Bilden Sie Gruppen mit drei oder vier Personen und führen Sie ein **Experten- oder Beratungsgespräch** über einen bereits überarbeiteten Beitrag, den eine Mitschülerin bzw. ein Mitschüler zur Verfügung gestellt hat.

Die Textautorin bzw. der Textautor stellt zunächst den Beitrag kurz vor. Sie bzw. er bittet anschließend um Rat, schlägt mehrere Varianten von beabsichtigten Korrekturen vor und stellt Fragen.

Geben Sie der Textautorin bzw. dem Textautor inhaltliche Anregungen, Tipps und Hinweise zur weiteren Umgestaltung des Beitrages. Vergessen Sie nicht, auch Lob auszusprechen!

Manche Ihrer Textproduktionen werden Pflichtbeiträge sein. Sie sollten aber nicht nur diese Beiträge vorlegen, sondern Ihre Deutschlehrerin bzw. Ihren Deutschlehrer bitten, auch einige Ihrer Kürbeiträge schriftlich oder mündlich zu kommentieren (**Fremdevaluation**). Auch dafür können Sie den Evaluierungsbogen, den Mitschülerinnen bzw. Mitschüler für ihre Kommentare und Rückmeldungen verwenden, Ihren Beiträgen beifügen.

10 **Aufgabenstellung**

○

Die Klasse plant nach Abschluss aller Um- und Neugestaltungen der Kulturportfolios des Vorjahres ein **Portfolio-Fest**:

a. Entscheiden Sie gemeinsam, welche Portfolios vorgestellt werden sollen.

b. Sammeln Sie vor allem Themen, die in den Kürbeiträgen der Mitschülerinnen und Mitschüler bearbeitet wurden, und wählen Sie jene aus, die einen großen Teil der Klasse interessieren.

c. Wählen Sie auch einen Pflichtbeitrag einer Mitschülerin bzw. eines Mitschülers aus, der präsentiert werden soll.

d. Einigen Sie sich über den Ablauf dieses Festes.

e. Erstellen Sie ästhetisch gestaltete Plakate, auf denen die Inhalte des Festes aufgelistet werden.

f. Verfassen Sie einen Beitrag für die Schülerzeitung, den Jahresbericht oder die Schulwebsite, der über das Portfolio-Fest der Klasse informiert.

g. Gestalten Sie einen Beitrag für eine Regionalzeitung, der über das Fest informiert und das Konzept des Kulturportfolios vorstellt.

h. Gestalten Sie Thementische, an denen einzelne Kulturportfolios präsentiert werden sollen.

i. Kreieren Sie eine Collage oder ein Plakat über Ihr Kulturportfolio.

j. Gestalten Sie eine kurze Powerpoint-Präsentation über die Veranstaltung für den Tag der offenen Tür in Ihrer Schule.

k. Verfassen Sie im Anschluss an das Fest einen Bericht über die Veranstaltung.

5.3 In der Vielfalt liegt Ihre Stärke

5.3.1 Was alles im Kulturportfolio Platz hat

Leseportfolio, Schreibportfolio, Projektportfolio, Themenportfolio sind nur einige Facetten dessen, was Ihr Kulturportfolio alles sein kann!

Leseportfolio

Im Kapitel „Lesen“ finden Sie bereits wichtige Hinweise und Tipps, wie Sie **Lesemappen** zu einzelnen literarischen Texten anlegen und anschließend zu einem **Leseportfolio** umwandeln.

Die folgenden **Vorschläge** sind nur einige Ideen, wie Sie mit Ihrem Lesestoff umgehen können:

- Zeichnen Sie einzelne Personen und schreiben Sie dazu, was sie auszeichnet, wie Sie ihr Verhalten bewerten.
- Versetzen Sie sich in einzelne Szenen und dichten Sie sich selbst als Vertrauensperson oder Freundin bzw. Freund der Hauptperson dazu.
- Verändern Sie in einzelnen Szenen die Erzählperspektive und formulieren Sie Passagen in der Ich-Form oder aus der Perspektive einer neutralen Erzählerin bzw. eines neutralen Erzählers.
- Verändern Sie das Äußere einzelner Personen oder das Umfeld des Geschehens.
- Setzen Sie die Handlung in eine andere Zeit, in die Vergangenheit oder in die Zukunft.
- Lassen Sie eine Protagonistin bzw. einen Protagonisten ihre bzw. seine Handlungen zwanzig Jahre später reflektieren.
- Fügen Sie Überlegungen, Gedanken einzelner Personen als Sprechblasen oder inneren Monolog in die Handlung ein.
- Schreiben Sie einzelne Szenen in ein Rollenspiel oder in ein Hörspiel um.
- Verfassen Sie unterschiedliche Varianten, wie die Geschichte ausgehen könnte.
- Schreiben Sie die Geschichte um und verfassen Sie entweder eine Fortsetzungs- oder Kriminalgeschichte, einen Thriller oder eine Liebesgeschichte.
- Sie können auch themenspezifisch arbeiten und ein Krimiportfolio, ein Portfolio über alle Facetten der Reiseliteratur, der Liebesgeschichten, der Jugendliteratur, der Darstellung der Frau in der Literatur, Heldinnen und Helden in der Literatur etc. anlegen.

Bei Ihrer Arbeit sollten Sie nie vergessen, dass erst dann ein **echtes Portfolio** entsteht, wenn Sie an Ihren Texten feilen und diese mehrmals überarbeiten, wenn Sie Ihre Arbeit selbstkritisch kommentieren und Rückmeldungen anderer zu Ihren Texten einholen!

Schreibportfolio

Legen Sie in Ihrem Kulturportfolio einen eigenen Abschnitt für das Schreiben an, um Ihre Entwicklung in der Schreibproduktion klar zu dokumentieren. Natürlich gelten auch bei einem **Schreibportfolio** die Regeln der Portfolio-Arbeit. Der Schwerpunkt liegt hier noch viel mehr als beim Leseportfolio auf dem **Prozess des Schreibens**, dem Verfassen und Redigieren bzw. Überarbeiten von Texten. Ein Schreibportfolio zeigt Ihre Fortschritte beim Schreiben auf und ermöglicht Ihnen gleichzeitig, kreativ zu sein.

Ihr Schreibportfolio sollte wie Ihr Leseportfolio ein eigens gestaltetes Deckblatt, ein Inhaltsverzeichnis Ihrer Schreibprodukte eines Jahres, Ihre Texte samt Überarbeitungen sowie Ihre Gedanken und Reflexionen über Ihren Arbeitsprozess beinhalten. Vergessen Sie am Ende eines Schuljahres nicht, einen Rückblick zu verfassen. Dies erleichtert es Ihnen im nächsten Jahr, aus der Schatztruhe der Schreibproduktionen die besten Arbeiten auszusuchen, die Sie weiterverwenden wollen.

Wie gehen Sie bei einem Schreibprojekt vor?

1. Schreibplan:

- Sie legen den thematischen Schwerpunkt fest, über den Sie schreiben wollen.
- Was wollen Sie mit Ihrem Text mitteilen und vermitteln?
- Wer ist die Zielgruppe Ihres Textes?
- Was müssen Sie über das Thema wissen?
- Wie bauen Sie den Text auf?

2. Schreibphase:

- Sie erstellen einen Rohentwurf (Gliederung, Erstentwurf).
- Sie überarbeiten diese erste Fassung.
- Sie holen ein erstes inhaltliches Feedback ein (Wie kommt der Text an? Ist er verständlich? Gibt es Vorschläge zur Überarbeitung?).
- Sie verfassen eine zweite Version Ihres Textes.
- Sie holen erneut Rückmeldung ein, diesmal hinsichtlich der sprachlichen und grammatischen Richtigkeit (Beistrichsetzung, Rechtschreibung etc.).

3. Selbstreflexionsphase:

- Beantworten Sie folgende Fragen: Wie ist es mir beim Schreiben ergangen? Was war hilfreich, was ist mir schwer gefallen? Wie hilfreich war das Feedback?

4. Fremdevaluierung:

- Sie stellen Mitschülerinnen und Mitschülern und / oder Ihrer Deutschlehrerin bzw. Ihrem Deutschlehrer Ihren Text und einen Reflexionsbogen zur Verfügung.

5. Überarbeitungsphase:

- Sie entscheiden, welche Kommentare Sie einarbeiten werden, und überarbeiten anschließend Ihren Text.

6. Eigenbewertung:

- Sie führen eine letzte Kontrolle durch, ehe Sie alle Varianten Ihrer Schreibproduktion in Ihr Portfolio einordnen. Hierfür stellen Sie sich die Frage: Ist es Ihnen gelungen, Ihre Gedanken und Ideen sichtbar zu machen?

Themenportfolio

Sie können Ihre Portfolio-Arbeit auch einem Projekt zu einem bestimmten **Thema** widmen. Dies kann eventuell sogar fächerübergreifend mit anderen Unterrichtsgegenständen stattfinden.

Wählen Sie als Kürbeitrag Ihres Kulturportfolios einen **thematischen Schwerpunkt** aus, der Ihren individuellen Vorlieben oder Ihrem Interesse an einem bestimmten Thema aus Kunst und Kultur entspricht. Dieser Schwerpunkt kann Sie die nächsten Jahre begleiten. Sie haben aber auch die Möglichkeit, neue Themenfelder hinzuzufügen.

Nachdem Sie sich für ein Thema entschieden haben, recherchieren Sie dafür im Internet, in diversen Bibliotheken, in Archiven oder Museen. Verbinden Sie diese Tätigkeit auch damit, Bibliotheken und Museen in Ihrem engeren Umfeld kennenzulernen.

Verfassen Sie nicht nur Texte, sondern gestalten Sie auch Filmsequenzen, einen Podcast, ein Lied, ein Theaterstück, Fotos, ein Bild, eine Zeichnung oder ein Gedicht. Ihrer Fantasie und Kreativität sind keine Grenzen gesetzt!

Mögliche Themen sind:

- ein Thema quer durch die Literaturgeschichte oder die Dichtungsgattungen
- die Geschichte eines Museums der Umgebung
- eine Ausstellung, die Sie besonders gefesselt hat
- hinter der Bühne – eine Theateraufführung
- Ihre Lieblingskünstlerin bzw. Ihr Lieblingskünstler aus dem Bereich der Musik, der Literatur, des Films etc.
- die Geschichte Ihres Heimatortes, Ihrer Großeltern etc.
- die Rolle der Frau im Wandel der Zeit

Bei Ihrer Portfolio-Arbeit fallen folgende **Arbeitsschritte** an:

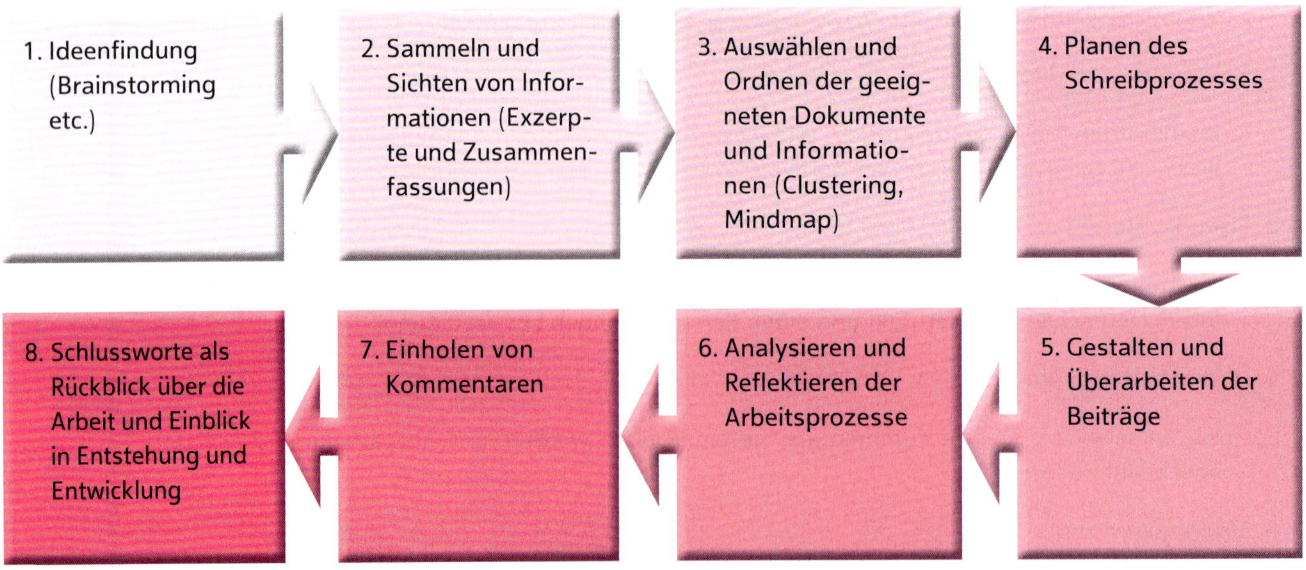

Schlussworte runden Ihr Themen- oder Projektportfolio ab, geben einen Rückblick über Ihre Arbeit und ermöglichen einen Einblick in die Entstehung und Entwicklung Ihres Portfolio-Projektes.

5.3.2 Erzählen mit der Kamera – mögliche Beiträge für Ihr Kulturportfolio

Ein Vorschlag für einen thematischen Schwerpunkt ist es, eine **Literaturvorlage** und den darauf beruhenden **Film** zu analysieren.

Ein **Film** ist ein audiovisuelles Medium, das aus Bild, Text und Ton besteht. Jeder Film entspricht daher auch einem Kommunikationsprozess. Wie jeder andere Kommunikator vermittelt der Film zwischen Sendern und Empfängern, in diesem Fall zwischen Drehbuchautorin bzw. Drehbuchautor, Regisseurin bzw. Regisseur, Schauspielerinnen und Schauspielern einerseits und den Zuseherinnen und Zusehern andererseits.

Einen Film kann man wie einen Text analysieren. Für beide, Text und Film, gilt: Die genaue Analyse macht sensibel für die Qualität des Werks – für Inhalt, Aussage und Form.

Neben dem künstlerischen Konzept und der Figurenführung sind Kameraeinstellung und vor allem der Schnitt wichtige Ausdrucksmittel des Films. Die Kamera erzählt die Geschichte, sie ist unser Auge.

Die Erzählsprache eines Films kann in vieler Hinsicht mit der Erzählsprache in der Dichtung verglichen werden, z. B. in Bezug auf die Erzählhaltung, Gliederung der Handlung (räumlich und zeitlich), Schlüsselstellen.

Versuchen Sie, sich der Welt des Films anzunähern, indem Sie in einem ersten Schritt Filme mit ihrer literarischen Vorlage vergleichen und **Handlung und Figuren** analysieren. Wie man einen Film interpretieren kann, welche Bedeutung Kameraführung, Schnitt und Ton als Darstellungs- und Gestaltungsmittel haben, lernen Sie noch kennen.

Sammeln Sie Informationen über die Autorin bzw. den Autor des Romans, den Inhalt der literarischen Vorlage, über die Entstehungszeit etc.

Recherchieren Sie über den Film, über die Regisseurin bzw. den Regisseur, die Schauspielerinnen und Schauspieler sowie die Drehorte.

Wählen Sie eine Filmszene aus, die Sie beeindruckt hat, und analysieren Sie diese im Hinblick auf die inhaltliche Aussage. Vergleichen Sie eine Textstelle der literarischen Vorlage mit der dazupassenden Filmszene.

Lesetipps:

- *Monaco, James: Film verstehen*
- *Faulstich, Werner: Grundkurs Filmanalyse*

www.filmABC.at
www.movie-college.de

Mögliche Beispiele für Vergleiche literarischer Vorlagen mit Verfilmungen bieten:

- *J. K. Rowling: Harry Potter*
- *Bernhard Schlink: Der Vorleser*
- *Friedrich Dürrenmatt: Das Versprechen*
- *J. R. R. Tolkien: Herr der Ringe*
- *Wolf Haas: Der Knochenmann*
- *Marlen Haushofer: Die Wand*

Der dritte Mann

„Der dritte Mann" ist ein Roman von Graham Greene, der erstmals 1950 veröffentlicht wurde. Er entstand aus der Zusammenarbeit mit Carol Reed und Alexander Korda an dem gleichnamigen Film aus dem Jahr 1949.

Entstehung

Wie Greene im Vorwort zu seinem Roman „Der dritte Mann" sagt, wurde dieser *„nicht geschrieben, um gelesen zu werden, sondern um gesehen zu werden".* Alexander Korda fragte bei Greene an, ob er für Carol Reed nach dem gemeinsamen Film „Kleines Herz in Not" ein Drehbuch schreiben könne, und Greene hatte im Moment nur einen ersten Absatz anzubieten, den er Jahre zuvor auf einem Briefumschlag notiert hatte: *„Vor einer Woche hatte ich Abschied von Harry genommen, als sein Sarg in die im Februarfrost erstarrte Erde hinabgelassen wurde. Ich traute also meinen Augen nicht, als ich ihn in London im Menschengewühl des ‚Strand' ohne ein Zeichen des Wiedererkennens an mir vorbeieilen sah."* Korda akzeptierte die Idee, bat lediglich um die Verlegung ins Wien der Nachkriegszeit unter der Regierung der vier Siegermächte.

Greenes Arbeitsweise verlangte es, dass ein Stoff erst einmal als Erzählung ausgearbeitet werden musste, bevor er ein Drehbuch daraus fertigen konnte. Auf dieser Grundlage erstellte er dann gemeinsam und ausschließlich mit Carol Reed das Filmdrehbuch. Greene: *„Der dritte Mann jedoch sollte nie mehr sein als das Rohmaterial zu einem Film. Dem Leser werden zahlreiche Abweichungen der Geschichte vom Film auffallen, er darf aber nicht glauben, dass diese Umwandlungen einem widerstrebenden Autor aufgezwungen wurden; sie könnten genauso gut von diesem Autor selbst vorgeschlagen worden sein. Und der Film ist tatsächlich besser als die ursprüngliche Erzählung, weil er in diesem besonderen Fall die endgültige Fassung der Erzählung darstellt."*

Der Roman

Der Westernautor Rollo Martins wird von seinem Freund Harry Lime nach Wien eingeladen. Als Martins ankommt, erfährt er, dass Lime bei einem Verkehrsunfall ums Leben gekommen sei. Er beginnt mit eigenen Recherchen (die vom Ich-Erzähler, dem ermittelnden Kriminalbeamten Calloway verfolgt werden), wobei ihm bald auffällt, dass fast alle am Unfall Beteiligten Bekannte von Harry Lime waren. Lediglich ein Anwohner hat vom Geschehen etwas mitbekommen, berichtet arglos von einem „dritten Mann", einem der Polizei nicht bekannten weiteren Beteiligten an dem Unfall, und wird daraufhin ermordet. Bei seinen Nachforschungen trifft Martins auch mit Anna Schmidt zusammen, Limes Lebensgefährtin, die sich als Schauspielerin durchschlägt. Martins verliebt sich in sie, doch sie hängt weiterhin an Harry. Da sie in Wirklichkeit aus Ungarn kommt und mit gefälschten Papieren in Wien lebt, ist die sowjetische Besatzungsmacht hinter ihr her. Im Roman versucht die sowjetische Militärpolizei sogar, Anna in ihre Zone zu entführen (im damaligen Wien ein durchaus nicht seltener Vorgang).

Orson Welles *(1915–1985), US-amerikanischer Filmregisseur und Schauspieler, in der Rolle von Harry Lime*

Als Martins nachts verfolgt wird, muss er feststellen, dass sein Verfolger der tot geglaubte Harry Lime ist. Calloway weiht ihn daraufhin in die Verbrechen ein, die Lime zur Last gelegt werden: Handel mit gestohlenem Penicillin, das zur Erhöhung der Gewinnspanne gestreckt und damit nicht nur unbrauchbar wird, sondern zum Beispiel zu Missbildungen bei Kindern führt – ein Besuch in einer Kinderklinik mit solchen Fällen verfehlt bei Martins nicht seine Wirkung.

In Anlehnung an: Der dritte Mann. Online: https://de.wikipedia.org/wiki/Der_dritte_Mann (20.05.2019)

Martins stellt sich der Polizei als Lockvogel zur Verfügung, um seinen Freund aus dem russisch besetzten Teil Wiens, wo er sich üblicherweise aufhält, in die Zonen der Westmächte zu locken. Eine Verabredung in einem Kaffeehaus folgt sowie eine Verfolgungsjagd durch das weit verzweigte (und alle vier Sektoren Wiens umfassende) Kanalsystem, bei der Lime angeschossen und, gefangen in einem Ausstiegsschacht, von Martins erschossen wird.

11 Aufgabenstellung

●

Der Film und der gleichlautende Roman **„Der dritte Mann“** eignen sich für eine Analyse:

a. Vergleichen Sie die Literaturvorlage (Roman von Graham Greene als Vorlage für ein Drehbuch) und den Film: Welche Szenen wurden für den Film abgeändert? Wurden Namen des Romans im Film durch andere Namen ersetzt? Woher stammt Limes Freundin Anna Schmidt im Roman, woher im Film?

b. Vergleichen Sie die erzählerischen Mittel der literarischen und filmischen Darstellung.

c. Recherchieren Sie über die Entstehungszeit dieses Filmes, die Besatzungszeit Österreichs. Was erfahren Sie über das Wien der Nachkriegszeit? Wie lebte man in den Besatzungszonen?

d. Erstellen Sie Porträts der Hauptdarsteller der weltberühmten Produktion aus dem Jahr 1949.

e. Auch die Musik dieses Films wurde weltberühmt: Wer hat sie verfasst? Welches Instrument spielt darin eine wichtige Rolle?

f. „Der dritte Mann“ ist bis zum heutigen Tag ein Kultfilm, der Wien-Besucherinnen und -Besucher aus aller Welt fasziniert. Manche erkunden die Stadt noch immer auf den Spuren des Films. Dokumentieren Sie, was Sie über den „Dritten Mann“ heute noch in Wien finden können. Besuchen Sie dafür z. B. die Websites:

www.derdrittemann.at
www.drittemanntour.at

g. Auch das Kanalsystem Wiens, das in die Römerzeit zurückgeht und in diesem Film eine Rolle spielt, könnte für dieses Thema von Interesse sein.

12 Aufgabenstellung

„Der Kameramörder“ ist ein Kriminalroman von Thomas Glavinic. Die Erzählung wurde 2001 veröffentlicht und 2002 mit dem Friedrich-Glauser-Preis ausgezeichnet.

*Der **Friedrich-Glauser-Preis** ist einer der wichtigsten Krimipreise im deutschsprachigen Raum. Benannt ist er nach dem Schweizer Schriftsteller Friedrich Glauser (1896–1938), der als erster deutschsprachiger Krimiautor gilt.*

Thomas Glavinic – **Der Kameramörder**

„Ich wurde gebeten, alles aufzuschreiben.“ Mit diesem Satz beginnt der Ich-Erzähler seinen Bericht über ein Osterwochenende, an der er und seine Lebensgefährtin ein befreundetes Paar in der Steiermark besuchen. Während die Medien minutiös über einen Doppelmord an zwei Kindern berichten, den der Mörder mit einer Videokamera aufgenommen haben soll, pendeln die vier Freunde zwischen Fernseher und Kartenspiel, Küche und Gesprächen hin und her. Einerseits angewidert, andererseits fasziniert kommentieren sie dabei die Handlungsweise der Medien. Draußen, in der echten Welt, wird gleichzeitig fieberhaft nach dem Mörder gesucht.

Glavinic, Thomas: Der Kameramörder. 9. Auflage, München, dtv-Taschenbuch, 2011; Klappentext (innen)

2010 wurde sowohl eine Theaterfassung von „Der Kameramörder“ in Stuttgart inszeniert als auch die österreichische Premiere der Verfilmung als Eröffnungsfilm der Diagonale in Graz gezeigt.

*Die **Diagonale** ist ein Filmfestival, das jährlich in Graz veranstaltet wird und sich als umfassende Jahresschau des österreichischen Filmschaffens versteht.*

Im Folgenden finden Sie eine Reihe von **Anregungen**, die Sie in Ihrer Portfolio-Arbeit umsetzen können:

http://www.thomas-glavinic.de/

- Vergleichen Sie in einem Beitrag für Ihr Kulturportfolio die literarische Vorlage von Thomas Glavinic mit dem Film.
- Sammeln Sie Informationen über den Autor des Romans und seine weiteren Werke.
- Verfassen Sie eine Inhaltsangabe des Romans. Erklären Sie auch die Bedeutung des Titels „Der Kameramörder“.
- Analysieren Sie den Schreibstil von Thomas Glavinic. Versuchen Sie, eine Erklärung dafür zu geben, warum der Roman in der Ich-Erzählform geschrieben ist. Welchen Sinn haben die vielen minutiös beschriebenen Details über die Mahlzeiten?
- Welche Rolle kommt den Medien (Teletext, verschiedene Fernsehsender, Zeitungen) in dieser Geschichte zu?
- Wählen Sie eine Textstelle aus, die Sie sehr beeindruckt hat. Begründen Sie Ihre Wahl.
- Verfassen Sie einen Steckbrief über eine der vier Personen.

- Was erfahren Sie in dem Roman über die Lebensgefährtin des Ich-Erzählers?
- Erzählen Sie die Geschichte aus Sicht der Lebensgefährtin.
- Das befreundete Ehepaar, Heinrich und Eva Stubenrauch, wird nach der Festnahme des Kameramörders verhört. Erzählen Sie deren Sichtweise der Geschichte.
- Fügen Sie die Gedanken des Kameramörders als Sprechblase in die Handlung ein.
- Schreiben Sie das Ende der Geschichte um.
- Sammeln Sie anschließend Informationen über den Film, eine österreichisch-schweizerisch-ungarische Koproduktion.
- Recherchieren Sie über den Regisseur, die Schauspielerinnen und Schauspieler. Wer spielt die Hauptrollen? Analysieren Sie die Darstellungsmöglichkeiten, die der Film im Vergleich zur literarischen Vorlage hat.
- Wählen Sie eine Filmszene aus, die Sie beeindruckt hat, und analysieren Sie diese im Hinblick auf die inhaltliche Aussage und filmischen Mittel.
- Vergleichen Sie eine Textstelle des Buches mit der dazupassenden Filmszene.
- Wie wird das grausame Video des Entführers und Mörders zweier Kinder im Film dargestellt?
- Welche Szenen wurden für den Film abgeändert? Wurden Namen des Romans im Film durch andere Namen ersetzt?
- Recherchieren Sie im Internet über das Buch bzw. den Film und dokumentieren Sie die Zusatzinformationen, die Sie finden:

  http://www.literatur-blog.at/2010/11/thomas-glavinic-der-kameramorder/
  http://www.literaturhaus.at/index.php?id=1218
  https://www.krimi-couch.de/titel/2040-der-kameramoerder/

- Ist der Film für Jugendliche freigegeben, zumal es um ein grausames Verbrechen an Kindern geht? Recherchieren Sie, was Sie zur Freigabe von Filmen durch die Jugendmedienkommission (JMK) finden.
- Was ist Ihre Meinung zur Rolle der Medien, die sehr genau über dieses Verbrechen berichten und in Sondersendungen jedes kleine Detail, zuletzt die Mörderjagd, mit einer Hubschrauberkamera mitfilmen?
- Welche Rolle spielen Privatfernsehsender bei der Übertragung von Sensationsnachrichten? Das Video des Kameramörders wird zwar zensiert, aber dennoch von einem Privatsender gezeigt. Wie stehen Sie zu Fernsehsendern, die der Quote wegen auch zu Tabubrüchen greifen und nicht vor der Übertragung von Gewaltszenen zurückschrecken?

*Die **JMK** ist die offizielle Informationsstelle des Bildungsministeriums für die freiwillige Prüfung von Filmen, Videos und sonstigen Bildträgern (z. B. DVDs). Sie bietet Kurzinformationen sowie inhaltliche Begründungen zur Alters- und Positivkennzeichnung der geprüften Filme und Medien.*

Tabu, das: Unantastbares, Unverletzliches, woran man nicht rühren darf

Thomas Glavinic
(geb. 1972), österreichischer Schriftsteller, lebt in Wien

▶▶▶ Ihr persönlicher Lernerfolg

Schätzen Sie selbst ein, was Sie jetzt wissen und können:

✓ oder ✗

		LESEN	ÜBEN
Sie wissen, welche Schritte die Portfolio-Arbeit verlangt.	○	S. 99	
Sie können Feedback zu Ihren Arbeiten einholen und zu fremden Texten geben.	○	S. 102	S. 101-102
Sie können Ihre Beiträge des Kulturportfolios bewerten.	○	S. 100-101	S. 98; 101
Sie können eine wertende Auswahl von Beiträgen aus Ihrem Kulturportfolio vornehmen, die Sie weiterverwenden wollen.	○	S. 101	S. 101
Sie können Lese- und Schreibportfolios führen.	○	S. 104-105	S. 109-110
Sie können einen Film mit seiner literarischen Vorlage vergleichen und dabei eine Handlungs- und Figurenanalyse durchführen.	○	S. 107-108	S. 109
Sie können Schwerpunkte in Ihrem Kulturportfolio setzen und längere Zeit intensiv an einem Thema arbeiten.	○	S. 106	S. 107-111

CHECKLISTE – Aufbau der Schreibproduktion

- Die **Einleitung** informiert über das Thema, das untersucht oder dargestellt wird.
- Der **Hauptteil** widmet sich der klaren, möglichst fundierten Darstellung von Sachverhalten.
- Der **Schlussteil**, der die Arbeit abrundet, gibt auch kurz die eigene Meinung wieder.
- Machen Sie die **Lese- oder Klangprobe**! Lassen Sie sich den Text durch eine andere Person laut vorlesen oder lesen Sie sich den Text selbst laut vor und achten Sie dabei auf Wortwahl, Wiederholungen und logischen Aufbau!

6. Gliedern

j. Verfassen Sie einen **Leserbrief** an den Autor des Zeitungsberichts und bearbeiten Sie dabei folgende Schreibaufträge:
   - **Fassen** Sie die Hauptaussagen des Zeitungsberichts in ein bis zwei Sätzen **zusammen**.
   - **Nehmen** Sie kritisch **Stellung** zur Aussage des Autors, dass die Schule immer mehr Erziehungsaufgaben übernehmen soll.
   - **Appellieren** Sie an die Eltern, sich wieder mehr ihrer zentralen Aufgabe der Wertevermittlung bewusst zu sein.

7. Schreiben und überarbeiten

k. **Überarbeiten** Sie diesen Erstentwurf inhaltlich und sprachlich. Planen Sie in Ihrer Zeiteinteilung unbedingt eine kurze Zeitspanne zwischen dem Verfassen der Rohfassung und der Überarbeitung ein. Erst die zeitliche Distanz ermöglicht es Ihnen, einen kritischen Blick auf Ihren eigenen Text zu werfen.

8. Endfassung erstellen

l. Erledigen Sie die **Endkorrekturen**. Lesen Sie den Text nochmals genau durch und achten Sie besonders auf Rechtschreibung, Zeichensetzung und Grammatik.

9. Selbstreflexion und Rückmeldung

m. Erst jetzt geben Sie Ihre Schreibproduktion aus der Hand und bitten eine Mitschülerin bzw. einen Mitschüler um eine **Rückmeldung**.

   Stellen Sie sich selbst ehrlich die Frage, wie es Ihnen bei dieser Arbeit gegangen ist. Was war hilfreich für Sie? Was ist Ihnen besonders schwer gefallen?

n. Wenn Sie alle Einzelschritte absolviert haben, geben Sie Ihre Schreibproduktion Ihrer Lehrerin bzw. Ihrem Lehrer zur Endkontrolle. Anschließend legen Sie alle Ihre Zwischenergebnisse zusammen mit der Endfassung als Belege Ihrer Schreibentwicklung im Kulturportfolio unter dem Abschnitt „Schreibportfolio“ ab.

Diese vielen Einzelschritte sollten selbstverständlich für jegliches Schreiben werden! Es ist zwar manchmal mühsam, aber Sie werden feststellen, dass es Ihnen von Mal zu Mal leichter fallen wird und Sie Fortschritte beim Schreiben machen werden.

6.1.4 Auch Überarbeiten will gelernt sein

Legen Sie bei der Überarbeitung das Augenmerk nicht nur auf die grammatikalische Richtigkeit, sondern arbeiten Sie auch an der **sprachlichen Darstellung** sowie **der logischen Abfolge** Ihrer Texte.

Satzverbindungen richtig nützen

siehe Übungsband 1/2, Kapitel „Satzgrammatik (Syntax), Satzarten und Satzglieder"

Satzverbindungen sind nützliche Überleitungen von einem Satz zum nächsten, also von einer Sinneinheit zu einer anderen.

Um von einem Satz Anschluss an den folgenden zu schaffen, können **Pronomen**, **Adverbien, adverbiale Bestimmungen** und **Konjunktionen** eingesetzt werden.

Beispiele:

Der Mann war traurig.	→	***Er*** **(Pronomen)** *saß beim Fenster.*
Der Mann freute sich.	→	***Hier*** **(Adverbium)** *konnte er glücklich sein.*
Der Mann war zufrieden.	→	***An diesem Morgen*** **(adverbiale Bestimmung)** *war die Welt in Ordnung.*
Der Mann war zufrieden,	→	***denn*** **(Konjunktion)** *er war wieder zu Hause.*

Unverzichtbar für einen argumentativen Text sind vor allem die **Konjunktionen** (Bindewörter) und **Adverbien**. Sie geben Ihre Rede- bzw. Schreibabsicht wieder.

Sie brauchen Konjunktionen, um

- einen Grund anzugeben,
- die Folgen anzugeben,
- einen Zweck anzugeben,
- eine Absicht zu formulieren,
- eine Entgegnung bzw. einen Gegensatz zu formulieren,
- eine zeitliche Abfolge darzustellen,
- gleichwertige Aussagen nebeneinanderzustellen.

Die folgende Übersicht hilft Ihnen, Sätze zu formulieren, die zusammenpassen und sich gut durch Konjunktionen verbinden lassen.

Absicht	Konjunktionen
Grund	*denn, darum, deshalb, deswegen, daher, nämlich* (Hauptsatz) *weil, da* (Gliedsatz)
Folge	*daher, deshalb, deswegen, also, folglich, infolgedessen* (Hauptsatz) *sodass* (Gliedsatz)
Zweck, Absicht	*dafür, dazu, hierzu, hierfür* (Hauptsatz) *damit* (Gliedsatz)
Entgegenstellung	*aber, trotzdem, doch, jedoch, dennoch, allerdings* (Hauptsatz) einschränkend: *obwohl, auch wenn* (Gliedsatz)
Zeitliche Abfolge	*dann, danach, schließlich* (Hauptsatz)
Anreihung oder Ausschluss	*und, sowie, sowohl – als auch, nicht nur – sondern auch, schließlich* (Hauptsatz) *oder, entweder – oder, weder – noch* (Hauptsatz)

4 **Aufgabenstellung**

●●

Verbinden Sie die Sätze, indem Sie entsprechende Konjunktionen einsetzen:

- *Ich halte diese Aussage für richtig. Sie wurde mehrfach überprüft.* (Begründung)
- *Die Aussage wurde mehrmals überprüft. Ich halte sie für richtig.* (Folge)
- *Die Aussage wurde mehrmals überprüft. Ich halte sie nicht für richtig.* (Entgegenstellung)
- *Ich habe die Tatsachen mehrmals überprüft. Ich kann sie mit gutem Gewissen weiterleiten.* (Zweck)

Sie brauchen aber auch Adverbien, um zu **vergleichen**, zu **begründen** und eine **Folgerung** einzuleiten bzw. um **Aussagen nebeneinanderzustellen**. Beachten Sie, dass Adverbien in der Regel einen Hauptsatz einleiten.

Absicht	Adverbien
Vergleich	*ebenfalls, genauso, ebenso*
Begründung, Folgerung	*deshalb, deswegen, infolgedessen, darum / also, daher*
Reihung	*außerdem, überdies, auch*

5 **Aufgabenstellung**

●●

Verbinden Sie die Sätze, indem Sie entsprechende Konjunktionen einsetzen:

- *Mein Vater hat dunkle Haare. Meine Schwester ist dunkelhaarig.* (Vergleich)
- *Mein Vater hat dunkle Haare. Er ist groß. Er lacht gerne.* (Anreihung)
- *Die Mitglieder meiner Familie sind recht groß. Wir haben ein geräumiges Auto.* (Begründung)
- *Ich habe eine große Familie. Die Wohnung wird mir manchmal zu eng.* (Folgerung)

Ist Ihr Text **logisch aufgebaut**? Untersuchen Sie Ihre Texte auch nach den Kriterien Satzaufbau, sprachliche Bilder, Satzverbindungen sowie Redundanzen.

Redundanz, die (lat.): *mehrfaches Vorhandensein ein und derselben Information*

Gemeinplatz, der: *abgegriffene, nichtssagende Redensart*

- **Unterteilen** Sie **komplizierte Sätze** in mehrere Sätze.
- **Bauen** Sie **Beispiele oder bildhafte Darstellungen ein,** um ein Faktum zu unterstreichen und zu veranschaulichen.
- Ersetzen Sie Verallgemeinerungen und Gemeinplätze durch **Vergleiche.**
- **Nützen** Sie **Satzverbindungen richtig.**
- **Streichen** Sie unschöne **Wiederholungen** oder ersetzen Sie sie durch ein anderes Wort.
- Nehmen Sie **Ergänzungen, Streichungen** und **Verfeinerungen** vor.

6 **Aufgabenstellung**

●●

a. Arbeiten Sie mit einer Mitschülerin bzw. einem Mitschüler an Ihrer Stellungnahme zu Erziehungsfragen (siehe S. 116 f.) und analysieren Sie den Text nach den folgenden Kriterien:

- Sind die Gedanken der einzelnen Absätze klar ausgedrückt, damit sie die Leserin bzw. der Leser sofort versteht?
- Als Unterstützung dieser Arbeit schreiben Sie neben jeden Absatz: *„Der Zweck dieses Absatzes war es …“*
- Sind die Beispiele zu lang? Kann man sie kürzen? Muss man sie vielleicht näher erläutern oder präzisieren?
- Passt der Vergleich oder wirft er nur weitere Fragen auf?
- Fehlt etwas in der Gedankenführung? Benötigen Sie weitere Beispiele, um die Abfolge der Argumentation zu verstärken? Können Sie noch etwas ergänzen?
- Sind Ihnen nach der Fertigstellung der Stellungnahme weitere Ideen gekommen?
- Sind einzelne Sätze, Absätze oder Wörter zu streichen, umzuformulieren, zu ergänzen oder anders auszudrücken?

b. Arbeiten Sie in einer Partnerarbeit die Vorschläge in Ihre Stellungnahme ein. Versuchen Sie, sich auf gemeinsame Formulierungen zu einigen.

c. Führen Sie anschließend diese Analyse auch für den Text Ihrer Mitschülerin bzw. Ihres Mitschülers durch.

Kollegiales Feedback einholen

siehe Band 1, Kapitel „Portfolio“ und Kapitel „Schreibprozesse“

Nutzen Sie, so oft es geht, das **kollegiale Feedback**, denn es ist leichter, den Text eines anderen als einen selbst verfassten Text zu analysieren.

Es erfordert einige Übung, die eigenen Texte zu überprüfen und anschließend zu überarbeiten. Sie haben dafür bereits einige Methoden kennengelernt. Sie werden feststellen, dass das Überarbeiten eines Textes ein unbedingt notwendiger Prozess ist und Ihre Texte dadurch besser werden!

- **Tauschen** Sie die Texte untereinander **aus.**
- Schreiben Sie einen kurzen persönlichen **Kommentar** am Ende des Textes.
- Schreiben Sie **Fragen** an den Rand, wenn etwas unklar ist, Sie etwas nicht verstanden haben, aber auch, wenn Sie **Ergänzungen**, Vorschläge oder weitere Ideen zum Text haben.
- **Namentlich** gekennzeichnete Kommentare erleichtern anschließende Rückfragen.

Methoden kollegialen Feedbacks

Textlupe

Wählen Sie **Kriterien** aus, nach denen der Text untersucht werden soll. Jede Gruppe (drei bis fünf Personen) analysiert einen Text nach genau definierten Kriterien und notiert ihre Beobachtungen und Fragen auf einen Bewertungsbogen.

Diese Kriterien können sein:

- Aufbau des Textes
- Wortwiederholungen
- Groß- und Kleinschreibung
- Zeichensetzung etc.

In Anlehnung an: Fix, Martin: Texte schreiben. Schreibprozesse im Deutschunterricht. 2. Auflage, Paderborn, Schöningh, 2008, S. 173–174

Schreibkonferenz

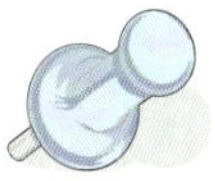

Eine Gruppe (vier Personen) arbeitet an einem Text. Ein Gruppenmitglied stellt den Text mittels Klangprobe vor.
Die restlichen Gruppenmitglieder äußern spontan ihre Eindrücke oder stellen Fragen.
Anschließend wird der Text inhaltlich und sprachlich analysiert, bei dieser Arbeit werden auch Formulierungsvorschläge erstellt:
Das hat mir gefallen! Hier stört mich etwas!
Dazu hätte ich eine Frage: ...
Das ist der Lösungsvorschlag der Gruppe: ...

Merz-Grötsch, Jasmin: Texte schreiben lernen. Grundlagen, Methoden, Unterrichtsvorschläge. In: Baumann, Jürgen (Hg.): Praxis Deutsch. Seelze © Kallmeyer in Verbindung mit Klett / Friedrich Verlag GmbH, 2010, S. 90

Fragelawine

Diese Methode dient in erster Linie dazu, die Verständlichkeit eines Textes zu überprüfen.
Eine Gruppe (drei bis fünf Personen) sieht sich den Text an und hält alles, was auffällt, in Frageform fest. Lösungsvorschläge werden keine gegeben.
Die Verfasserin bzw. der Verfasser des Textes entscheidet anschließend, auf welche Fragen sie bzw. er eingehen möchte.

Journalwriting

Das ist eine Methode, um ein Zwiegespräch mit dem eigenen Text zu führen. Sie eignet sich aber anschließend auch für ein Feedback von anderen.

Text	Textkommentar
	Fragen an den Text: Kommentare zum Text:

In Anlehnung an Bräuer, Gerd: Schreiben als reflektive Praxis. Tagebuch, Arbeitsjournal, Portfolio. © Ernst Klett Sprachen GmbH, Stuttgart, 2012, 2. Auflage, Freiburg im Breisgau, Fillibach Verlag, 2003, S. 172

6.2 Frei schreiben – sich freischreiben

6.2.1 Kreatives Schreiben

Zündende Ideen, modernes Design oder unkonventionelle Lösungen sind heutzutage immer mehr gefragt. Kreative Mitarbeiterinnen und Mitarbeiter tragen zur Konkurrenzfähigkeit eines Unternehmens bei. Eigenständige Gedanken, persönliche Gefühle und fantasievolle Texte werden heute immer mehr geschätzt. Kreative Schülerinnen und Schüler haben größere Chancen im Studium und im Beruf.

Kreatives Schreiben hilft Ihnen, Ihre Persönlichkeit zu entwickeln, macht Spaß und lässt sich durchaus lernen. Sie lassen Ihrer Fantasie freien Lauf, bemühen sich jedoch, Ihre Einfälle möglichst treffend zu formulieren. Sie lernen dadurch, sich in andere Menschen und in neue Situationen einzufühlen, und entwickeln so mehr Verständnis für Ihre Mitmenschen und für literarische Gestalten. Kreatives Schreiben weckt Interesse für Ihre Umwelt und für die Literatur – zudem wird sich Ihr Stil verbessern.

Anfangs ist es hilfreich, der Kreativität mit Anregungen und Mustertexten auf die Sprünge zu helfen.

7 **Aufgabenstellung**

●

Lesen Sie den Text „Das Alphabet“ von Robert Walser. Setzen Sie den Text fort und versuchen Sie, den Stil beizubehalten.

Robert Walser
(1878–1956), deutsch-schweizerischer Schriftsteller

Robert Walser – **Das Alphabet**

A. reitet als Amazone[1] durch eine Allee. Was für ein nobler, prächtiger Anblick. Ich könnte mich in die schöne Gestalt beinah’ verlieben. B. ist ein Berg. Du bist ja auch ein Freund vom Bergsteigen. C. bleibt unbestimmt, aber in D. seh’ ich eine Droschke[2], die ins Land hinausfährt. Gern möcht’ ich auch mit drinsitzen. E. kommt mir wie ein Eßtisch vor. Wie lieb’ ich Leckerbissen. Es tut mir leid, so etwas gestehen zu müssen. F. blitzt als Fingerring. Ich hab’ ihn probiert, er paßte mir tadellos. G. ist ein Garten voll hübscher Blumen, worin es mir ausnehmend behagte. Freilich verlor ich Zeit dabei, doch die ist ja dazu da.
H. sieht wie ein [...]

Walser, Robert: Das Alphabet. In: Krusche, Dietrich (Hg.): Aufschluss. Kurze deutsche Prosa im Unterricht Deutsch als Fremdsprache. Bonn, Inter Nationes, 1992, S. 20, Originalschreibweise

[1] *Amazone: (hier) passionierte Reiterin*
[2] *Droschke: Kutsche*

8 **Aufgabenstellung**

●

Lassen Sie sich inspirieren ... Wählen Sie einen der folgenden Begriffe spontan aus. Was fällt Ihnen zu *Armbanduhr, Fenster, Brücke, Bahnhof, Spiegel, Fernseher, Telefon, Uhr, iPod, Laptop* ein?

Surreales: Unwirkliches, Traumhaftes

Versuchen Sie, Texte zu schreiben, in denen hauptsächlich Wörter mit einem bestimmten Anfangsbuchstaben vorkommen, oder lassen Sie Ihrer Fantasie freien Lauf und bauen Sie Unmögliches oder Surreales in Ihre Texte ein.

9 Aufgabenstellung

●

Freies Schreiben kann auch poetisch sein. Schreiben Sie nach Vorlage – und etwas Neues entsteht. Nehmen Sie das Gedicht von Erich Fried als Muster für einen eigenen Text. Wie wollen Sie schreiben: Prosa oder Vers und Reim? Ernsthaft oder ironisch?

Erich Fried – **Birnenliebe**

Nein, o nein!
Mein, o mein!
Meine große Schwester
die Birne vom dritten Zweig
auf der Sonnenseite rechts oben
sah einmal den Obstpflücker an
und wollte dann Obstplücker sein.

Ja, o ja!
Da war das Unglück da:
Obstpflücker ist doch kein Beruf
für eine Birne
von der Sonnenseite dazu noch
vom besten Platz!
Ist doch pervers beinah.

Hört, o hört!
Der ganze Baum war empört.
Stammvater, Astmutter haben sie Fallobst genannt:
„Sich an den Obstpflücker wegwerfen
ist eine Sünd' und Schand'!
Die hat die Sonne wohl birnenweich gebrannt
oder im Wachstum gestört?“

Fink, o Fink,
von ihrem Ende sing!
Obstpflücker stand auf der Leiter, begehrte mein
Schwesterlein
Liebestoll warf sie sich ihm in den Rachen hinein
daß er den Hals brach und unten am Boden lag.
Keine von uns wurde gepflückt an dem Tag:
Was doch die Liebe vermag!

Fried, Erich: Birnenliebe. In: Als ich mich nach dir verzehrte. Gedichte von der Liebe. Berlin, Verlag Klaus Wagenbach, 1990, S. 29, Originalschreibweise

Erich Fried
(1921–1988), österreichischer Lyriker und wichtigster Vertreter der politischen Lyrik der Nachkriegszeit. Er arbeitete auch als Übersetzer und Essayist.

10 Aufgabenstellung

●●

Man braucht jeden Gegenstand für etwas Bestimmtes. Man kann aber jeden Gegenstand auch für etwas anderes gebrauchen. Vervollständigen Sie die folgenden Satzanfänge:

Ein Buch kann man auch verwenden, um …	das Davonfliegen von losen Blättern durch einen Luftzug zu verhindern.
Ein Handy kann man auch verwenden, um …	
Ein Lineal kann man auch verwenden, um …	
Einen Kleiderbügel kann man auch verwenden, um …	
Ein Fahrrad kann man auch verwenden, um …	

11 Aufgabenstellung

●●

Sie müssen nicht gleich selbst ein Gedicht verfassen. Im folgenden Gedicht von Eduard Mörike sind einige Wörter verloren gegangen. Ergänzen Sie diese mithilfe der Wörter im Kästchen:

Eduard Mörike
(1804–1875), deutscher Dichter, Zeitungsredakteur, Pfarrer und Literaturlehrer

Eduard Mörike – **Er ist's**

Frühling lässt sein ____________ Band
Wieder ____________ durch die Lüfte;
Süße, wohl bekannte ____________
Streifen ahnungsvoll das ____________.
____________ träumen schon,
Wollen ____________ kommen.
Horch, von fern ein ____________ Harfenton!
____________, ja du bist's!
Dich hab ____________ vernommen!

Mörike, Eduard: Er ist's. Online: https://gutenberg.spiegel.de/buch/gedichte-9524/2 (20.05.2019)

balde
Veilchen
Frühling
ich
blaues
flattern
leiser
Düfte
Land

12 Aufgabenstellung

●●

Im folgenden Gedicht fehlen die gereimten Versenden. Ergänzen Sie diese mithilfe der vorgegebenen Wörter.

Johann Wolfgang von Goethe
(1749–1832) gilt neben Friedrich von Schiller als berühmtester Dichter Deutschlands.

Johann Wolfgang von Goethe – **Die Frösche**

Ein großer Teich war ____________;
Die Fröschlein. In der Tiefe ____________,
Durften nicht ferner quaken noch ____________,
Versprachen sich aber im halben ____________:
Fänden sie nur da oben ____________,
Wie Nachtigallen wollten sie ____________.
Der Tauwind kam, das Eis ____________,
Nun ruderten sie und landeten ____________
Und saßen am Ufer weit und ____________
Und quakten wie vor alter ____________.

Goethe, Johann Wolfgang von: Die Frösche. Online: http://www.autoren-gedichte.de/goethe/die-froesche.htm (14.03.2013)

springen
zerschmolz
zugefroren
stolz
breit
singen
Traum
verloren
Zeit
Raum

13 Aufgabenstellung

●●

Ein Ereignis – verschiedene Perspektiven! Lesen Sie die folgende Zeitungsmeldung.

Wie könnte die Geschichte noch erzählt werden? Wählen Sie passende Elemente aus der Tabelle und bauen Sie eine der unten aufgeführten Textsorten als Geschichte aus.

Banküberfall für einen Dollar und Arzttermin

Es ist eine gleichsam kuriose wie traurige Geschichte: In den USA hat ein Mann eine Bank überfallen, weil er keinen anderen Ausweg sah, medizinisch versorgt zu werden.

Weil er als Arbeitsloser ohne Erspartes keine Chance auf ärztliche Betreuung hatte, schmiedete James Verone aus dem US-Bundesstaat North Carolina einen außergewöhnlichen Plan.

„Bitte geben Sie mir nur einen Dollar"

Wie die *Huffington Post* berichtet, betrat der 59-Jährige am 9. Juni eine Filiale der RBC Bank in Gaston County. Er gab der Bankangestellten einen Zettel: „Dies ist ein Banküberfall. Bitte geben Sie mir nur einen Dollar." Dann sagte er: „Ich werde mich dort drüben hinsetzen und auf die Polizei warten." Verone setzte sich, die Bank alarmierte die Polizei, die Beamten kamen und nahmen den unbewaffneten Mann fest. Er hatte sein Ziel erreicht.
Einzig und allein weil er im Gefängnis seine Geschwulst auf der Brust, seine zwei kaputten Bandscheiben und seinen lahmen linken Fuß kostenlos behandeln lassen kann, ließ er sich verhaften. […]

O. V.: Banküberfall für einen Dollar und Arztbesuch. In: Heute, 21.06.2011. Online: http://www.heute.at/unterhaltung/kurioses/Bankueberfall-fuer-einen-Dollar-und-Arzttermin;art752,571971 (29.03.2013), gekürzt

Wer erzählt?	Für wen wird erzählt?	In welcher Form? (Textsorte)	Was ist die Intention?
Reporterin bzw. Reporter	Leserinnen und Leser der Zeitung	Zeitungsbericht, Nachricht	Information
Bankräuber	Ehefrau	Brief aus dem Gefängnis	Beichte
Zeugin bzw. Zeuge	Mitgefangene	Drehbuch	Verteidigung
Polizistin bzw. Polizist	Richterin bzw. Richter	Roman: Mein Leben im Gefängnis	Berichterstattung
Bankangestellte bzw. Bankangestellter	Polizei	Verhör	
Verteidigerin bzw. Verteidiger des Bankräubers	Reporterin bzw. Reporter	Interview	

14 Aufgabenstellung

●

Lesen Sie die folgende (fiktive) historische Kurzmeldung aus dem Jahr 1901 und verfassen Sie anschließend aus der Sicht des Forschers einen Brief an das Naturhistorische Museum in Wien. Schreiben Sie aus der Sicht des Mannes auch einen Brief an seine Frau, in dem er seine Erlebnisse während der Expedition ausführlich schildert.

Rätselhafte Tierbeschreibung

In den Urwäldern Afrikas entdeckte der Forscher Franz von Anderle 1901 eine neue Tierart. Nach den ersten Beobachtungen schrieb er an das Naturhistorische Museum einen Bericht, dem er auch eine Zeichnung beilegte. Das Tier nannte er „Tifantokrok", denn es schien eine Kreuzung aus Elefant, Tiger und Krokodil zu sein.

siehe Kapitel „Literatur, Kunst und Gesellschaft"

In der Schreibwerkstätte für Märchen

Die Brüder Grimm haben am Anfang des 19. Jahrhunderts viele **Märchen** gesammelt und aufgezeichnet. Wilhelm Hauff, Hans Christian Andersen und E. T. A. Hoffmann sind die bekanntesten Märchendichter.

15 Aufgabenstellung

a. ○
Erstellen Sie zusammen in einem Klassengespräch eine Liste der Merkmale eines Märchens und wiederholen Sie gemeinsam Struktur, Personengestaltung und Handlungsführung eines Märchens.

b. ●
Schreiben Sie das Märchen vom goldenen Schlüssel um. Ihnen fällt sicher auch ein trauriges, grausames oder lustiges Märchenende ein. Vielleicht haben Sie sogar Ideen für zwei unterschiedliche Versionen, wie das Märchen enden könnte: einmal einen neuen schönen Märchenschluss, einmal ein untypisches, verwirrendes oder überraschendes Ende.

c. ●
Geben Sie dem Jungen einen Namen. Er schreibt Tagebuch und schildert die Geschichte aus seiner Sicht.

d. ●
Der Junge erzählt vierzig Jahre später seinen Enkelkindern von seinem Leben, wie es ihm seither ergangen ist und was er mit dem Fund im Kästchen gemacht hat.

***Jakob** (1785–1868) und **Wilhelm** (1786–1859) **Grimm** lebten zur Zeit der Romantik. Sie wurden vor allem als Sammler der deutschen Kinder- und Hausmärchen berühmt, die sie aufzeichneten und so für die Nachwelt überlieferten, wie auch für ihre **Deutsche Grammatik** und das **Deutsche Wörterbuch**, das sie begründeten.*

Brüder Grimm – **Der goldene Schlüssel**

Zur Winterszeit, als einmal ein tiefer Schnee lag, mußte ein armer Junge hinausgehen und Holz auf einem Schlitten holen. Wie er es nun zusammengesucht und aufgeladen hatte, wollte er, weil er so erfroren war, noch nicht nach Haus gehen, sondern sich erst Feuer anmachen und ein bißchen wärmen. Da scharrte er den Schnee weg, und wie er so den Erdboden aufräumte, fand er einen goldenen Schlüssel. Nun glaubte er, wo der Schlüssel wäre, müßte auch das Schloß dazu sein, grub weiter und fand ein eisernes Kästchen. Ei, dachte er, wenn der Schlüssel nur paßt; denn es waren gewiß wunderbare und köstliche Sachen darin. Er suchte, aber es war kein Schlüsselloch da. Endlich fand er doch noch ein ganz kleines und probierte, und der Schlüssel paßte gerad'. Da drehte er ihn einmal herum, und nun müssen wir warten, bis er vollends aufgeschlossen hat, dann werden wir sehen, was darin liegt.

Alte Märchen der Brüder Grimm: Der goldene Schlüssel. In: Gut fünfzig Märchen. Ausgewählt und farbig bemalt von Helga Gebert. Nachwort von Hans-Joachim Gelberg. Weinheim / Basel, Beltz / Gelberg, 1993, S. 5, Originalschreibweise

16 Aufgabenstellung

●

Spiegelgeschichten schreiben

Setzen Sie die Geschichte fort!

Als ich heute in der Früh von zu Hause wegging, warf ich rasch einen Blick in den Spiegel. Ich erschrak, denn …

Folgende Fragen können Ihnen dabei helfen, eine Kurzgeschichte zu verfassen:

- Was sieht die Ich-Erzählerin bzw. der Ich-Erzähler im Spiegel?
- Hat sie bzw. er sich verändert? Was ist ungewöhnlich? Was könnte passiert sein?
- Sieht sie bzw. er vielleicht eine zweite oder mehrere Personen?
- Wie verläuft der Tag unter dieser Voraussetzung?
- Was ist anders als sonst?
- Was zeigt der Spiegel am Abend?

17 Aufgabenstellung

●

Setzen Sie die Geschichte fort:

- *Als ich heute einen Blick in meine Mailbox warf, …*
- *Als ich heute den Briefkasten leerte, erschrak ich, denn da war ein Brief …*

18 Aufgabenstellung

●

Weiterschreiben …

Schildern Sie die folgende Situation in jeweils etwa zehn Sätzen, einmal positiv und einmal negativ:

Ich lehne mich aus dem Fenster und blicke in einen verwahrlosten Hinterhof mit einem blühenden Kastanienbaum. Hinter den gegenüberliegenden Altbauten sehe ich ein Häusermeer …

19 Aufgabenstellung

●

Setzen Sie die folgende Geschichte fort:

[…] Er hatte sich eine Füllfeder gekauft. Nachdem er mehrmals seine Unterschrift, dann seine Initialen[1], seine Adresse, einige Wellenlinien, dann die Adresse seiner Eltern auf ein Blatt gezeichnet hatte, nahm er einen neuen Bogen, faltete ihn sorgfältig und schrieb: „Mir ist es hier zu kalt", dann „ich gehe nach Südamerika", dann hielt er inne, schraubte die Kappe auf die Feder, betrachtete den Bogen und sah, wie die Tinte eintrocknete und dunkel wurde […], dann nahm er seine Feder erneut zur Hand und setzte noch großzügig seinen Namen Paul darunter. […]

„San Salvador", aus: Peter Bichsel, Eigentlich möchte Frau Blum den Milchmann kennenlernen. 21 Geschichten.

[1] *Initialen: vergrößerte, meist verzierte Anfangsbuchstaben eines Namens*

6.2.2 Nach Textvorlagen schreiben

Kurzgeschichte

Schreiben Sie selbst Kurzgeschichten! Die Voraussetzung dafür ist, dass Sie die formalen, inhaltlichen und sprachlichen Kriterien der Textsorte kennen:

Formale Kriterien	plötzliche Einstiege; eine wichtige, aber alltägliche Situation; psychologische Komponente, Alltagssprache, offener Schluss
Inhaltliche Kriterien	Denken Sie sich eine Situation aus und versetzen Sie sich in die Protagonistinnen und / oder Protagonisten. Setzen Sie Ihre Fantasie und Ihr Einfühlungsvermögen ein. Bemühen Sie sich um eine bestimmte Stimmung und beschreiben Sie mit positiv oder negativ besetzten Wörtern ...
Sprachliche Kriterien	Setzen Sie Stilmittel ein wie Erzählsprache, Figurensprache, sprachliche Bilder, positiv oder negativ besetzte Wörter, Satzbau.

siehe Kapitel „Schreibhandlungen“

20 Aufgabenstellung

●

Schreiben Sie eine Kurzgeschichte. Zur Wahl stehen verschiedene Bildimpulse oder ein Handlungsgerüst.

Ein Mann sitzt am Fenster. Er wartet und er denkt nach, an Vergangenes, an die Zukunft. Von den kommenden Begegnungen hängt für ihn viel ab. Als er die Hoffnung schon fast aufgegeben hat, öffnet sich die Tür, die erwartete Person tritt ein.
(Natürlich können Sie auch eine Protagonistin einsetzen.)

Innerer Monolog

Selbst wenn wir versuchen, an nichts zu denken, es wird uns nicht gelingen. Unser Gehirn arbeitet ständig und produziert unablässig Gedanken. Diese Gedanken können Sie versuchen zu formulieren: alles, was Ihnen gerade durch den Kopf geht, Ihre Wünsche, Ihre Erinnerungen, Ihre Sorgen und Ängste, Ihren Ärger. Dabei werden Sie beobachten, dass Gegenwärtiges, Vergangenes und Zukünftiges miteinander assoziiert werden, dass Ihre Gedanken sprunghaft wechseln.

Die Gedankenketten werden oftmals nicht perfekte Sätze sein, sondern nur bruchstückhaft Ihre Stimmung widerspiegeln.

Ein bekanntes literarisches Beispiel eines solchen **inneren Monologs** ist Arthur Schnitzlers Novelle „Leutnant Gustl".

Ich-Form, Präsens, Innenansicht der Erzählerin bzw. des Erzählers; schlüpft in die Figur hinein und versucht, deren Gedanken, Gefühle und Wahrnehmungen wiederzugeben

Arthur Schnitzler – **Leutnant Gustl**

[...] „Wie lang' wird denn das noch dauern? Ich muss auf die Uhr schauen ... schickt sich wahrscheinlich nicht in einem so ernsten Konzert. Aber wer sieht's denn? Wenn's einer sieht, so passt er gerade so wenig auf, wie ich, und vor dem brauch' ich mich nicht zu genieren ... Erst viertel auf zehn? ... Mir kommt vor, ich sitz' schon drei Stunden in dem Konzert. Ich bin's halt nicht gewohnt ... Was ist es denn eigentlich? Ich muss das Programm anschauen ... Ja, richtig: Oratorium[1]! Ich hab' gemeint: Messe. Solche Sachen gehören doch nur in die Kirche! Die Kirche hat auch das Gute, dass man jeden Augenblick fortgehen kann. – Wenn ich wenigstens einen Ecksitz hätt'! – Also Geduld, Geduld! Auch Oratorien nehmen ein End'! Vielleicht ist es sehr schön, und ich bin nur nicht in der Laune. Woher sollt' mir auch die Laune kommen? Wenn ich denke, dass ich hergekommen bin, um mich zu zerstreuen ..." [...]

Schnitzler, Arthur: Leutnant Gustl und andere Meistererzählungen. München, Langen Müller, 2002, S. 179

[1] *Oratorium: opernhaftes Musikwerk ohne szenische Handlung mit meist religiösen oder episch-dramatischen Stoffen*

Arthur Schnitzler *(1862–1931) bringt in seinen Dramen und Novellen, die oft die Erzähltechnik des inneren Monologs verwenden, das Unterbewusstsein seiner Figuren unmittelbar und drastisch zum Vorschein.*

21 Aufgabenstellung

●●

Schreiben Sie einen inneren Monolog. Zur Wahl stehen:

- *Sie haben einen Gegenstand verlegt oder verloren, der Sie an etwas erinnert und der für Sie deshalb sehr wertvoll ist. Welche Gedanken gehen Ihnen durch den Kopf?*
- *Sie können nicht einschlafen, es ist spät nachts. Unentwegt beschäftigen Sie düstere Gedanken ...*
- *Sie sitzen bei der Zahnärztin oder beim Zahnarzt ...*
- *Die Nacht vor der Englisch- / Deutsch- / Mathematik-Schularbeit ...*

Lassen Sie Ihren Gedanken freien Lauf, spielen Sie mit Assoziationen, Bildern, Ihren Empfindungen und Wahrnehmungen. Schreiben Sie mindestens eine A4-Seite.

Ihr persönlicher Lernerfolg

Schätzen Sie selbst ein, was Sie jetzt wissen und können:

✓ oder ✗

		LESEN	ÜBEN
Sie wissen, welche Schritte es vom Schreibanlass hin zum fertigen Text braucht.	○	S. 114	
Sie können Methoden der Stoff- und Ideensammlung für Ihr Schreiben einsetzen.	○	S. 114	
Sie können Exzerpte und Zusammenfassungen als Vorarbeiten für Ihre weiterführenden Textproduktionen verfassen.	○		S. 115-116
Sie können Ihre Texte überarbeiten.	○	S. 118	S. 119-120
Sie können Ihre persönliche Schreibeinstellung reflektieren.	○	S. 114	S. 114
Sie können mithilfe kreativer Schreibanlässe Ihr Schreiben optimieren.	○	S. 122	S. 122-127
Sie können eigene und fremde Texte nach definierten Kriterien analysieren.	○	S. 121	S. 121

7

SCHREIBHANDLUNGEN

In diesem Kapitel lernen Sie, ...

... wie Sie die Kurzfassung eines Textes erstellen,

... nach welchen Kriterien Sie epische Texte analysieren,

... wie Sie Personen beschreiben und charakterisieren,

... wie Sie Sachtexte analysieren,

... wie Sie erfolgreich und richtig argumentieren und Argumentationsstrukturen aufbauen,

... welche argumentativen Textsorten es gibt und wie diese verfasst werden,

... was appellative Textsorten sind,

... welche Schreibhaltung journalistische Textsorten haben können,

... wie Sie Infografiken beschreiben, analysieren, interpretieren und kommentieren.

Kompetenzen hier entlang ▶▶▶

7.1 Zusammenfassen von Texten

7.1.1 Wie fasse ich mich kurz

siehe Band 1, „Schreibhandlungen"

Die **Zusammenfassung** eines Textes dient im schulischen Kontext meist dazu, Informationen für ein Referat, eine Projekt- oder Diplomarbeit weiter zu verwenden. Dazu ist es wichtig, die im Text enthaltenen Informationen komprimiert zusammenzustellen und ihn nicht zu werten.

Neben der Zusammenfassung kann es insbesondere bei Sachtexten nützlich sein, eine **Kurzfassung** zu einer Publikation zu erstellen. Solche Kurzfassungen dienen bei Artikeln in Fachzeitschriften meist dazu, die Leserin bzw. den Leser auf das Thema aufmerksam zu machen, ihr bzw. ihm die Entscheidung zu erleichtern, ob die Lektüre des Gesamttextes überhaupt lohnend sein kann. Die Kurzfassung kann auch dazu dienen, Querverbindungen zu einem anderen Thema aufzuzeigen.

Kurzfassungen sind auch bei Vorträgen, die für Tagungen oder Kongresse eingereicht werden, in einem Umfang von 200 bis 300 Wörter üblich und müssen bereits beim Einreichen des Redebeitrages mitgeschickt werden. Bei wissenschaftlichen Fachartikeln, aber auch bei Ihrer Diplomarbeit wird ebenfalls eine Kurzfassung – meist in Form eines **Abstractes** – verlangt werden, die nicht länger als eine halbe bis ganze Seite umfassen darf und die in allgemein verständlicher Sprache die Arbeit und ihre Ziele (Thema, Fragestellung, wichtigste Thesen, methodische Vorgangsweise und Schlussfolgerungen) umfasst.

Auch bei literarischen Werken, ja sogar bei einigen Filmen gibt es Lang- und Kurzfassungen. Sie finden sich zum Teil auch als Klappentext auf dem Buchrücken eines Buches.

Kurzfassung eines Sachtextes

- Ausgangsbasis ist wie bei der Zusammenfassung das **Exzerpt** eines Textes.
- Der Originaltext ist **mindestens auf ein Drittel zu kürzen**. Die vorgegebene Wortanzahl ist zwingend einzuhalten.
- Die gedankliche Struktur des Textes (**Aufbau, Wortwahl**) des vorgegebenen Textes wird **übernommen**.
- Die Gedanken der Textvorlage dürfen **nicht interpretiert** werden. Es **darf kein eigener Kommentar** einfließen.
- Es dürfen keine ganzen Satzpartien aus dem Originaltext übernommen werden, sie müssen **eigenständig formuliert** werden.
- Die Zeitfom ist das **Präsens** bzw. das **Perfekt** (um Vergangenes auszudrücken).
- Die direkte Rede ist in die **indirekte Rede** umzuwandeln. Zitate sind zu vermeiden.
- Die Fachbegriffe bzw. Fremdwörter des Originaltextes sind zu übernehmen.
- Die Schreibhaltung ist **objektiv und sachlich**.

1 Aufgabenstellung

O

Verfassen Sie eine Kurzfassung des Textes „Pro & Contra Zeitumstellung: Die Uhr tickt" aus der Tageszeitung *Kurier*. Arbeiten Sie dabei die Checkliste zur Erstellung einer Kurzfassung der Reihe nach ab.

siehe Kapitel 3 „Lesen"

CHECKLISTE - Kurzfassung

- **1. Schritte, Vorarbeiten:**
  - Lesen Sie die Textvorlage mehrmals durch. Wenden Sie dabei die SQ3R-Lesetechnik an.
  - Markieren Sie Passagen, die Ihnen wichtig erscheinen. Wörter oder Sätze, deren Bedeutung Ihnen nicht klar ist, versehen Sie mit einer Randnotiz.
  - Nützen Sie die Fragetechnik eines Exzerptes (Wer? Wo? Was? Wie? Warum?), um das Thema des Originaltextes in ein bis zwei Sätzen zusammenzufassen.
- **2. Schritt:**
  - Bestimmen Sie die Textsorte der Textvorlage. Notieren Sie Autorin, Autor und Quelle.
  - Gliedern Sie den Text in Sinneinheiten. Verwenden Sie anfangs dafür unterschiedliche Farbstifte.
  - Finden Sie Überschriften für die einzelnen Abschnitte und fassen Sie die Abschnitte stichwortartig zusammen.
- **3. Schritt:**
  - Filtern Sie unbedeutende Informationen heraus und beginnen Sie mit der Endfassung Ihrer Kurzfassung.
  - Achten Sie dabei auf die logischen Zusammenhänge Ihres Textes und auf eine verständliche Ausdrucksweise. Formulieren Sie kurz, präzise und sachlich und vermeiden Sie Kommentare und eigene Wertungen.
  - Überprüfen Sie, ob Ihre Kurzfassung noch Wiederholungen enthält, die Sie kürzen können.

Pro & Contra Zeitumstellung: Die Uhr tickt

Bis zu neuer Regelung dauert es noch Jahre, aber die EU muss nun prüfen.

Alle haben's schwer, wenn am 25. März die Uhren wieder eine Stunde vorgestellt werden. Aber Frauen haben's schwerer. Denn fast jede Dritte leidet unter gesundheitlichen Problemen, wenn europaweit zwei Mal jährlich die Zeit umgestellt wird. Schlafstörungen, Leistungsabfall, erhöhtes Herzinfarktrisiko. Bei Männern hingegen, so belegt es eine Studie der deutschen Krankenkasse DKA, ist es nur jeder Fünfte. Von der Qual der Schüler, die sich ab Frühlingsbeginn noch eine Stunde früher aus dem Bett schälen müssen, gar nicht zu reden.

Schluss mit der halbjährlichen Prozedur des Umstiegs von Sommerzeit zu Winterzeit und wieder zurück – diese Forderung wird auch in Österreich quer durch alle Alters- und Berufsklassen immer lauter. Nur: Abschaffen könnte Österreich, sofern die Regierung das überhaupt wollte, die Zeitumstellungen nur im Gleichklang mit den anderen EU-Staaten. Nach der seit 2001 geltenden Regelung muss für alle EU-Mitgliedsstaaten die Uhrzeit einheitlich sein.

Nicht alle sind damit glücklich, und der Widerstand gegen die Zeitumstellung wächst.

Kommission muss prüfen

Im EU-Parlament kämpfen Abgeordnete quer durch alle Fraktionen für die Abschaffung der halbjährlichen Umstellung. Gestern, Donnerstag, verbuchten sie einen ersten Teilerfolg. In einer mit großer Mehrheit angenommen Entschließung forderten sie die EU-Kommission auf, die Zeitumstellung gründlich zu überprüfen – und dann die Regeln nötigenfalls zu ändern. Ein Antrag, die Sommerzeit gleich ganz abzuschaffen und zur Normal-, also Winterzeit zurückzukehren, fiel hingegen durch.

Doch so viel Bewegung in der Sache war noch nie. Der EU-Kommission, Hüterin der Gesetze in der EU, war schon bisher egal, ob sich die Uhren in der Union nach der Sommerzeit oder der Winterzeit drehen – nur einheitlich muss es sein unter den 28 EU-Staaten. Grünes Licht für eine neue – in dem Fall alte – Zeitrechnung müssten die Mitgliedsstaaten geben. Bis sie aber zu einem Beschluss kommen, werden selbst im günstigsten Fall mindestens zwei Jahre vergehen. Denn im Augenblick werben nur Finnland und Polen für eine Änderung. Wobei man in Helsinki generell für eine Abschaffung der Umstellung eintritt, Polen aber will den ganzjährlichen Umstieg zur Sommerzeit.

Der österreichische EU-Abgeordnete Heinz Becker (ÖVP) kämpft seit Jahren für ein Ende der Zeitumstellung. „Diese Wechsel auf Sommer- bzw. Normalzeit bringen nicht nur keinerlei Energieersparnis, sondern erhebliche Gesundheitsrisiken, speziell bei Kindern und älteren Menschen, und dazu noch hohe Kosten für die Wirtschaft."

Höhere Unfallzahlen

Die erhoffte Energieersparnis, auf die man bei Einführung der Sommerzeit gesetzt hatte, stellte sich nie ein. Stattdessen gibt es nur negative Effekte, führen die Gegner der Zeitumstellung an: Tiere bringt die Verschiebung um eine Stunde aus dem Tritt, Millionenkosten entstehen durch Fahrplanänderungen, die Zahl der Unfälle im Straßenverkehr steigt laut Studien in der ersten Woche nach Einführung der Sommerzeit um fast 30 Prozent. „Bringen die Zeitumstellungen also überhaupt etwas?", fragt Becker und gibt auch gleich die Antwort „Nein, nur Nachteile."

Eingeführt wurde die Sommerzeit erstmals während des Ersten Weltkrieges, danach aber bald wieder abgeschafft. 1940 setzten die Nationalsozialisten die Sommerzeit wieder ein, in Österreich stieg man 1948 wieder auf Normalzeit um. Erst nach der Ölkrise der 70er-Jahre, als man händeringend nach Möglichkeiten des Energiesparens suchte, führten mehr und mehr europäische Staaten die Sommerzeit wieder ein. Österreich folgte 1980.

Gute Sicht im Morgenlicht

„Kann ich eine Stunde kürzer oder länger schlafen?" oder „Wird die Uhr nach vorne oder nach hinten gestellt?" – mit einer Abschaffung der Zeitumstellung wären zumindest diese mühsamen Fragen vom Tisch, das Rätselraten hätte endlich ein Ende. Auf die berechtigte Frage „Wieso braucht man das eigentlich?" kennt allerdings nur selten jemand eine produktive Antwort.

Gerade einmal ein Viertel der Weltbevölkerung ist vom Phänomen Zeitumstellung „betroffen". Der große Rest kommt ohne zurecht, und lebt so seit – naja, schon sehr lange. In Afrika, Asien und Südamerika gibt es kaum ein Land, das die Zeit umstellt, geschweige denn, dies für notwendig erachtet. Aber wieso wird dieses Prozedere – speziell in Österreich – von vielen Menschen noch immer für dermaßen wichtig gehalten? Liegt das daran, dass bei uns alles immer erst ein bisschen später ankommt als anderswo?

Aber jetzt mal im Ernst: Die Zeitumstellung hat Auswirkungen auf den Biorhythmus. Da sich der nach dem Sonnenlicht richtet, kommt es zu Schlaf- und Konzentrationsstörungen. Die Folgen wird man spätestens dann bemerken, wenn man am Morgen danach plötzlich im Kofferraum des Vordermannes pickt.

Wer sich bis jetzt im Sommer abends am Donaukanal aufgehalten hat, wird es auch weiterhin tun – dagegen kann nicht einmal die Zeitverschiebung etwas ausrichten. Vorteile hat eine Abschaffung für morgendliche Gassigeher: Wer in der Früh bei Tageslicht mit Waldi vor die Tür geht, kann vermeiden, den Tag mit einem Tritt in ein grausliches Hundstrümmerl zu starten. (*Sarah Dorfstätter*)

Heller Hund statt helles Bier

Die Russen haben es bereits versucht. In Moskau wurde am Rad der Zeit gedreht, das gesamte Land musste nach der Sommerzeit leben. Ganze drei Jahre dauerte der „ewige Sommer", viele Russen warteten im Winter stundenlang im Dunklen auf den Sonnenaufgang, bis allen dämmerte, dass hier etwas schief lief.

Der EU steht das noch bevor, sie überlegt die ach so qualvolle Sommerzeit zu streichen. Wie immer gibt es passende Studien – einige meinen angeblich, dass die Zeitumstellung urböse ist. Jahr um Jahr versuchte auch die KURIER-Chronik-Redaktion auf Wunsch ihrer Ressortleiter vergeblich zu bestätigen, dass die Zahl der (Verkehrs-)Unfälle nach der Zeitumstellung steigt. Irgendeine Untersuchung solle dies zwar belegen, einer ordentlichen Recherche bei Polizei, Versicherungen oder Automobilclubs hielt diese These aber niemals stand.

Übrig bleibt lediglich ein kleiner Jetlag am Sonntag, und nach ein oder zwei Tagen hat man sich an die Zeitumstellung gewöhnt. Belohnt werden wir alle damit, dass wir im Sommer täglich eine Stunde Sonnenlicht mehr genießen können. Jeder kann pro Jahr also drei volle Tage länger in einem sonnigen Gastgarten sein Bier trinken oder flanieren gehen.

Im Juli geht die Sonne etwa um 20.45 Uhr unter. Wird die Sommerzeit gestrichen, dann wird es künftig um 19.45 Uhr finster. Im Gegenzug dürfen wir eine Stunde länger schlafen, wenn es hell ist. Die Sonne geht künftig um vier Uhr auf statt um fünf (wer auch immer das mitbekommt). Toll nur für jene, die ihren Hund beim morgendlichen Gassi gehen künftig besser sehen möchten. (*Dominik Schreiber*)

Steiner-Gashi, Ingrid: Pro & Contra Zeitumstellung: Die Uhr tickt. In: Der Kurier, 08.02.2018. Online: https://kurier.at/chronik/weltchronik/pro-und-contra-zeitumstellung-die-uhr-tickt/310.199.956 (20.05.2019)

2 Aufgabenstellung

OO

Überprüfen Sie in einer Paararbeit Ihre Schreibproduktion nach folgenden Kriterien:

	Die Schreibhaltung ist objektiv und sachlich.
	Die Formulierungen sind kurz und präzise.
	Die Kurzfassung enthält keine persönlichen Wertungen oder Interpretationen.
	Direkte Reden wurden in die indirekte Rede umgewandelt.
	Als grammatikalische Zeit wurde das Präsens eingesetzt.
	Es wurden keine Sätze oder Passagen aus der Textvorlage übernommen.
	Die Kurzfassung wurde auf Rechtschreibung und Zeichensetzung überprüft.
	Die Kurzfassung ist auch für Leserinnen und Leser, die den Originaltext nicht kennen, verständlich.

7.2 Analysieren fiktionaler Texte

7.2.1 Einteilung von Texten

Die Einteilung von **Texten** kann nach unterschiedlichen Kriterien erfolgen:

siehe Band 1, Kapitel „Schreibhandlungen"

- **deskriptive Texte** informieren
- **narrative Texte** erzählen oder unterhalten
- **explikative Texte** erklären
- **argumentative Texte** überzeugen

- Meist werden diese Unterscheidungen danach getroffen, ob es sich um ein erdachtes, fiktives Geschehen handelt oder ob ein direkter Wirklichkeitsbezug besteht.
  Im ersten Fall spricht man von **fiktionalen oder literarischen Texten**, die eine Schriftstellerin oder ein Schriftsteller erschaffen hat. Zu diesen Texten zählen Werke aller Dichtungsgattungen wie Romane, Theaterstücke und Gedichte.
  Im zweiten Fall handelt es sich um **nicht fiktionale Texte**, sogenannte Sach- und Gebrauchstexte, die für den privaten Gebrauch (Tagebücher, Briefe), im Berufsleben (Lebenslauf, Geschäftsbrief), aber auch für wissenschaftliche (wissenschaftliche Abhandlungen) oder publizistische Zwecke (Zeitungstexte) gebraucht werden.

- **Lineare** Texte enthalten geschriebenen Text, **nicht lineare** enthalten Bilder und Grafiken.

- Je nach Intention des Textes unterscheidet man nach unterschiedlichen **Schreib-(Sprech-)Handlungen** (Erzählen, Berichten, Appellieren).

- Auch die **Funktion** des Textes kann ein Einteilungskriterium darstellen (deskriptive, narrative, explikative, argumentative Texte).

- Nach ihrer **inneren Ordnungsstruktur** unterscheidet man **Textsorten** wie die Rede, den Kommentar, den Leserbrief, die Zusammenfassung, die Stellungnahme, die Glosse etc.

- Im Hinblick auf den Schreibprozess sind Einteilungen in **Hilfstexte, Transfertexte** und **komplexe Texte** sinnvoll.

7.2.2 Warum Textbetrachtung wichtig ist

Texte kann man auf verschiedene Art und mit unterschiedlicher Absicht betrachten. Sprache vermag sehr viel, dessen sollten wir uns immer bewusst sein: Sie kann informieren, beeinflussen, Stimmungen hervorzaubern, aggressiv machen, beruhigen, versöhnen. Jede Form der Textbetrachtung hilft uns, die Mechanismen der Sprache zu durchschauen, sie kritisch zu hinterfragen und Manipulation zu erkennen.

Textanalyse ist ein unumgängliches Hilfsmittel, den Sinn, die Bedeutung, die Mechanismen und Wirkung von Sprache in Texten zu verstehen und Botschaften zu erkennen. Ein Werk **interpretieren** heißt, den Text auszulegen, zu erklären, zu deuten und damit zu verstehen. Eine Deutung sollte nur aufgrund einer sorgfältigen Untersuchung erfolgen. Eine Interpretation ohne vorhergehende Analyse ist nicht seriös.

Textanalyse und Textinterpretation sind daher Mittel, nicht nur literarische Texte sensibel zu betrachten, sondern auch die Sprache unserer Alltagswelt kritisch zu hinterfragen. Nur so ist es möglich zu verstehen, warum uns ein Text berührt, wir ihn ablehnen oder er uns sogar abstößt. So erkennen wir, welche Botschaft von einem Text ausgeht und wie sie bei uns ankommt, welche sprachlichen Strategien literarische Publikationen, aber noch viel mehr Massenmedien und Werbung verwenden und wie wir Manipulationsversuche erkennen können.

7.2.3 Fiktionale Texte – ein Überblick

Fiktionale (literarische) Texte sind:

- epische (erzählende) Texte
- lyrische (gedicht- oder liedhafte) Texte
- dramatische (darstellende) Texte

Man nennt sie auch die drei **Dichtungsgattungen: Epik**, **Lyrik** und **Dramatik**. Diese können sowohl in der gebundenen Sprache (Vers) als auch in der ungebundenen Sprache (Prosa) verfasst sein.

siehe Band 1, Kapitel „Schreibhandlungen“

3 Aufgabenstellung

●●

a. Ordnen Sie die genannten Begriffe den literarischen Gattungen Epik, Lyrik und Dramatik zu. Erstellen Sie eine Übersicht in Ihrem Heft.

Roman • Sonett • Trauerspiel • Kurzgeschichte • Novelle • Ode • Lied • Fernsehfilm • Märchen • Elfchen • Gedicht • Sage • Epos • Komödie • Lustspiel • Kanzone • Erzählung • Ballade • Tragödie • Prosaskizze • Schauspiel • Epigramm • Legende • Essay • Tragikomödie • Fabel • Feuilleton • Hymne • Haiku

b. Suchen Sie Textbeispiele zu den einzelnen Gattungen und ordnen Sie diese den Begriffen Prosa oder gebundene Sprache zu.

7.2.4 Die fünf Schritte zur Textanalyse (sRDP-Textsorte)

Schritt 1: Sich dem Text annähern

Ein Werk zu analysieren, zu zergliedern und zu untersuchen, um anschließend eine Deutung zu finden, erfordert nicht nur Übung, sondern auch die richtigen Strategien.

Die folgende Vorgangsweise hilft Ihnen, sich schrittweise einem epischen Text zu nähern, ihn zu verstehen und zu interpretieren.

siehe Kapitel „Lesen“

- **Lesen** Sie den Text **genau** und **aufmerksam**.
- **Markieren** Sie Ihnen unbekannte Wörter sowie entsprechende Textstellen.
- **Klären** Sie **unbekannte Wörter oder unklare Passagen** mithilfe von Nachschlagewerken oder mittels Internetrecherche.
- Verschaffen Sie sich einen **groben Überblick über den Inhalt**, indem Sie den Text mehrmals lesen und sich Notizen machen.
- **Suchen Sie Informationen** über die Autorin oder den Autor, über die Entstehungszeit und eventuelle Entstehungsbedingungen des Textes, falls es für das Textverständnis wesentlich erscheint.
- **Sammeln Sie erste Eindrücke**: Was könnte die Autorin bzw. der Autor mit dem Titel bzw. mit bestimmten Begriffen gemeint haben?

4 **Aufgabenstellung**

●

a. Nähern Sie sich der Kurzgeschichte „Die Küchenuhr“ von Wolfgang Borchert an, indem Sie sie nach den erwähnten Kriterien lesen und bearbeiten:

- Lesen Sie den Text aufmerksam.
- Markieren Sie Ihnen unbekannte Wörter und auffällige Textstellen.
- Klären Sie unverständliche Wörter oder Passagen.
- Verschaffen Sie sich einen groben Überblick über den Inhalt.
- Suchen Sie Informationen über den Autor und die Zeit, die in der Kurzgeschichte geschildert wird.

Wolfgang Borchert *(1921–1947), deutscher Schriftsteller. Sein Werk beschäftigt sich mit Kriegserlebnissen und Nachkriegsschicksalen. Es wird der sogenannten Trümmerliteratur zugerechnet.*

Wolfgang Borchert – **Die Küchenuhr**

Sie sahen ihn schon von Weitem auf sich zukommen, denn er fiel auf. Er hatte ein ganz altes Gesicht, aber wie er ging, daran sah man, daß er erst zwanzig war. Er setzte sich mit seinem alten Gesicht zu ihnen auf die Bank. Und dann zeigte er ihnen, was er in der Hand trug.

Das war unsere Küchenuhr, sagte er und sah sie alle der Reihe nach an, die auf der Bank in der Sonne saßen. Ja, ich hab sie noch gefunden. Sie ist übrig geblieben.

Er hielt eine runde tellerweiße Küchenuhr vor sich hin und tupfte mit dem Finger die blaugemalten Zahlen ab.

Sie hat weiter keinen Wert, meinte er entschuldigend, das weiß ich auch. Und sie ist auch nicht besonders schön. Sie ist nur wie ein Teller, so mit weißem Lack. Aber die blauen Zahlen sehen doch ganz hübsch aus, finde ich. Die Zeiger sind natürlich nur aus Blech. Und nun gehen sie auch nicht mehr. Nein. Innerlich ist sie kaputt, das steht fest. Aber sie sieht noch aus wie immer. Auch wenn sie jetzt nicht mehr geht.

Er machte mit der Fingerspitze einen vorsichtigen Kreis auf dem Rand der Telleruhr entlang. Und er sagte leise: Und sie ist übriggeblieben.

Die auf der Bank in der Sonne saßen, sahen ihn nicht an. Einer sah auf seine Schuhe und die Frau sah in ihren Kinderwagen. Dann sagte jemand:

Sie haben wohl alles verloren?

Ja, ja, sagte er freudig, denken Sie, aber auch alles! Nur sie hier, sie ist übrig. Und er hob die Uhr wieder hoch, als ob die anderen sie noch nicht kannten.

Aber sie geht doch nicht mehr, sagte die Frau.

Nein, nein, das nicht. Kaputt ist sie, das weiß ich wohl. Aber sonst ist sie doch noch ganz wie immer: weiß und blau. Und wieder zeigte er ihnen seine Uhr. Und was das Schönste ist, fuhr er aufgeregt fort, das habe ich Ihnen ja noch überhaupt nicht erzählt. Das Schönste kommt nämlich noch: Denken Sie mal, sie ist um halb drei stehen geblieben. Ausgerechnet um halb drei, denken Sie mal!

Dann wurde Ihr Haus sicher um halb drei getroffen, sagte der Mann und schob wichtig die Unterlippe vor. Das habe ich schon oft gehört. Wenn die Bombe runtergeht, bleiben die Uhren stehen. Das kommt von dem Druck.

Er sah seine Uhr an und schüttelte überlegen den Kopf. Nein, lieber Herr, nein, da irren Sie sich. Das hat mit den Bomben nichts zu tun. Sie müssen nicht immer von den Bomben reden. Nein. Um halb drei war etwas ganz anderes, das wissen Sie nur nicht. Das ist nämlich der Witz, daß sie gerade um halb drei stehen geblieben ist. Und nicht um viertel nach vier oder um sieben. Um halb drei kam ich nämlich immer nach Hause. Nachts, meine ich. Fast immer um halb drei. Das ist ja gerade der Witz.

Er sah die anderen an, aber sie hatten ihre Augen von ihm weggenommen. Er fand sie nicht. Da nickte er seiner Uhr zu: Dann hatte ich natürlich Hunger, nicht wahr? Und ich ging immer gleich in die Küche. Da war es dann fast immer halb drei. Und dann, dann kam nämlich meine Mutter. Ich konnte noch so leise die Tür aufmachen, sie hat mich immer gehört. Und wenn ich in der dunklen Küche etwas zu essen suchte, ging plötzlich das Licht an. Dann stand sie da in ihrer Wolljacke und mit einem roten Schal um. Und barfuß. Und dabei war unsere Küche gekachelt. Und sie machte ihre

Augen ganz klein, weil ihr das Licht so hell war. Denn sie hatte ja schon geschlafen. Es war ja Nacht.

So spät wieder, sagte sie dann. Mehr sagte sie nie. Nur: So spät wieder. Und dann machte sie mir das Abendbrot warm und sah zu, wie ich aß. Dabei scheuerte sie immer die Füße aneinander, weil die Kacheln so kalt waren. Schuhe zog sie nachts nie an. Und sie saß so lange bei mir, bis ich satt war. Und dann hörte ich sie noch die Teller wegsetzen, wenn ich in meinem Zimmer schon das Licht ausgemacht hatte. Jede Nacht war es so. Und meistens immer um halb drei. Das war ganz selbstverständlich, fand ich, daß sie mir nachts um halb drei in der Küche das Essen machte. Ich fand das ganz selbstverständlich. Sie tat das ja immer. Und sie hat nie mehr gesagt als: So spät wieder. Aber das sagte sie jedesmal. Und ich dachte, das könnte nie aufhören. Es war mir so selbstverständlich. Das alles war doch immer so gewesen.

Einen Atemzug lang war es still auf der Bank.

Dann sagte er leise:

Und jetzt? Er sah die anderen an. Aber er fand sie nicht. Da sagte er der Uhr leise ins weißblaue runde Gesicht: Jetzt, jetzt weiß ich, dass es das Paradies war. Das richtige Paradies.

Auf der Bank war es ganz still. Dann fragte die Frau: Und Ihre Familie?

Er lächelte sie verlegen an: Ach, Sie meinen meine Eltern? Ja, die sind auch mit weg. Alles ist weg. Alles, stellen Sie sich vor. Alles weg.

Er lächelte verlegen von einem zum anderen. Aber sie sahen ihn nicht an.

Da hob er wieder die Uhr hoch und lachte. Er lachte: Nur sie hier. Sie ist übrig. Und das Schönste ist ja, daß sie ausgerechnet um halb drei stehen geblieben ist. Ausgerechnet um halb drei.

Dann sagte er nichts mehr. Aber er hatte ein ganz altes Gesicht. Und der Mann, der neben ihm saß, sah auf seine Schuhe. Aber er sah seine Schuhe nicht. Er dachte immerzu an das Wort Paradies.

Borchert, Wolfgang: Die Küchenuhr. In: Das Gesamtwerk. 2. Auflage, Reinbek bei Hamburg, Rowohlt, 2011, S. 237–239, Originalschreibweise

b. Stellen Sie Überlegungen zu folgenden Fragen an:

- In welcher Zeit könnte diese Kurzgeschichte spielen? Lesen Sie dazu auch die Informationen über den Schriftsteller.
- Wie wird der Protagonist in den Einleitungssätzen beschrieben? Finden Sie dafür eine plausible Erklärung.
- Achten Sie auf den Titel der Kurzgeschichte: Wofür steht die Küchenuhr symbolisch?
- Welche Wörter und Wendungen werden mit welcher Absicht wiederholt?
- Wie heißen die Schlüsselwörter, wofür stehen sie?
- Welche Rolle spielt die direkte Rede?

c. Sie kennen bereits die Begriffe „Erzählform" und „Erzählperspektive". Welche Erzählform und welche Perspektive können Sie in dieser Kurzgeschichte erkennen?

d. Wie kann man den Protagonisten der Kurzgeschichte charakterisieren, wie die Nebenfiguren? Welchen ersten Eindruck hatten Sie von den Figuren? Hat sich der Eindruck beim intensiveren Beschäftigen mit dem Text verstärkt oder verändert?

e. Welche Aussage möchte der Autor mit seinem Text machen? Welche Botschaft möchte er der Rezipientin oder dem Rezipienten vermitteln?

f. Welche Wirkung hat der Text auf Sie, nachdem Sie ihn aufmerksam gelesen und analysiert haben? Hatte der Text spannende Elemente? Wo würden Sie den Höhepunkt der Spannung ansetzen? Wie verläuft das Ende – löst sich die Spannung auf? Bleiben Fragen offen? Ist die Situation für die Rezipientin oder den Rezipienten zufriedenstellend? Warum könnte der Autor diese Form des Endes gewählt haben?

g. Geben Sie den Inhalt der Kurzgeschichte „Die Küchenuhr" wieder. Schreiben Sie ca. 250 Wörter.

Erzählform
- Ich-Erzähler
- Er- / Sie-Erzähler

Erzählperspektive
- auktorialer Erzähler (Außen- und Innenperspektive)
- personaler Erzähler (Innenperspektive)
- neutraler Erzähler (Außenperspektive)

Schritt 2: Aufbau und Handlungsverlauf analysieren

Der nächste Schritt auf dem Weg zur Textanalyse bzw. Textinterpretation ist die Untersuchung der sprachlichen Darstellung des Aufbaus und des Handlungsverlaufs.

Aufbau und Handlungsverlauf

sRDP

- **Der Handlungsverlauf epischer Texte ist**
  - episch **breit:** detailgetreue Schilderung von Personen, Ereignissen, Orten, Gegenständen oder
  - episch **verknappt:** Beschreibung des Notwendigsten

  Der Text wird bestimmt von
  - den **inneren Handlungen:** Empfindungen, Gedanken und Gefühle der handelnden Figuren oder
  - den **äußeren Handlungen:** handlungsreiches Geschehen, abwechslungsreiche Ereignisse
- **Der Aufbau des Textes ist**
  - **offen:** offener Anfang und / oder offenes Ende oder
  - **geschlossen:** Einleitung und die Handlung beendender Schluss

  Weitere wichtige Kennzeichen des Textes sind
  - **Spannungskurve:** Wo sind im Text steigende bzw. fallende Handlungselemente?
  - **Höhepunkt** der Handlung: Wo ist der Text am spannendsten?
  - **Wendepunkt** der Handlung: Wo wendet sich die Geschichte z. B. zum Guten bzw. zum Schlechten?
  - **retardierendes Moment:** Gibt es eine die Spannung verzögernde Handlung?

retardierend: verzögernd

5 Aufgabenstellung

●●●

Diskutieren Sie, wie Sie folgende Textausschnitte aufgrund ihres Aufbaus und Handlungsverlaufs kategorisieren würden. Begründen Sie Ihre Entscheidung und versuchen Sie, in der Gruppe zu einer Einigung zu kommen.

Sidonie Adlersburg war noch kein Jahr alt, als man ihren Ziehvater zu Hause abholte und auf den Gendarmerieposten Sierning trieb. Dort wurde er in Eisen geschlossen und mit aufgepflanztem Bajonett[1] bedroht. Gestehst endlich. Red schon! Und als er immer noch schwieg: Dich kriegen wir auch noch weich. Drei Tage vorher, am zwölften Februar vierunddreißig, hatte sich Hans mit einer Umarmung von Josefa und den Kindern verabschiedet, um im Steyrer Kreisgefängnis seine Strafe anzutreten. Ursprünglich waren Breirather, Niedermayr und Fuchs übereingekommen, damit bis zum ersten März zuzuwarten – dann wäre ihre Haftzeit zur Gänze in die warme Jahreshälfte gefallen, die ihre Familien leichter überstanden hätten, im Frühjahr und Sommer war das Leben billiger, brauchte man keine Kohlen zum Heizen, keine Schuhe für die Kinder, da tat es auch leichtere Kost. Aber das Gericht hatte seine Einwilligung verweigert [...].

Hackl, Erich: Abschied von Sidonie. Zürich, Diogenes, 1991, S. 32

[1] *Bajonett: Gewehr, auf das eine Hieb- und Stichwaffe aufgesetzt wurde*

Einmal kaufte er beim Gemüsehändler Lauch, Ananas, Bananen, Kirschen, Äpfel, Zwiebel, Melonen. Dazu Kressebüschel, duftende Salbeiblätter, silbrig grün glänzend wie Fische. Er formte Figuren aus Gemüse und Früchten. Dunkle Kirschenaugen, die schmale Form des Lauchs als Körper, die weißen Wurzeln das Haar, eine Melone als Sonne, ein Mann, eine Frau. Der Sommer blühte nun auch in seinem Fenster, im Paradies, einen langen Tag. Sie stand vor diesem Geschenk. Sie lächelte, ihre Augen begegneten einander durch das Fenster. Sein Herz stolperte, seine Brust weitete sich, der Eisblock begann, an den Rändern zu schmelzen. Sie lächelte, vorsichtig, zögernd. Er deutete eine kleine, höfliche Verbeugung an. Sie nickte und ging weiter.

Schütze, Silke: Der Funker und das Paradies. In: Wolff, Steffi (Hg.): Liebe macht doof. Frankfurt am Main, Fischer Taschenbuch, 2011, S. 281

Schritt 3: Erzählstruktur analysieren

Erzählstruktur

sRDP

Zur Erzählstruktur gehören die **Handlungsstruktur** und die **Reihenfolge des Erzählens**.

- **Aufbau der Handlungsstruktur**
  - **einsträngig:** Nur eine einzige Handlung bestimmt die Geschichte.
  - **mehrsträngig:** Mehrere Handlungen verlaufen parallel nebeneinander, überschneiden sich oder getrennt erzählte Geschehensfolgen laufen am Ende zusammen.
  - In manchen Texten gibt es eine **Rahmenhandlung**, innerhalb derer eine Geschichte erzählt wird (die Geschichte in der Geschichte).
- **Reihenfolge des Erzählens**
  - Fiktionale Texte können **chronologisch erzählt werden**, das heißt, die Darstellung der Handlung erfolgt in der zeitlich richtigen Folge. Man bezeichnet diese Art des Erzählens als **kontinuierliche / lineare** Handlung.
  - Die Handlung kann auch **diskontinuierlich / nicht linear** dargestellt werden.
    - **Rückblenden** oder **Vorausschauen** können die chronologische Ordnung durchbrechen.
    - Die Geschichte wird **vom Ende her aufgerollt**, aber die Rezipientin oder der Rezipient erkennt die Zusammenhänge erst am Ende des Textes.
    - Die Geschichte **beginnt mitten in der Handlung** oder **kurz vor dem Schluss**, die Vorgeschichte wird im Handlungsverlauf nachgereicht.

6 Aufgabenstellung

O

Diskutieren Sie, welche Reihenfolge des Erzählens bei der Rezipientin bzw. beim Rezipienten mehr Spannung aufkommen lässt. Für welches Genre bietet sich welche Reihenfolge besonders an? Besprechen Sie Ihre Leseerfahrungen im Hinblick auf Reihenfolge und Handlungsstruktur. Sammeln Sie gemeinsam Titel von Romanen, auf welche die unterschiedlichen Erzählstrukturen zutreffen.

Genre, das: Gattung

Erzählzeit – erzählte Zeit

sRDP

- Die **erzählte Zeit** umfasst den **Zeitraum,** über den sich eine **Erzählung** streckt.
- Die **Erzählzeit** bezieht sich auf den **zeitlichen Umfang**, den man benötigt, um eine Geschichte **zu lesen, zu erzählen** oder **zu hören**.

  In zahlreichen Geschichten werden einzelne Teile sehr akzentuiert dargestellt, also mit Zeitdehnung erzählt, wenn sie der Autorin oder dem Autor bedeutsam scheinen. Andere Teile des Textes werden als Zeitraffer geschildert oder auch deckungsgleich mit der erzählten Zeit. In Romanen variieren also Zeitdehnung, Zeitdeckung und Zeitraffer häufig.

  - **Zeitdeckung:** Die Erzählzeit und die erzählte Zeit sind ident.
  - **Zeitraffer:** Die Erzählzeit ist kürzer als die erzählte Zeit.
  - **Zeitdehnung:** Die Erzählzeit ist länger als die erzählte Zeit.

Die **inhaltliche Funktion der Zeit** kann ein wesentliches Kriterium der Textinterpretation darstellen. In vielen literarischen Werken ist der **historische Zeitrahmen**, in dem die Handlung spielt, ausschlaggebend. Die Zeit kann auch **symbolisch** gesehen werden (z. B. in George Orwells Roman „1984“).

Schritt 4: Analysieren, wie der Raum gestaltet ist

Gestaltung des Raumes

sRDP

Arten von Schauplätzen

- **ein real existierender Schauplatz**
  z. B. Heimito von Doderer „Die Strudlhofstiege“
- **ein in der Realität nicht existierender Schauplatz**
  - ein realistischer Schauplatz (ein der Realität nachempfundener Schauplatz)
    z. B. Gottfried Keller „Die Leute von Seldwyla“
  - ein irrealer Schauplatz (fantastischer Raum)
    z. B. J. R. R. Tolkien „Herr der Ringe“ (Schauplatz: Mittelerde)

Bedeutung des Raumes

- **Handlungsraum:** Der Schauplatz ist ein wesentliches Handlungselement, also Handlungsträger (z. B. Agatha Christie „Mord im Orientexpress“).
- **Stimmungsraum:** Der Schauplatz hat symbolische Bedeutung; er drückt bestimmte Stimmungen aus, wobei der Raum auch als Metapher stehen kann (z. B. Franz Kafka „Das Schloss“).
- **Lebensraum:** Hierbei handelt es sich um einen typischen Schauplatz, in dem die handelnden Figuren zu Hause sind. Konkrete Lebensumstände von Protagonistinnen und Protagonisten sowie ihr Milieu werden genau beschrieben / dargestellt (z. B. Marie von Ebner-Eschenbach „Das Gemeindekind“).
- **Topos:** Dieser ist ein klischeehafter Schauplatz (z. B. ein Palmenstrand, eine Privatklinik).

Requisiten

Gegenstände können für eine Handlung besonders wichtig sein, sie werden zu Handlungsträgern. Diese Gegenstände haben häufig symbolhafte Bedeutung. Gegenstände, die einen Raum kennzeichnen, für einen Raum typisch sind, nennt man **Versatzstücke** (z. B. Kreide und Schwamm sind Versatzstücke für den Klassenraum).

7 Aufgabenstellung

a. ●●●
Nennen Sie je ein literarisches Werk mit realem, mit realistischem und mit irrealem Schauplatz.

b. ●●●
Überlegen Sie sich Beispiele, in denen die Bedeutung des Raums als Handlungsraum, als Stimmungsraum, als Lebensraum und als Topos überwiegt.

c. ●●●
Kennen Sie einen epischen Text, in dem Requisiten eine herausragende Rolle spielen?

d. ○
Besprechen Sie die Ergebnisse Ihrer Gruppenarbeit.

8 Aufgabenstellung

●●●
Überlegen Sie, welchen Aufbau, welchen Handlungsverlauf und welche Erzählstruktur Wolfgang Borcherts Kurzgeschichte „Die Küchenuhr“ hat und wie er den Raum der Handlung darstellt sowie Erzählzeit und erzählte Zeit gestaltet. Unterstreichen Sie die entsprechenden Passagen im Text. Notieren Sie die Ergebnisse Ihrer Gruppenarbeit.

Schritt 5: Analysieren, wie Personen beschrieben sind

In fiktionalen Texten wird häufig das Schicksal **einer Person oder mehrerer Personen** beschrieben. Die Figuren haben Konflikte und Probleme miteinander, sie kommen mit sich selbst und ihrem Leben nicht zurecht, sie erleben außergewöhnliche Schicksalsschläge oder besondere Glücksfälle, die ihr weiteres Leben beeinflussen. In vielen Texten wird die **Protagonistin** oder der **Protagonist als Heldin oder Held** dargestellt. In der modernen Literatur ist die Rolle der **Hauptfigur** häufig auch als **Antiheldin** bzw. **Antiheld** angelegt.

9 **Aufgabenstellung**

O

Diskutieren Sie in der Klasse darüber, welche Charaktermerkmale Ihrer Meinung nach eine Heldin bzw. ein Held haben sollte. Sammeln Sie entsprechende Beispiele aus Literatur, Film sowie aus dem täglichen Leben. Ist der Begriff der Heldin oder des Helden noch zeitgemäß? Wie viele Heldinnen fallen Ihnen ein?

abc

Figuren

sRDP

- **Hauptfiguren** (Protagonistinnen bzw. Protagonisten), die **im Zentrum einer Geschichte stehen**, sind oft psychologisch ausgeformte Charaktere, die sich im Laufe der Handlung weiterentwickeln. Hauptfiguren lösen bei der Rezipientin oder beim Rezipienten Gefühle aus (Sympathie, Antipathie; sie erzeugen Neugier oder Abscheu, sie erregen Mitleid, sie machen auf die Person neugierig). Häufig haben die Hauptfiguren eine **Gegenspielerin** oder einen **Gegenspieler**. Ihr Agieren sollte logisch motiviert sein, abrupte oder unverständliche Handlungsweisen stören die Leserinnen und Leser.
- **Nebenfiguren** stehen zwar nicht im Mittelpunkt der Handlung, können aber häufig eine **wichtige, die Handlung bestimmende Rolle** einnehmen (z. B. Bruder Lorenzo in Shakespeares „Romeo und Julia"). Es gibt auch fiktionale Texte, die aus der Sicht einer Nebenfigur erzählt werden (z. B. wird Herman Melvilles Roman „Moby Dick" aus der Perspektive der Nebenfigur Ishmael geschildert).

CHECKLISTE – Beschreiben und Charakterisieren von Personen

- äußeres Erscheinungsbild (Aussehen, Bewegung, Mimik, Gestik, typische Kleidung etc.)
- besondere Begabungen oder Talente
- Familie, soziales Umfeld, Milieu, Beziehungsfähigkeit oder -unfähigkeit
- Beruf, Ansehen, Prestige, Stellung in der Gesellschaft
- Vergangenheit oder Vorgeschichte manifestieren sich in Gewohnheiten, Erwartungen, Vorurteilen, Vorbildern, alten Freundinnen bzw. Freunden und Feindinnen bzw. Feinden
- Einstellungen politischer, weltanschaulicher oder religiöser Natur
- Vorlieben, Hobbys
- Wünsche, Ziele, Ehrgeiz, Orientierungslosigkeit etc.
- Verhalten in Stresssituationen sowie in Krisen
- rätselhafte oder geheimnisvolle Züge

10 Aufgabenstellung

●●●

Wie könnte man den Protagonisten, wie die Nebenfiguren in Wolfgang Borcherts Kurzgeschichte „Die Küchenuhr" beschreiben und charakterisieren? Beachten Sie dabei, dass Sie nur aus dem Text herauslesen können, was auch im Text steht. Markieren Sie die relevanten Stellen im Text.

11 Aufgabenstellung

sRDP

●

Fassen Sie alle Zwischenergebnisse Ihrer Analyse der Kurzgeschichte „Die Küchenuhr" zusammen (siehe Aufgabenstellungen 4, 8, 10) und verfassen Sie als Vorarbeit für eine Textinterpretation eine **Textanalyse**, indem Sie Ihre Untersuchungen einbauen. Bearbeiten Sie dabei folgende Schreibaufträge:

- **Geben** Sie den Inhalt der Kurzgeschichte in komprimierter Form **wieder.**
- **Untersuchen** Sie den Text hinsichtlich seiner Sprache, insbesondere seiner Wortwahl und seiner rhetorischen Stilmittel (Metaphern, Wiederholungen, Einsatz der direkten Rede etc.).
- **Analysieren** Sie die Kurzgeschichte hinsichtlich ihrer formalen Gestaltung (Erzählzeit und Erzählperspektive).

Schreiben Sie ca. 400 Wörter. Markieren Sie Absätze mittels Leerzeilen.

Walter Jens
(1923–2013)

12 Aufgabenstellung

a. ●

Lesen Sie den folgenden Text von Walter Jens, unterstreichen Sie Ihnen unbekannte Wörter und unklare Textpassagen oder Wörter. Notieren Sie stichwortartig die ersten Eindrücke, die Sie vom Text haben.

b. ○

Diskutieren Sie in der Klasse darüber, was Ihr erster Eindruck vom Text war und welche Stellen auffällig waren.

Walter Jens – **Bericht über Hattington**

Der Winter kam in diesem Jahr sehr früh, schon Mitte November hatten wir 15 Grad Kälte, und in der ersten Dezemberwoche schneite es sechs Tage lang hintereinander, am fünften, einem Mittwoch, brach Hattington aus. Er hatte offenbar damit gerechnet, dass der Schnee seine Spuren verschluckte – und die Rechnung ging auf. Die Hunde verloren die Witterung, und die Gendarmen kehrten noch im Laufe der Nacht nach Colville zurück.

Am Morgen darauf wurde unser Polizeiposten verstärkt, und Sergeant Smith bekam zwei neue Kollegen: Man vermutete nämlich, dass Hattington versuchen würde, auf dem schnellsten Wege zu uns nach Knox zu gelangen, denn hier hatte man ihn, einen seit langem gesuchten Verbrecher, im Mai auf offener Straße verhaftet – wahrscheinlich auf eine Anzeige hin, die von der Kellnerin Hope und dem Tankstellenwart Madison kam, bei denen Hattington in Kreide stand. Die Annahme lag also nahe, dass der Zuchthäusler, um Rache zu nehmen, zuerst nach Knox kommen würde. Von nun an wohnte die Angst in unserer Stadt. Martha Hope verreiste für einige Wochen, Madison hatte den Revolver entsichert neben dem Bett. Aber auch wir anderen waren in Sorge: Nach 10 Uhr abends verließ niemand sein Haus, die Kinder wurden von den Eltern zur Schule gebracht. Die Polizei durchkämmte jeden Winkel; kein Keller und kein Speicher, kein Schuppen und keine Baracke, die man nicht mehrfach durchsuchte, sogar die Kanalisationsschächte wurden geprüft. Doch obwohl sich nirgendwo auch nur die schwächste Fährte fand (kein Anzeichen einer Vermutung, geschweige denn eine handfeste Spur), wollte das Gerücht nicht verstummen, einer unter uns habe den Entkommenen, der nur auf seine Stunde warte, versteckt: Einmal sollte es der Schankwirt Ellington, ein andermal der Zeitungshändler Bore, das dritte Mal ein zugewanderter Hausierer sein, der seine Waren zwischen Colville und Baxton verkaufte. Das Misstrauen beherrschte die Stadt; anonyme Briefe wurden geschrieben; im „Colville-Star" fand man geheimnisvolle Annoncen: „ACHTET AUF BORE oder JUDAS ELLINGTON, WO WARST DU AM 4. DEZEMBER?". Erst als Weihnachten und Neujahr vorbeigingen, ohne dass das Geringste geschah, begannen wir wieder Hoffnung zu schöpfen, zumal es jetzt hieß, ein reisender Weinhändler habe Hattington in einer kanadischen Kleinstadt, nahe der Grenze, gesehen. Martha Hope kehrte zurück; Madison verkaufte den Wachhund, in den Wirtschaften war wieder Hochbetrieb, und es hatte den Anschein, als ob unsere Bürger das wochenlange Versäumnis in ein paar Tagen nachholen wollten. Die Fenster wurden entriegelt, Sicherheitsschlösser geöffnet, man hörte Lärm und Musik auf den Straßen, und die Maskerade im *Saloon*, ein Fest wie seit Jahren nicht mehr, dauerte bis gegen sechs Uhr früh.

Aber dann fand man plötzlich, am 11. Januar, unten am Fluss die Leiche von Emily Sawdy, und zwei Tage später wurde Helen Fletcher, ein vierzehnjähriges Mädchen, auf dem Schulweg von einem Maskierten in einen Hausflur gezerrt und in grausamer Weise misshandelt. Hattington, daran (so glaubte man) gab es nun nichts mehr zu deuteln, war also in der Stadt ... Wer aber hatte ihn versteckt? Madison vielleicht, um sich freizukaufen? Oder Martha Hope, weil sie erpresst worden war? Schwarze Listen machten die Runde, Häuserwände und Gehsteige waren mit Verleumdungen bedeckt; und als am 1. Februar das Drei-Männer-Tribunal beauftragt wurde, das Leben jeden Bürgers genau zu durchforschen, begann eine Hexenjagd, die an die schlimmsten Zeiten denken ließ. Bald gab es kein Geheimnis mehr, das, von Schnüfflern entdeckt, nicht ans Tageslicht kam: Ehemänner, die einmal gefehlt hatten, sahen sich wie Verbrecher behandelt, harmlose Trinker wurden des Mordes verdächtigt, der Frauenverein ließ vor den Kino-Vorstellungen Zettel verteilen, auf denen sich die Bürger ermahnt sahen, den Umgang mit gewissen Leuten, wenn ihnen das Leben lieb sei, zu meiden.

Auf der anderen Seite mehrten sich gerade in diesen Tagen unter den jungen Leuten Unordnung und Zuchtlosigkeit. Während die Älteren ihre Häuser nach Möglichkeit nur noch zur Arbeit oder zum Kirchgang verließen, versammelten sich die Jüngeren abends im Wirtshaus, tranken und johlten, pöbelten die Erwachsenen an und errichteten am Ende ein solches Schreckensregime, dass wir ihrer nur mit Hilfe einer Art von Zivilpolizei, der Bürgerwehr, Herr werden konnten. Schließlich blieb kein anderer Ausweg, als die Rädelsführer kurzweg zu verhaften – und dabei kam dann heraus, dass auch die schlimmsten Radaubrüder sich eher aus Furcht, eines Tages Hattingtons Opfer zu werden, denn aus Übermut zusammenrotteten. Das hat mir wieder einmal gezeigt, wie schnell die allgemeine Raserei im Schatten der Angst und des Schreckens gedeiht. Doch im Übrigen standen die Eltern, was den Verfall der Sitten betrifft, ihren Kindern nicht nach. Ich selbst habe Nächte erlebt, in denen man mich mehr als ein Dutzend Mal anrief, um mich mit verstellter Stimme zum Boykott angeblich verdächtiger Bürger zu zwingen.

Und dann kam jener 17. März, an dem man Madison erwürgt in seinem Zimmer fand; der Mörder hatte ihm ein Kainsmal auf die Schläfe gebrannt. Von diesem Tag an war es auch den Vernünftigen unter uns nicht mehr möglich, Geduld zu bewahren. Wer jetzt noch zur Besonnenheit mahnte und dem hysterischen Taumel zu begegnen versuchte, sah sich kurzerhand auf die Verdächtigen-Liste gesetzt – und das hieß: eingeworfene Scheiben, zerschlagener Hausrat, Anzeigen, Prügel und Feme[1]. Nur ein paar Wochen noch, und es kam zu Tätlichkeiten unter den Bürgern. Schon Anfang April hatten Fanatiker eine Negergruppe gelyncht[2], einige Tage später die Praxis des jüdischen Doktors zerschlagen. Nun ging man einen Schritt weiter; im Zeichen Hattingtons wurden alte, längst verjährte Rechnungen beglichen, Revolver, Messer und Knute[3] regierten, und wer sich widersetzte, dem wurde zum Lohn mit Kreide ein H auf die Haustür gemalt: Er ist ein Hattington-Freund, ihr könnt mit ihm tun, was ihr wollt, niemand wird ihm beistehen wollen.

Im April hat dann sogar Reverend Snyder, einer der letzten besonnenen Männer kapituliert; von der Kanzel aus befahl er uns, den Mörder und seine Helfeshelfer zu jagen. Das war am Sonntag vor Ostern, am Tag darauf war die Macht des Winters gebrochen, und die große Schmelze begann. Die Sonne brachte alles an den Tag: Am Karfreitag fand man Hattingtons Leiche, hundert Meter vom Zuchthaus entfernt. Weiter war er nicht gekommen, bei seinem Ausbruchsversuch im November. Der Schnee hatte die Spuren verschluckt, der Eissarg seinen Körper geschützt.

Von diesem Tage an begann es still zu werden, hier bei uns in Knox. Wer es irgend ermöglichen konnte, zog weg. Emily Sawdys und Madisons Mörder aber wurde niemals gefunden, das Vergehen an Helen Fletcher nicht gesühnt. Nur ich habe einen bestimmten Verdacht, doch ich schweige, und sonst weiß niemand, wer der Täter war. Eines aber ist sicher; es gibt nicht viele Leute in unserer Stadt, die frei sind von Schuld.

Jens, Walter: Bericht über Hattington. In: Herr Meister. Dialog über einen Roman. München / Zürich, Piper, 1963, S. 32–38

Zum Autor:
Walter Jens war Ordinarius der Universität Tübingen, Schriftsteller, Kritiker und Übersetzer. In seinem Roman „Nein. Die Welt der Angeklagten" protestierte er gegen ein utopisches Modell totalitärer Macht.
Dem linksliberalen Autor wurde vorgeworfen, in seiner Jugendzeit Mitglied der NSDAP gewesen zu sein.

[1] *Feme, die: geheime gerichtsähnliche Versammlung*
[2] *lynchen: jemanden wegen einer (als unrecht angesehenen) Tat grausam misshandeln oder töten*
[3] *Knute, die: Peitsche*

c. ●●●
Überlegen Sie, welche Erzählform und Erzählperspektive, welchen Aufbau und Handlungsverlauf, welche Erzählstruktur und welche Gestaltung des Raumes der Text „Bericht über Hattington“ von Walter Jens hat und wie Erzählzeit und erzählte Zeit gestaltet sind. Unterstreichen Sie im Text, anhand welcher Passagen Sie die Kennzeichen festmachen konnten, und füllen Sie die folgende Tabelle aus:

Analysekriterien		Textpassagen
Erzählform:	Ich-Form	Nur ich habe einen bestimmten Verdacht ...
Erzählperspektive:		
Aufbau:		
Handlungsverlauf:		
Erzählstruktur:		
Raumgestaltung:		
Erzählzeit:		
erzählte Zeit:		

d. ●●●
Wie könnte man die Protagonisten, wie die Nebenfiguren im Text beschreiben und charakterisieren? Begründen Sie Ihre Deutungen anhand von Textpassagen. Nehmen Sie die „Checkliste zum Beschreiben und Charakterisieren von Personen“ (S. 143) als Hilfestellung.

e. ●●●
Handelt es sich laut Titel wirklich um einen Bericht? Stellen Sie Überlegungen an, warum der Autor diese Überschrift gewählt hat.

f. ●●●
Überlegen Sie, welche Aussage der Autor mit diesem Text machen wollte. Was wollte Walter Jens seinen Leserinnen und Lesern mit der Geschichte verdeutlichen? Was meinte der Autor mit dem Satz: „Eines aber ist sicher; es gibt nicht viele Leute in unserer Stadt, die frei sind von Schuld.“

g. ○
Diskutieren Sie in der Klasse über die Ergebnisse Ihrer Gruppenarbeit. Halten Sie die für Sie neuen Erkenntnisse Ihrer Mitschülerinnen und Mitschüler in Form von Notizen fest.

7.2.5 Die Textanalyse im Überblick

Gliederung einer Textanalyse (epischer Text) sRDP

- Die **Einleitung** enthält **Informationen** über die Autorin bzw. den Autor, die Quelle (Titel, Ort, Datum), die **Textgattung** und das **Thema**.
- Der **Hauptteil** besteht aus einer kurzen **Inhaltsangabe** sowie der **inhaltlichen, formalen und sprachlichen Analyse:**
  - Erzählform
  - Erzählperspektive
  - Aufbau und Handlungsverlauf
  - Erzählstruktur
  - Erzählzeit und erzählte Zeit
  - Raumgestaltung
  - Personenbeschreibung und Personencharakteristik
  - sprachliche Merkmale des Textes (Syntax, Semantik, rhetorische Stilmittel)
- Im **Schlussteil** werden die Ergebnisse der Analyse und der Beschreibung der Besonderheiten des (epischen) Textes zusammengefasst.
- Die grammatikalische Zeitform ist das **Präsens.** Direkte Reden müssen in die **indirekte Redeweise** umgewandelt werden.
- Die Analyse des Textes und seiner Aussagen hat **sachlich** zu erfolgen. Sie ist nicht interpretativ, sondern beschränkt sich auf die Analyse der **Textqualitäten,** die anhand von Analysekriterien dargelegt werden. Die Textanalyse eines literarischen Textes ist Bestandteil einer Textinterpretation.

13 Aufgabenstellung sRDP

Verfassen Sie eine **Textanalyse** von Walter Jens „Bericht über Hattington". Arbeiten Sie die Ergebnisse und Erkenntnisse Ihrer geleisteten Vorarbeiten (siehe Aufgabenstellung 12) ein. Nutzen Sie auch das Formblatt (S. 149). Bearbeiten Sie dabei folgende Schreibaufträge:

- **Geben** Sie kurz den Inhalt des Textes in komprimierter Form **wieder**.
- **Untersuchen** Sie den Text hinsichtlich seines formalen Aufbaus, seiner Erzählzeit und Erzählperspektive.
- **Charakterisieren** Sie die wichtigsten Figuren des Textes hinsichtlich ihrer Rolle in der Handlung.

Schreiben Sie zwischen 400 und 500 Wörter. Markieren Sie Absätze mittels Leerzeilen.

14 Aufgabenstellung sRDP

Lesen Sie den Text „Das Fenstertheater" von Ilse Aichinger aufmerksam. Verfassen Sie eine **Textanalyse** der Kurzgeschichte. Nutzen Sie das Formblatt (S. 149). Bearbeiten Sie folgende Schreibaufträge:

- **Geben** Sie den Inhalt des Textes in komprimierter Form **wieder**.
- **Charakterisieren** Sie die Kurzgeschichte im Hinblick auf die beiden Protagonisten.
- **Untersuchen** Sie den Text hinsichtlich seines formalen Aufbaus und Handlungsverlaufes.
- **Erläutern** Sie die sprachliche Gestaltung des Textes (Textsorte, Stilmittel, Metaphern, Verwendung von Verben und Adjektiven etc.).

Schreiben Sie zwischen 540 und 660 Wörter. Markieren Sie Absätze mittels Leerzeilen.

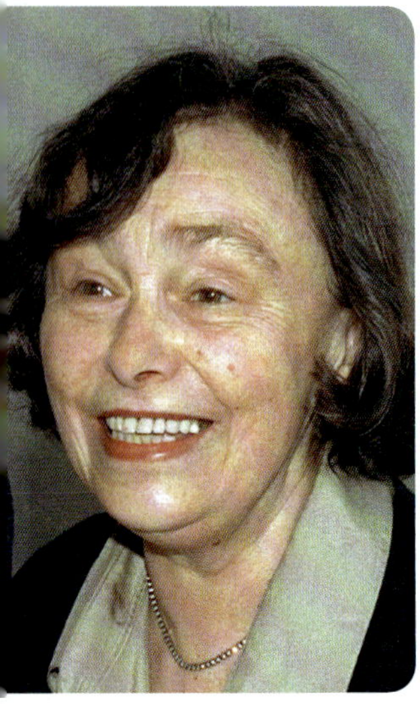

Ilse Aichinger *(1921-2016), österreichische Schriftstellerin*

Ilse Aichinger – **Das Fenstertheater**

Die Frau lehnte am Fenster und sah hinüber. Der Wind trieb in leichten Stößen vom Fluss herauf und brachte nichts Neues. Die Frau hatte den starren Blick neugieriger Leute, die unersättlich sind. Es hatte ihr noch niemand den Gefallen getan, vor ihrem Haus niedergefahren zu werden. Außerdem wohnt sie im vorletzten Stock, die Straße lag zu tief unten. Der Lärm rauschte nur mehr leicht herauf. Alles lag zu tief unten. Als sie sich eben vom Fenster abwenden wollte, bemerkte sie, dass der Alte gegenüber Licht angedreht hatte. Da es noch ganz hell war, blieb dieses Licht für sich und machte den merkwürdigen Eindruck, den aufflammende Straßenlaternen unter der Sonne machen. Als hätte einer an seinen Fenstern die Kerzen angesteckt, noch ehe die Prozession die Kirche verlassen hat. Die Frau blieb am Fenster.

Der Alte öffnete und nickte herüber. „Meint er mich?", dachte die Frau. Die Wohnung über ihr stand leer, und unterhalb lag eine Werkstatt, die um diese Zeit schon geschlossen war. Sie bewegte leicht den Kopf. Der Alte nickte wieder. Er griff sich an die Stirne, entdeckte, dass er keinen Hut auf hatte, und verschwand im Innern des Zimmers. Gleich darauf kam er in Hut und Mantel wieder. Er zog den Hut und lächelte. Dann nahm er ein weißes Tuch aus der Tasche und begann zu winken. Erst leicht und dann immer eifriger. Er hing über die Brüstung, dass man Angst bekam, er würde vornüberfallen. Die Frau trat einen Schritt zurück, aber das schien ihn nur zu bestärken. Er ließ das Tuch fallen, löste seinen Schal vom Hals – einen großen bunten Schal – und ließ ihn aus dem Fenster wehen. Dazu lächelte er. Und als sie noch einen weiteren Schritt zurücktrat, warf er den Hut mit einer heftigen Bewegung ab und wand den Schal wie einen Turban um seinen Kopf. Dann kreuzte er die Arme über der Brust und verneigte sich. Sooft er aufsah, kniff er das linke Auge zu, als herrsche zwischen ihnen ein geheimes Einverständnis. Das bereitete ihr so lange Vergnügen, bis sie plötzlich nur mehr seine Beine in dünnen, geflickten Samthosen in die Luft ragen sah. Er stand auf dem Kopf. Als sein Gesicht gerötet, erhitzt und freundlich wieder auftauchte, hatte sie schon die Polizei verständigt.

Und während er, in ein Leintuch gehüllt, abwechselnd an beiden Fenstern erschien, unterschied sie schon drei Gassen weiter über dem Geklingel der Straßenbahnen und dem gedämpften Lärm der Stadt das Hupen des Überfallautos. Denn ihre Erklärung hatte nicht sehr klar und ihre Stimme erregt geklungen. Der alte Mann lachte jetzt, so dass sich sein Gesicht in tiefe Falten legte, streifte dann mit einer vagen Gebärde darüber, wurde ernst, schien das Lachen eine Sekunde lang in der hohlen Hand zu halten und warf es dann hinüber. Erst als der Wagen schon um die Ecke bog, gelang es der alten Frau, sich von seinem Anblick loszureißen.

Sie kam atemlos unten an. Eine Menschenmenge hatte sich um den Polizeiwagen gesammelt. Die Polizisten waren abgesprungen, und die Menge kam hinter ihnen und der Frau her. Sobald man die Leute zu verscheuchen suchte, erklärten sie einstimmig, in diesem Haus zu wohnen. Einige davon kamen bis zum letzten Stock mit. Von den Stufen beobachteten sie, wie die Männer, nachdem ihr Klopfen vergeblich blieb und die Glocke allem Anschein nach nicht funktionierte, die Tür aufbrachen. Sie arbeiteten schnell und mit einer Sicherheit, von der jeder Einbrecher lernen konnte. Auch in dem Vorraum, dessen Fenster auf den Hof sahen, zögerten sie nicht eine Sekunde. Zwei von ihnen zogen die Stiefel aus und schlichen um die Ecke. Es war inzwischen finster geworden. Sie stießen an einen Kleiderständer, gewahrten den Lichtschein am Ende des schmalen Ganges und gingen ihm nach.

Als die Tür aufflog, stand der alte Mann, mit dem Rücken zu ihnen gewandt, noch immer am Fenster. Er hielt ein großes weißes Kissen auf dem Kopf, das er immer wieder abnahm, als bedeutete er jemandem, dass er schlafen wolle. Den Teppich, den er vom Boden genommen hatte, trug er um die Schultern. Da er schwerhörig war, wandte er sich auch nicht um, als die Männer schon knapp hinter ihm standen und die Frau über ihn hinweg in ihr eigenes finsteres Fenster sah. Die Werkstatt unterhalb war, wie sie angenommen hatte, geschlossen. Aber in die Wohnung oberhalb musste eine neue Partei eingezogen sein. An eines der erleuchteten Fenster war ein Gitterbett geschoben, in dem aufrecht ein kleiner Knabe stand. Auch er trug sein Kissen auf dem Kopf und die Bettdecke um die Schultern. Er sprang und winkte herüber und krähte vor Jubel. Er lachte, strich mit der Hand über das Gesicht, wurde ernst und schien das Lachen eine Sekunde lang in der hohlen Hand zu halten. Dann warf er es mit aller Kraft den Wachleuten ins Gesicht.

Aichinger, Ilse: Das Fenstertheater. In: Der Gefesselte. Erzählungen I. Frankfurt am Main, Fischer Taschenbuch Verlag, 1996, S. 83–85

Formblatt zur Textanalyse

LESEN	■ Markieren auffälliger Wörter und Textstellen ■ Notizen über erste Eindrücke, Gedanken und Fragen	
ECKDATEN	**Quellenangabe:** ■ Autorin/Autor ■ Titel ■ Textgattung (Roman, Kurzgeschichte, Gedicht, Drama, Erzählung, Fabel etc.) **Thema**	
DIE DARGESTELLTE WELT	**Figuren:** ■ Haupt- und Nebenfiguren, ihre Stellung zueinander, ihr Umgang miteinander, lyrisches Ich/Personen etc. ■ soziales Milieu der handelnden Personen ■ Handlungsmotive der Personen	
	Ort: ■ Schauplatz/Schauplätze ■ symbolische Bedeutung der Orte	
	Zeit: ■ Zeit der Handlung ■ Funktion der Zeit (historisch, symbolisch etc.)	
	Handlung: ■ ein Erzählstrang oder mehrere Erzählstränge	
AUFBAU UND GLIEDERUNG	**Aufbau:** ■ Abschnitte (z. B. Einleitung, Beginn der Handlung, Höhepunkt, Schluss) ■ Verse/Strophen ■ Akte	
	Handlungsstruktur: ■ Rückblenden, Vorausschauen ■ geschlossene oder offene Handlung	
DIE SPRACHE	**Sprache und Stil:** ■ einfach, anspruchsvoll, antiquiert, Umgangssprache etc.	
	Wortebene: ■ Mit welchen Wörtern arbeitet die Autorin/der Autor?	
	Satzebene: ■ Haupt- und Gliedsätze, Art der Satzverknüpfung	
	Stilfiguren: ■ rhetorische Stilmittel	
	Sprachliche Darstellung: ■ epische, lyrische, dramatische Darstellung, Monologe, Dialoge	
SPEZIFISCHE MERKMALE DER GATTUNG / TEXTSORTE	**Erzählform:** ■ Ich-Erzähler, Er-/Sie-Erzähler	
	Erzählperspektive: ■ auktorial, personal, neutral	
	Zeitgestaltung: ■ Erzählzeit – erzählte Zeit	

7.3 Personen beschreiben und charakterisieren

7.3.1 Die äußeren Merkmale

siehe Band 1, „Beschreiben"

Im Allgemeinen wird der erste Eindruck einer Person durch offenkundige Merkmale wie Größe, Körperbau, Gesichtszüge, Augen, Haare etc. geprägt. Doch bei einer Beschreibung einer Person sollte es nie beim äußeren Erscheinungsbild bleiben. Es sollte auch auf Verhaltensweisen und hervorstechende Wesenszüge eingegangen werden.

15 Aufgabenstellung

●●●

Beschreiben Sie das Äußere einer

- Klassenkollegin bzw. eines Klassenkollegen,
- einer Lehrerin oder eines Lehrers,
- einer berühmten Persönlichkeit,

ohne den Namen zu nennen. Versuchen Sie dabei, Adjektive möglichst präzise zu verwenden. Ihre Mitschülerinnen und Mitschüler müssen anhand Ihrer Beschreibung die Person erraten.

7.3.2 Charakterisieren von Personen

Beim Interpretieren und Analysieren epischer Texte ist es sehr häufig erforderlich, die Protagonistinnen bzw. Protagonisten oder auch die Nebenfiguren zu beschreiben und ihren **Charakter** – im Zusammenhang mit der Handlung – **darzustellen**. Es erfordert genaues Lesen bzw. Beobachten, Personen zu beschreiben, und noch mehr Fingerspitzengefühl bedarf es, Personen zu charakterisieren, weil wir Menschen und Handlungsweisen sehr unterschiedlich wahrnehmen und auch unsere eigenen Befindlichkeiten in diese Beschreibung miteinfließen. Eine Charakteristik einer Person kann demnach je nach Schreiberin bzw. Schreiber recht unterschiedlich ausfallen, es handelt sich daher um eine sehr subjektive Textsorte.

Schriftstellerinnen und Schriftsteller schaffen sich ihre Figuren selbst und verleihen ihnen zumeist sehr ausgeprägte Wesenszüge, um die Figuren ihrer künstlerischen Absicht entsprechend in das literarische Werk einzubetten.

Prinzipiell unterscheidet man zwischen **direkter** und **indirekter** Charakteristik. Bei der direkten Charakteristik werden typische Wesenszüge einer Person genannt, bei der indirekten Charakteristik wird ein Mensch in einer für seine Wesensmerkmale aufschlussreichen Situation gezeigt. Aus Reden, Verhalten und Handlungsweisen kann man auf die Wesenszüge der zu beschreibenden Figur schließen (Protagonistin bzw. Protagonisten oder Nebenfigur eines epischen oder dramatischen Textes).

Personenbeschreibung und Charakteristik

- Ausgangsbasis ist ein epischer oder dramatischer Text (bzw. eine reale Person).
- **Einleitung:** Autorin bzw. Autor, Titel des Textes, Quellenangaben, Thema bzw. Motiv in einem bis zwei Sätzen (bzw. bei realen Personen die Intention der Charakteristik).
- **Hauptteil:** Das Aussehen kann beschrieben werden, weiters wird das Verhalten und die Einstellung der zu beschreibenden Person dargestellt.
- **Schlussteil:** eigene Stellungnahme zu der Person, Wirkung der Person auf einen selbst
- Die Zeitfom ist das **Präsens** bzw. das **Perfekt** (um Vergangenes auszudrücken).
- Die direkte Rede ist in die **indirekte Rede** umzuwandeln. Zitate sind zu vermeiden.
- Die Schreibhaltung ist zwar **subjektiv,** muss aber trotzdem **sachlich** und **gut begründet** sein.

16 Aufgabenstellung

a. Lesen Sie die Kurzgeschichte von Reiner Kunze „Fünfzehn“ und markieren Sie jene Textstellen, welche charakteristische Merkmale der Tochter bzw. des Vaters zeigen.

Reiner Kunze – **Fünfzehn**

Sie trägt einen Rock, den kann man nicht beschreiben, denn schon ein einziges Wort wäre zu lang. Ihr Schal dagegen ähnelt einer Doppelschleppe: lässig um den Hals geworfen, fällt er in ganzer Breite über Schienbein und Wade. (Am liebsten hätte sie einen Schal, an dem mindestens drei Großmütter zweieinhalb Jahre gestrickt haben - eine Art Niagara-Fall aus Wolle. Ich glaube, von einem solchen Schal würde sie behaupten, daß er genau ihrem Lebensgefühl entspricht. Doch wer hat vor zweieinhalb Jahren wissen können, daß solche Schals heute Mode sein würden.) Zum Schal trägt sie Tennisschuhe, auf denen sich jeder ihrer Freunde und jede ihrer Freundinnen unterschrieben haben. Sie ist fünfzehn Jahre alt und gibt nichts auf die Meinung uralter Leute - das sind alle Leute über dreißig.

Könnte einer von ihnen sie verstehen, selbst wenn er sich bemühen würde? Ich bin über dreißig.

Wenn sie Musik hört, vibrieren noch im übernächsten Zimmer die Türfüllungen. Ich weiß, diese Lautstärke bedeutet für sie Lustgewinn. Teilbefriedigung ihres Bedürfnisses nach Protest. Überschallverdrängung unangenehmer logischer Schlüsse. Trance. Dennoch ertappe ich mich immer wieder bei einer Kurzschlußreaktion: ich spüre plötzlich den Drang in mir, sie zu bitten, das Radio leiser zu stellen. Wie also könnte ich sie verstehen - bei diesem Nervensystem?

Noch hinderlicher ist die Neigung, allzu hochragende Gedanken erden zu wollen.

Auf den Möbeln ihres Zimmers flockt der Staub. Unter ihrem Bett wallt er. Dazwischen liegen Haarklemmen, ein Taschenspiegel, Knautschlacklederreste, Schnellhefter, Apfelstiele, ein Plastikbeutel mit der Aufschrift „Der Duft der großen weiten Welt“, angelesene und übereinandergestülpte Bücher (Hesse, Karl May, Hölderlin), Jeans mit in sich gekehrten Hosenbeinen, halb- und dreiviertel gewendete Pullover, Strumpfhosen, Nylon und benutzte Taschentücher. (Die Ausläufer dieser Hügellandschaft erstrecken sich bis ins Bad und in die Küche.) Ich weiß: Sie will sich nicht den Nichtigkeiten des Lebens ausliefern. Sie fürchtet die Einengung des Blicks, des Geistes. Sie fürchtet die Abstumpfung der Seele durch Wiederholung! Außerdem wägt sie die Tätigkeiten gegeneinander ab nach dem Maß an Unlustgefühlen, das mit ihnen verbunden sein könnte, und betrachtet es als Ausdruck persönlicher Freiheit, die unlustintensiveren zu ignorieren. Doch nicht nur, daß ich ab und zu heimlich ihr Zimmer wische, um ihre Mutter vor Herzkrämpfen zu bewahren, - ich muß mich auch der Versuchung erwehren, diese Nichtigkeiten ins Blickfeld zu rücken und auf die Ausbildung innerer Zwänge hinzuwirken.

Einmal bin ich dieser Versuchung erlegen.

Sie ekelt sich schrecklich vor Spinnen. Also sage ich: „Unter deinem Bett waren zwei Spinnennester.“

Ihre mit lila Augentusche nachgedunkelten Lider verschwanden hinter den hervortretenden Augäpfeln, und sie begann „Iix! Ääx! Uh!“ zu rufen, so daß ihre Englischlehrerin, wäre sie zugegen gewesen, von soviel Kehlkopfknacklauten - englisch „glottal stops“ - ohnmächtig geworden wäre. „Und warum bauen die ihre Nester gerade bei mir unterm Bett?“

„Dort werden sie nicht oft gestört.“ Direkter wollte ich nicht werden, und sie ist intelligent.

Am Abend hatte sie ihr inneres Gleichgewicht wiedergewonnen. Im Bett liegend, machte sie einen fast überlegenen Eindruck. Ihre Hausschuhe standen auf dem Klavier. „Die stelle ich jetzt immer dorthin“, sagt sie. „Damit keine Spinnen hineinkriechen können.“

Kunze, Reiner: Fünfzehn. Aus: R. K.: Die wunderbaren Jahre. Fischer Verlag, Frankfurt a. M. 30. Auflage 2003, S. 26 – 28

b. ●●

Ergänzen Sie die Tabelle, welche Handlungsweisen auf welche Charakteristika schließen lassen könnte.

Handlungsweise	Charakteristikum
unkonventionelle Kleidung	*selbstbewusst*
gibt nichts auf die Meinung uralter Leute	
hört laut Musik	
übereinander gestülpte Bücher	
Lautstärke bedeutet Lustgewinn	
unordentliches Zimmer, staubig	
Hausarbeit wie Aufräumen sind Nichtigkeiten	
ekelt sich vor Spinnen	
handelt unkonventionell (Hausschuhe auf dem Klavier)	
macht überlegenen Eindruck	

c. ●

Verfassen Sie eine Personencharakteristik über die Protagonistin in der Kurzgeschichte von Reiner Kunze „Fünfzehn". Schreiben Sie zwischen 200 und 240 Wörter.

d. ●

Verfassen Sie eine Personencharakteristik über den Erzähler (Vater) in der Kurzgeschichte von Reiner Kunze „Fünfzehn". Schreiben Sie zwischen 180 und 220 Wörter.

e. ●●

Überprüfen Sie in einer Paararbeit eine Ihrer Schreibproduktionen nach folgenden Kriterien:

	Die Schreibhaltung ist zwar subjektiv, jedoch aufgrund der Kurzgeschichte belegbar.
	Die Formulierungen sind präzise und abwechslungsreich.
	Direkte Reden wurden in die die indirekte Rede umgewandelt.
	Als grammatikalische Zeit wurde das Präsens eingesetzt.
	Es wurden keine Sätze oder Passagen aus der Textvorlage übernommen, es wurde indirekt zitiert.
	Die Charakteristik wurde auf Rechtschreibung und Zeichensetzung überprüft.
	Die Charakteristik ist auch für Leserinnen und Leser verständlich, die den Originaltext nicht kennen.
	Die eigene Wertung ist gut begründet und aufgrund der Kurzgeschichte nachvollziehbar.

17 Aufgabenstellung

●

a. Lesen Sie die Kurzgeschichte von Wolfgang Borchert „Nachts schlafen die Ratten doch“ und markieren Sie jene Textstellen, welche charakteristische Merkmale des Protagonisten Jürgen zeigen.

b. Verfassen Sie eine Charakteristik über die Hauptfigur dieser Kurzgeschichte. Schreiben Sie zwischen 220 und 260 Wörter.

c. Überprüfen Sie Ihre Schreibproduktion nach den oben genannten Kriterien und überarbeiten Sie Ihren Text.

siehe Band 2, „Leseportfolio“

18 Aufgabenstellung

●

a. Lesen Sie die Kurzgeschichte von Peter Bichsel „Ein Tisch ist ein Tisch“ und markieren Sie jene Textstellen, welche charakteristische Merkmale des Protagonisten Jürgen zeigen.

b. Verfassen Sie eine Charakteristik über die Hauptfigur dieser Kurzgeschichte. Schreiben Sie zwischen 220 und 260 Wörtern.

c. Überprüfen Sie Ihre Schreibproduktion nach den oben genannten Kriterien und überarbeiten Sie Ihren Text.

siehe Band 2, „Vom Umgang mit Sprache“

7.4 Analysieren von Sachtexten

7.4.1 Was Sie brauchen, um einen Sachtext zu analysieren

Nicht fiktionale Texte sind Sach- und Gebrauchstexte. Sie dienen dazu, Leserinnen und Leser zu informieren (Zeitungsmeldung), zu überzeugen (Leitartikel), etwas zu analysieren (Kritiken), anschaulich zu beschreiben (Gegenstandsbeschreibung), zu erläutern (Kommentar) und Stellung zu beziehen (Leserbrief). Nur in seltenen Fällen will ein Sachtext unterhalten, die Gefühlsebene ansprechen oder kreativ sein.

Bei der Analyse eines Sachtextes ist es wie bei der Analyse eines literarischen Textes wichtig, zunächst den Inhalt des Textes zu klären. Gleichzeitig sollten Sie sich die folgenden Fragen stellen:

- Handelt es sich bei dem Text um eine **objektiv-sachliche Darstellung** (Bericht, wissenschaftlicher Text) oder um eine **subjektive Meinungsäußerung** (Kommentar)?
- Haben Sie es vielleicht sogar mit einem **appellativen** Text zu tun, der Sie beeinflussen will?
- **Wer** hat den Text **mit welcher Absicht für welche Zielgruppe** geschrieben (Kommunikationsabsicht)?

Paraphrase, die: Wiedergabe des Inhalts eines Textes mit eigenen Worten

Erst wenn Sie die Frage nach Inhalt und Intention der Schreiberin oder des Schreibers geklärt haben und erkennen, welche Botschaft vom Text ausgeht, kann eine reibungslose Kommunikation zustande kommen.

Analyse eines Sachtextes

sRDP

- **Vorarbeiten** zur Sachtextanalyse:
  - Klärung der **Textsorte** (z. B. Bericht, Leserbrief, Kommentar)
  - **Kontext: Autorin** bzw. **Autor**, **Titel** des Textes, Zeit der **Veröffentlichung**
  - **zentrale Aussage** des Textes (Thema)
  - **Aufbau** (z. B. Abschnitte, Zwischenüberschriften)
  - **sprachliche Merkmale** (z. B. Sprachebene, Wortwahl, rhetorische Mittel, Satzbau, Stil)
  - **Inhalt** des Textes
  - **Aussage** und **Absicht** des Textes (Textfunktion: informieren, erzählen, erklären, überzeugen)
- **Aufbau** der Sachtextanalyse:
  - Die **Einleitung** enthält **Informationen** über die Autorin bzw. den Autor, die Quelle (Titel, Ort, Datum), die **Textsorte** und das **Thema**.
  - Der **Hauptteil** gibt eine kurze **Paraphrase** des Inhalts, die **Analyse** der Form des Textes, sprachliche Merkmale, die **Intention** der Autorin oder des Autors (Textfunktion) und deren oder dessen Argumentation wieder. Außerdem werden relevante Hintergrundinformationen eingearbeitet.
  - Im **Schlussteil** wird die Analyse der Textqualitäten, die anhand von Analysekriterien dargelegt werden, noch einmal **kurz und sachlich** zusammengefasst.
  - Die grammatikalische Zeitform ist das **Präsens**. Direkte Reden müssen in die indirekte Redeweise umgewandelt werden.

19 Aufgabenstellung sRDP

Lesen Sie den Text von Lisa Becker und verfassen Sie anschließend eine **Textanalyse** zu diesem Kommentar.

- **Fassen** Sie die inhaltlichen Aussagen des Kommentars **zusammen**.
- **Analysieren** Sie Aufbau, Argumentationslinie und sprachliche Merkmale des Textes.
- **Kommentieren** Sie die Intention der Autorin.

Schreiben Sie zwischen 320 und 400 Wörter.

Zukunftsfähige Jugend

Egoistisch, internetsüchtig und politisch desinteressiert? Von wegen! Die Wirtschaft kann sich auf die junge Generation freuen.

Egoisten, Performer[1], Zombies, Generation Porno – das sind einige der unschönen Begriffe, mit denen die „Jugend von heute" bisweilen charakterisiert wird. Auch andere Kritik schallt den Jugendlichen entgegen: Sie könnten sich nicht konzentrieren, seien internetsüchtig, unhöflich, materialistisch und politisch desinteressiert. Schüler scherten sich mehr um Kleider als um den Schulstoff, Studenten wollten vor allem Spaß. Oft schwingt mit, dass es früher besser war. Wer so über die Jugend herzieht, kann sich zum Beispiel im Internet großer Aufmerksamkeit und Zustimmung gewiss sein. Nur ist er weit von dem differenzierten und insgesamt positiven Bild entfernt, das Forscher von der Jugend zeichnen.

Es ist schwer zu erklären, warum manche die Jugend so attackieren und warum das bei anderen auf so fruchtbaren Boden fällt. Man sollte doch meinen, dass die älteren Generationen der jungen Generation grundsätzlich mit viel Wohlwollen begegnen. Ist es die Angst der Älteren, nicht mehr mitzukommen in einer Welt, die sich stark verändert; das Paradebeispiel ist die Digitalisierung? Ist es der Neid auf die, die das Leben noch vor sich haben?

Die Jugend heute tut, was die Jugend früher getan hat: Sie schaut sich an, was die Eltern tun, übernimmt, was sie gut findet, und sie distanziert sich, zum Beispiel über den Gebrauch des Smartphones. Da kommen die Eltern nicht mit, da findet man sein Terrain, kann sich abgrenzen, Eigenes entwickeln. Doch sind die Jugendlichen, wie unlängst die Shell-Jugendstudie – eine repräsentative Befragung junger Menschen zwischen 12 und 25 Jahren – gezeigt hat, keineswegs völlig naiv in der Nutzung der neuen Medien. So schätzt der weitaus größte Teil den Umgang der Internetkonzerne mit den eigenen Daten kritisch ein.

Jugendliche gebildeter als früher

Was sich in den vergangenen Jahrzehnten auffallend stark gewandelt hat, ist die Beziehung zu den Eltern. In der Shell-Studie beschreiben stattliche 92 Prozent das Verhältnis zu den Eltern als gut oder bestens. Für drei Viertel ist der elterliche Erziehungsstil vorbildlich. Die Eltern, die das als Kinder anders erlebt haben, können dies manchmal kaum glauben und misstrauen dem Ergebnis. Der Nachwuchs sei so brav, so angepasst, heißt es dann. Doch wird sich niemand im Ernst in die Vergangenheit zurücksehnen. Das heißt nicht, die Gefahren zu übersehen, die die neue Nähe auch birgt: Eltern, die ihren Kindern sehr nahe sind, fällt es oft schwerer, loszulassen.

Ein besonders sensibles Thema ist die Bildung. Zu viele Jugendliche strebten nach höheren Abschlüssen, heißt es. Auf der anderen Seite wird beklagt, die Jugend werde immer dümmer, lerne in der Schule nichts Gescheites mehr. Für mehr Gelassenheit sollte folgende Statistik sorgen: In den siebziger Jahren besuchten 50 Prozent der Schüler die Hauptschule oder machten keinen Abschluss; heute beginnt mehr als die Hälfte ein Studium.

Bei aller berechtigten Diskussion über einen Niveauabfall zum Beispiel mit Blick auf das Abitur[2] – die Jugendlichen von heute sind, im Ganzen betrachtet, gebildeter als alle früheren. Zurück in die Siebziger ist bestimmt keine Lösung, lieber sollte man überlegen, wie man ein gutes Niveau sicherstellt – und sich über die Bildungsaspirationen der Jugend auch mal freuen. Was freilich nicht bedeutet, Übertreibungen wie die Bildungspanik mancher Eltern und die Mehr-als-40-Stunden-Woche vieler Pubertierender zu übersehen.

Nicht faul, sondern anspruchsvoll

Gerne wird auch der Vorwurf erhoben, es wachse eine bequeme Generation heran. Eine Generation, der es vor allem um Sicherheit am Arbeitsplatz gehe und die nichts mehr leisten wolle. Es stimmt, das zeigt auch die Shell-Studie: Die jungen Menschen wünschen sich einen sicheren Arbeitsplatz. Doch wen wundert das in einer Welt, in der viele Erwachsene sorgenvoll über ihren Arbeitsplatz sprechen? Den Jugendlichen ist es auch wichtig, später einmal Beruf und Familie vereinbaren zu können; auch bei diesem in der Gesellschaft seit Jahren heißdiskutierten Thema haben sie offensichtlich gut zugehört. Auf Arbeitgeber wird noch einiges zukommen. Doch sie können dafür auch viel bekommen, denn die Jungen wollen sich einbringen und sich entfalten; sie suchen – wer könnte das falsch finden – nach einer erfüllenden Tätigkeit. Es wächst also keine faule, sondern eine anspruchsvolle Generation heran, die einiges fordern wird und viel zu bieten hat. Für die Unternehmen, die sich darauf einstellen, ist das eine große Chance; und sie werden im stärker werdenden Wettbewerb um Fachkräfte die Nase vorne haben. Die anderen sollten sich im eigenen Interesse wandeln, zumal eine Generation vor der Tür stehen wird, die mit Druck in der Schule umgehen lernen musste, die pragmatisch ist und die die Welt genau beobachtet und mitgestalten möchte.

Pragmatisch, realistisch, tolerant, weltoffen, engagiert, gestaltungsfreudig, familienorientiert – mit diesen Adjektiven beschreiben Forscher die Jugend von heute. Beneidenswert optimistisch sind die jungen Menschen zudem. Nach der Jugendstudie blicken 61 Prozent zuversichtlich und nur 3 Prozent düster in die Zukunft.

Becker, Lisa: Zukunftsfähige Jugend. In: Frankfurter Allgemeine, 15.11.2015. Online: https://www.faz.net/aktuell/wirtschaft/wirtschaftspolitik/kommentar-zukunftsfaehige-jugend-13911215.html (20.05.2019)

---

[1] *Performer (engl.): Künstler/-in, Darsteller/-in*
[2] *Abitur: Reifeprüfung, Reife- und Diplomprüfung in Österreich*

7.5 Argumentieren

7.5.1 Wie baue ich ein Argument auf?

Argument, das (lat. argumentum): *Darstellung, Beweis*

plausibel: *überzeugend, einleuchtend*

Im Alltag jedes Menschen – sowohl beruflich als auch privat – ist es wichtig, eigene Ansichten, Standpunkte und die eigene Meinung **sachlich begründet** darzulegen. **Argumentieren** setzt eine Kommunikationssituation voraus; es gibt also einen **Empfänger**, der die Argumente des **Senders** kritisch bewertet. Ein Argument dient dazu, eine Behauptung zu festigen und für andere Menschen plausibel zu machen. Jedes Argument sollte daher auf einem guten Fundament stehen, damit es nicht durch Gegenargumente entkräftet oder sogar zerstört werden kann.

Fundamente eines Arguments
(Aussage, Behauptung)

Verdeutlichung	Begründung	Erklärung
▪ Beispiele ▪ Zitate ▪ Erfahrungen	▪ sachlicher Beweis ▪ persönlicher Grundsatz	▪ Definition ▪ Einschränkung ▪ Klarstellung

Aussage: *Rauchen ist verantwortungslos gegenüber Mitmenschen.*

Verdeutlichung	Begründung	Erklärung
Beispiel: *„Stell dir vor, dass ein Kettenraucher und ein Nichtraucher gemeinsam in einem Büro arbeiten."*	**sachlicher Beweis:** *„Statistiken belegen, dass Passivrauchen die Entstehung von Krebs fördert und dass es selbst für ungeborene Kinder schon gefährlich sein kann."*	**Klarstellung:** *„Ständiges Rauchen im Büro oder Zuhause ist eine Belastung für die Umgebung."* **Einschränkung:** *„Eine Zigarette im Freien schädigt Mitmenschen nicht."*

Je stärker Sie die eigene Aussage abstützen können, desto plausibler ist das Argument für Ihre Gesprächspartnerin bzw. Ihren Gesprächspartner (Empfänger) und umso weniger Gegenargumente (Kontra-Argumente) wird diese bzw. dieser finden, um Ihre Behauptung zu entkräften. Wichtig ist es in jedem Fall, das **Kommunikationsdreieck** zu berücksichtigen.

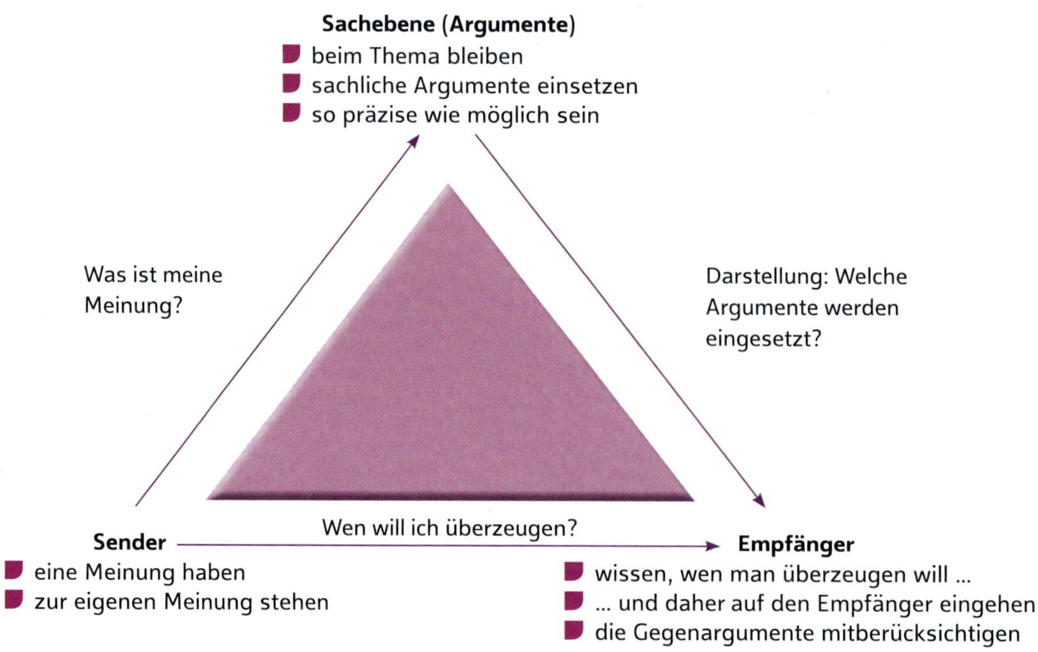

20 Aufgabenstellung

a. ●●

Finden Sie für folgende Situationen je drei sachlich gut begründete Argumente:

- *Sie möchten Ihre Eltern überzeugen, Ihnen mehr Taschengeld zu geben.*
- *Sie möchten eine Klassenlehrerin oder einen Klassenlehrer überzeugen, mit der Klasse eine mehrtägige Outdoor-Veranstaltung durchzuführen.*
- *Sie möchten Ihre Mitschülerinnen und Mitschüler von der Notwendigkeit einer Lerngruppe am Nachmittag überzeugen.*

Bedenken Sie beim Aufbau Ihrer Argumente, welche Gegenargumente (Kontra-Argumente) vom Empfänger angeführt werden könnten, und versuchen Sie, diese mit eigenen Argumenten zu entkräften.

b. ○

Präsentieren Sie Ihre Gruppenergebnisse. Alle Argumente werden auf der Tafel stichwortartig festgehalten. Überlegen Sie in einem Klassengespräch, welche Argumente auf einem festen Fundament stehen und welche Argumente relativ leicht durch Gegenargumente entkräftet werden können.

21 Aufgabenstellung

●●●

Sind folgende Argumente richtig aufgebaut? Worin könnte ein möglicher Fehler in der Argumentation liegen? Wo wird das Kommunikationsmodell gestört? Erklären Sie, bei wem (Sender, Empfänger oder Sachbezug) es zu einer Störung kommt und welche Störung zutrifft. Wie könnte man die Argumente verbessern?

„Als Jugendlicher kann man noch gar nicht abschätzen, welche Auswirkungen die Inflation auf die Zukunft der Unternehmen hat."

„Unfallstatistiken beweisen, dass Frauen beim Autofahren mehr Sicherheitsbewusstsein haben."

„Junge Männer sind heutzutage einfach verantwortungslos und leichtsinnig und können für verantwortungsvolle Positionen in Politik und Wirtschaft nicht eingesetzt werden."

„Ich habe immer schon gewusst, dass du mein Argument nicht verstehst."

„Wenn Sportarten in extremer Form ausgeübt werden, sind sie für den menschlichen Körper nicht mehr gesund, sondern eher schädlich. Dies beweisen die gesundheitlichen Probleme zahlreicher Profisportler nach dem Karriereende."

Störungen der Kommunikation während des Argumentierens:

beim Sender
- Ich-Flucht (keine eigene Meinung haben)
- sprachlicher Ausdruck

beim Empfänger
- persönlicher Angriff
- Zeigefingertaktik
- Unterstellungen

in der Sachebene
- ungleicher Wissensstand
- Pauschalierungen
- „Killerargumente" (unsachliche Argumente)

7.5.2 Mit Argumenten überzeugen

pro (lat.): für
contra (lat.): gegen

Conclusio, die (lat.): Schlussfolgerung

siehe Band 1, Kapitel „Schreibprozesse"

Wenn Sie zu einem bestimmten Thema Stellung beziehen wollen, dann reicht es nicht, nur ein Argument einzusetzen. Sie müssen vielmehr eine sogenannte **Argumentationskette** aufbauen, das bedeutet, **Pro- und Kontra-Argumente** in eine **logische Abfolge** zu reihen, um dem Empfänger gegenüber die eigene Meinung möglichst sachlich darzustellen.

Es gibt verschiedene Strategien, um überzeugend zu argumentieren. Sie haben bereits das Prinzip der **logischen Kette** als wichtige Vorarbeit kennengelernt. Sie wird Ihnen nun dabei helfen, die **Fünf-Satz-Technik** anzuwenden, die Sie sowohl bei der mündlichen Argumentation als auch bei Ihren schriftlichen Arbeiten einsetzen können.

Argumentieren mit der Fünf-Satz-Technik

- **Vorstellen des Themas:** aufmerksam machen auf das Thema
- **These:** Ausgangsbehauptung, Argument für etwas
- **Antithese:** Gegenbehauptung, Kontra-Argument
- **Synthese:** eine entsprechende Schlussfolgerung (**Conclusio**)
- **Appell:** Zusammenfassung des Kerngedankens als Aufforderung oder Bitte

Innerhalb einer Argumentation sind Argumente unterschiedlich gewichtet. Wer plausibel argumentiert, vertraut eher auf normative Argumente, rational Argumentierende bauen ihre Argumentation sehr oft mittels Fakten- und Autoritätsargumenten auf. Argumentiert jemand taktisch, dann geht sie oder er von der grundsätzlichen Überlegenheit der eigenen Argumente aus, es werden sehr häufig indirekte Argumente eingesetzt.

Argumentationstypen:

- **Faktenargumente** beruhen auf einer nachweisbaren Tatsache, sind wissenschaftlich unumstritten und basieren auf einer logischen Beweisführung (Statistiken, Daten, Zahlen, Verträge, Gesetze etc.).
  Beispiel: Menschen brauchen Sauerstoff, um zu überleben.
- **Autoritätsargumente** bauen auf der Meinung von Expertinnen und Experten auf, zitieren Autoritäten, die sie zur Beweisführung heranziehen.
  Beispiel: „Das neu entdeckte Virus ist durch Schutzimpfungen behandelbar", betont der Tropenmediziner.
- **Normative Argumente** verknüpfen Normen und Wertmaßstäbe, die für die meisten Menschen innerhalb eines Gesellschaftskreises Gültigkeit haben. Hierbei werden oft moralische Argumente eingesetzt (Vorbilder, Tradition, Alltagsmoral, gesunder Menschenverstand, Erfahrungen etc.).
  Beispiel: Kulturelle Werte wie die Sprache müssen an die folgende Generation weitergegeben werden.
- **Analogisierende Argumente** übertragen Sachverhalte aus anderen Lebensbereichen auf die eigene Argumentationslinie.
  Beispiel: Wenn Sportler nicht trainieren, werden sie keine Erfolge erzielen. Ebenso verhält es sich beim Lernen von Fremdsprachen.
- Mit **indirekten Argumenten** entkräftet man die Gegenposition, indem die eigene These aufgrund schwacher Gegenargumente, indirekte Vorwegnahme der Gegenposition oder Wertüberlegenheit gestärkt wird.
  Beispiel: Die Gegner der Rechtschreibreform behaupten, dass die Schülerinnen und Schüler nun mehr Fehler machen würden. Neueste Untersuchungen zeigen jedoch, dass die Fehlerquote seit Einführung gesunken ist.

22 Aufgabenstellung

●●

a. Wenden Sie die Fünf-Satz-Technik an einem der folgenden Beispiele an.

„Sollten Schönheitsoperationen verboten werden, weil sie der Gesundheit abträglich sind und nur der Geschäftemacherei dienen und den Schönheitswahn fördern?"

„Sollten sich Jugendliche mehr für Politik interessieren?"

„Sollten generell verbale Beurteilungen eingeführt werden, um individualisierte Leistungsbeurteilungen für alle Schülerinnen und Schüler zu ermöglichen?"

„Sollten schriftliche Hausübungen generell verboten werden, weil sie nur Zeit kosten und ineffizient sind?"

„Sollten Autos aus den Städten verbannt werden?"

ineffizient: unwirksam, unwirtschaftlich

Gehen Sie Schritt für Schritt nach der Fünf-Satz-Technik vor und formulieren Sie stichwortartig These, Antithese, Synthese sowie einen Appell. Übertragen Sie das Formblatt für alle Beispiele in Ihr Heft.

Schritt	
1	
2	
3	
4	
5	

Vergessen Sie nicht, dass jedes Argument gut fundiert sein muss, also nicht nur eine Behauptung aufgestellt werden darf, sondern diese auch begründet, veranschaulicht, eingeschränkt und mit Beispielen unterlegt sein muss! Versuchen Sie, sich in der Gruppe auf eine gemeinsame Schlussfolgerung zu einigen, damit Sie eine Conclusio finden.

b. Führen Sie anschließend die kontroversielle Diskussion mit einer Klassenkameradin bzw. einem Klassenkameraden einer anderen Gruppe durch. Denken Sie daran, dass Sie nur mit guten Argumenten Ihre Diskussionspartnerin bzw. Ihren Diskussionspartner überzeugen können. Ihre Stellungnahme sollte sachlich und fundiert sein.

kontroversiell: gegensätzliche Standpunkte anführend

Nach jeder Diskussionsrunde sollte eine Feedbackrunde stattfinden, in der Rückmeldung gegeben wird über:

- die Qualität der Argumente (anschauliche Beispiele, sachliche Darstellung etc.)
- die Qualität der Gesprächsführung (die andere bzw. den anderen aussprechen lassen, konzentriert zuhören etc.)

siehe Band 1, Kapitel „Zuhören und Sprechen"

7.5.3 Die textgebundene Erörterung (sRDP-Textsorte)

Ein Thema wird mit der Fünf-Satz-Technik nach allen möglichen Gesichtspunkten dargestellt; Vor- und Nachteile (das Pro und Kontra) werden aufgezeigt und begründet, Beispiele werden als Untermauerung des Standpunktes angeführt, Schlussfolgerungen werden gezogen; die eigene, begründete Meinung wird dargelegt. Man spricht in diesem Fall auch von der **Erörterung** eines Themas. Die Erörterung ist eine schriftliche Form der Auseinandersetzung mit einer Problem- oder Fragestellung.

linear: *geradlinig, gleichbleibend*

dialektisch: *gegensätzlich*

Man unterscheidet verschiedene Formen: die **textgebundene Erörterung**, die auf einer vorgegebenen Problematik beruht, zu der eine Autorin bzw. ein Autor eines Textes bereits Stellung bezogen hat; die **textunabhängige, freie Erörterung** beruht auf einer einzelnen Fragestellung.

Mit der **textgebundenen Erörterung** trainieren Sie auf Sachfragen, gesellschaftskritische Probleme, zeitkritische Diskussionen etc., die auf einer Textgrundlage beruhen, einzugehen. Argumente und Aussagen müssen kritisch bewertet werden, aber auch der eigene Standpunkt muss präzise formuliert und Themen müssen in linearer oder dialektischer Form erörtert werden.

23 Aufgabenstellung

Die folgenden Zeitungsberichte über Schuluniformen dienen als Ausgangsbasis für eine textgebundene Erörterung. Sie haben verhältnismäßig lange Texte vor sich. Nehmen Sie sich Zeit, gehen Sie die folgenden Einzelschritte, die eine wichtige Vorarbeit für das Verfassen einer Erörterung darstellen, durch.

a. ●
Lesen Sie aufmerksam die beiden Texte. Markieren Sie die Pro- und Kontra-Argumente. Notieren Sie Ideen und Bemerkungen.

Text 1:

Schuluniformen in Österreich kein Thema

Einheitskleidung wird in Deutschland heftig debattiert - Soll Mobbing und „Markenterror" verringern

Wien - In Deutschland hat die Politik erneut die Einführung von Schuluniformen gefordert. Einheitskleidung, argumentieren die Befürworter, soll an den Schulen Mobbing und „Markenterror" verringern. Mit ganz ähnlichen Argumenten wurde in den vergangenen Jahren Schuluniformpflicht in Polen und Italien (nur an Volksschulen) eingeführt. In Österreich ist Einheitskleidung an den Schulen unterdessen kein Thema [...].

Schulgemeinschaft kann Uniformpflicht einführen

Die Regelungen zur Kleidung sind in der österreichischen Schulordnung nur sehr vage: Diese muss lediglich „den jeweiligen Erfordernissen" von Unterricht, Schulveranstaltungen und schulbezogenen Veranstaltungen entsprechen. An öffentlichen Schulen kann das im Rahmen der Hausordnung präzisiert werden (z. B. saubere Kleidung, Hausschuhpflicht etc.). Die Einführung einer Uniformpflicht liegt im Ermessen des Schulgemeinschaftsausschusses, der aus Lehrern, Eltern und Schülern besteht. Bei Privatschulen wird die Bekleidungsvorschrift im Rahmen des privatrechtlichen Vertrages mit den Eltern festgelegt.

Soziale Unterschiede nicht sichtbar

In Deutschland wollen die ehemalige Justizministerin Brigitte Zypries und die CDU-Abgeordnete Katherina Reiche den immer heftiger werdenden Wettstreit um teure Markenkleidung durch Uniformen mildern. Durch Einheitskleidung würden außerdem soziale und kulturelle Unterschiede weniger sichtbar, was religiöse Diffamierung verringern und die Integration ausländischer Schüler verbessern könnte. Auch Vandalismus könnte durch die stärkere Identifikation mit der eigenen Schule zurückgedrängt werden, so die Hoffnung der SPD- und der CDU-Politikerin.

Laut einer Uni-Studie (18.000 Befragte) ist die Hälfte der Schüler in Deutschland für Uniformen. Bildungsgewerkschaft und Linke haben sich unterdessen erneut dagegen ausgesprochen; Schuluniformen würden nur dem Schein nach zu mehr Gerechtigkeit führen, der „Markenterror" verlagere sich dann einfach auf andere Bereiche wie Schuhe oder Handys.

APA: Schuluniformen in Österreich kein Thema. In. Der Standard, 23.07.2010. Online: https://derstandard.at/1277338778571/Schuluniformen-in-Oesterreich-kein-Thema (20.05.2019), leicht gekürzt

Text 2:

Schuluniform: Jenseits von in und out

Einheitliches Erscheinungsbild statt bunte Vielfalt? Vor allem Privatschulen pflegen die Tradition der Schuluniform. Die „Presse" hat sich in zwei Schulen umgesehen – und die Schüler nach ihrer Meinung gefragt.

WIEN. Ist man zwischen sieben und acht Uhr früh unterwegs und es begegnen einem viele Kinder und Jugendliche in dunkelblauen Röcken beziehungsweise dunklen Hosen ist eine Privatschule meist nicht weit entfernt. Es sind vor allem konfessionelle Schulen, die auch heute noch auf eine einheitliche Schulbekleidung setzen. Freilich hat auch hier die Zeit ihre Spuren hinterlassen. Denn was vor 30 Jahren beispielsweise an der katholischen Volksschule Notre Dame de Sion in Wien-Neubau noch undenkbar schien – Mädchen und Buben in Jeans! – ist auch dort heute gang und gäbe.

Anno 1975 trugen Mädchen an dieser Schule dunkelblaue Faltenröcke und Buben graue Flanellhosen. Hellblaue oder weiße Blusen beziehungsweise Hemden komplettierten die Alltagskleidung. Heute tummeln sich im weitläufigen Schulgarten Mädchen und Buben in dunklen Hosen beziehungsweise Röcken – und in Jeans.

Blaue Kapuzenjacken

Blusen und Hemden wurden durch mittelblaue Shirts mit aufgedrucktem Schullogo sowie dunkelblaue Pullover beziehungsweise Kapuzenjacken ersetzt. So können sich die Mädchen und Buben trotz Schulkleidung nach Lust und Laune und ohne Bewegungseinschränkung austoben – ob in der Sandkiste, auf dem Klettergerüst oder schlicht beim Fangenspielen. Für das jährliche Sommerfest wird jedes Jahr ein Kurzarmshirt in einer bunten Farbe produziert, erzählt Schuldirektorin Gabriele Großebner. Diese dürfen dann auch unter dem Jahr getragen werden und sorgen für Farbtupfer im Meer der hell- und dunkelblau gekleideten Kinder. Die Schulbekleidung sei in der Hausordnung verankert und werde von den Eltern „sehr positiv aufgenommen", betont Großebner.

Shirts mit Schullogo

Wie aber beurteilen Schüler die vorgegebene Kleidung? Ortswechsel zu AHS-Schülern des Sacré Coeur am Rennweg. Auch hier dominiert die Farbe Blau. Hosen und Röcke haben dunkelblau zu sein, Oberteile hellblau oder weiß. Auch am Sacré Coeur werden eigens Shirts und Pullover mit dem Schullogo produziert.

Marie Bieber (15) sagt dazu: „Meiner Meinung nach ist die Schuluniform eine sehr gute Sache. Kein Schüler muss sich darüber Gedanken machen, ob er ein Outfit anhat, das im Moment in ist, oder ob er im Gegenteil etwas völlig Uncooles anhat, weswegen ihn seine Mitschüler auslachen würden. Natürlich ist es toll, cooles Gewand anziehen zu können und mit seinen Freunden oder Freundinnen shoppen zu gehen – aber ist es toll, wenn man verspottet und ausgelacht wird, nur weil die neueste Mode nicht nach dem eigenem Geschmack ist? Nicht wirklich, oder? Da ist es besser, wenn man zwar etwas Einheitliches anhat und sich dafür nicht sorgen muss, ob man bei den anderen auch gut ankommt."

Eine Art Corporate Design

„Ich gehe seit der ersten Klasse Volksschule in das Sacré Coeur und die Schuluniform begleitet mich schon mein Schulleben lang", erzählt die 15-jährige Aurelia Littig. „Sie macht uns alle zu einer Gemeinschaft, in allen Sacré-Coeur-Schulen auf der Welt. Sie ist etwas Besonderes. Die Festuniform gefällt mir besonders gut, denn die Krawatte der Burschen passt zu den Tüchern der Mädchen. Doch ich denke, dass sie auf die Dauer ein bisschen kostenaufwendig sein kann. Dennoch mag ich unsere Schuluniform sehr und ziehe sie auch gerne an."

Den Gemeinschaftsaspekt streicht auch Bedirhan Boztepe (15) hervor: „Die Schulkleidung kann als Markenzeichen, als eine Art Corporate Design zum Erkennungsmerkmal der Schule werden, und trägt dazu bei, das Gemeinschaftsgefühl unter den Schülerinnen und Schülern zu stärken. Solange die Schulkleidung für alle leistbar bleibt, werden die sozialen Unterschiede, die ihren Niederschlag in Bekleidungsarten – zum Beispiel durch Prestigemarken – finden, durch die einheitliche Schulkleidung in den Hintergrund gerückt."

Ähnlich formuliert es auch die 14-jährige Anna Hufnagl: „Die Schuluniform drückt aus, dass wir alle Teil einer Gemeinschaft sind. Unsere äußere Erscheinung soll nicht das Maß sein, nach dem wir beurteilt werden, sondern unser Gegenüber soll sich mit dem Charakter jedes Einzelnen von uns auseinandersetzen."

Manchmal langweilig

„Schuluniform – das ist natürlich ein sehr kontroverses Thema", meint dagegen Julian Kornprobst (16). „Anfangs eher ungewohnt, möchte man sie nach einiger Zeit allerdings nicht mehr missen. Nicht nur, dass es dadurch keine äußerlichen Unterschiede durch die Kleidung mehr gibt, wird auch die Gemeinschaft an der Schule unglaublich gestärkt. Es entsteht ein Zusammengehörigkeitsgefühl, die Schüler wachsen als Mitglieder der Schule noch mehr zusammen." Er gibt aber doch zu, „natürlich ist es manchmal langweilig, immer nur dasselbe anzuziehen – doch mittlerweile ist die Uniform akzeptiert und wird gern getragen".

SCHULKLEIDUNG

- **Innerhalb Europas** gibt es nur in Polen eine Pflicht zur Schuluniform. Außer in Großbritannien und Irland sind Uniformen sonst kaum verbreitet.
- **Indien, Japan, Mexiko, Brasilien oder Kuba** setzen auf streng einheitliche Kleidung. In Indien besteht an einigen Schulen auch für Lehrerinnen Schürzenpflicht damit ihre Rundungen die Schüler nicht vom Lernen abhalten.
- **In Deutschland** gibt es seit 2000 an einigen staatlichen Schulen eine Schulkleidung: Aus einer Kollektion können die Schüler wählen, was sie tragen wollen.
- **In arabischen Ländern** sind Kopftücher für Schülerinnen Pflicht.

Weiss, Alexia: Schuluniform: Jenseits von in und out. In: Die Presse, 30.11.2008, Online: https://diepresse.com/home/bildung/schule/434035/Schuluniform_Jenseits-von-in-und-out (20.05.2019)

b. ●●
Welche Argumente werden im Text für Schuluniformen angeführt? Von wem werden sie angeführt? Was wird gegen die Schuluniformen eingewendet? Zu welcher Schlussfolgerung kommt die Autorin des zweiten Textes?

c. ●
Nehmen Sie Stellung zu der Aussage, dass Schuluniformen „Markenterror" verhindern sollen.

d. ●●
Überlegen Sie sich Argumente für oder gegen Schuluniformen und bilden Sie eine Argumentationskette.

Textgebundene Erörterung

sRDP

- Ausgangsbasis ist eine **Textgrundlage**.
- Die **Einleitung** enthält Informationen über die Autorin bzw. den Autor, die Quelle (Titel, Ort, Datum, Thema) und führt zum Thema hin, sie macht neugierig. Sie fasst die Problemstellung mit eigenen Worten zusammen (Paraphrase des Inhalts).
- Im **Hauptteil** werden **These** und **Antithese** anhand von Pro- und Kontra-Argumenten (Vor- und Nachteilen) zu einer Problematik dargestellt und diskutiert.

  Die Argumente werden meist linear gereiht (**steigend**, nach der Bedeutung der Aussagen) oder nach bestimmten Aspekten angeordnet. Es werden keine Kontra-Argumente mitberücksichtigt.
- Der **Schlussteil** mündet in eine begründete **Synthese** (Zusammenschau), fasst die wesentlichen Aussagen knapp zusammen und enthält eine **Conclusio** (Schlussfolgerung), die Darstellung der eigenen Meinung, die Klarstellung der eigenen Position.
- Die grammatikalische Zeitform ist das **Präsens**.
- Die Erörterung ist eine Textsorte, die vor allem Denkleistungen der Reorganisation, des Transfers und der Reflexion verlangt.

24 Aufgabenstellung

sRDP

Verfassen Sie eine **Erörterung** auf Basis der beiden Texte zum Thema Schuluniform (S. 160 f.). Schreiben Sie ca. 300 Wörter. Beachten Sie bei der Bearbeitung die beiliegende Checkliste. Bearbeiten Sie anschließend folgende Schreibaufträge:

- **Beschreiben** Sie kurz den Sachverhalt zum Thema Schuluniform.
- **Bewerten** Sie die in beiden Texten angeführten Pro- und Kontraargumente bezüglich der Einführung von Kleidervorschriften in der Schule.
- **Nehmen** Sie **Stellung** zur Aussage, dass die Einführung von Schuluniformen in Zeiten, in denen sich Jugendliche über ihr Äußeres und über Markenkleidung definieren, nicht durchsetzbar ist.

CHECKLISTE – Erstellen einer textgebundenen Erörterung

- **Erfassen des Themas:** Um welches Problem geht es? Welche Argumente stehen im Text?
- **Gliederung des Hauptteils:** Haben Sie Argumente dafür und dagegen? Ordnen Sie diese nach ihrer Aussagekraft.
- Formen von **Argumentationsketten:**
  1. Beginnen Sie Ihre Argumentationskette mit den Pro-Argumenten, wobei Sie mit dem schwächsten Argument beginnen sollten. Führen Sie dann alle Kontra-Argumente an, ebenfalls vom aussageschwächsten hin zum stärksten Argument.
  2. Sie können auch die umgekehrte Reihenfolge (zunächst alle Kontra-Argumente, dann alle Pro-Argumente) wählen.
  3. Wählen Sie hin und wieder die abwechselnde Form der Gegenüberstellung von Pro- und Kontra-Argumenten (pro – kontra, pro – kontra)
- **Schluss:** Zusammenfassung der Pro- und Kontra-Positionen und persönliche Stellungnahme

25 Aufgabenstellung

sRDP

a. Lesen Sie den Text über den Medienkonsum von Kindern. Markieren Sie die Argumente der Psychologin und Journalistin.

b. Verfassen Sie eine **Erörterung** zum Thema „Medienkonsum ab dem Kindesalter?" Schreiben Sie ca. 300 Wörter. Bearbeiten Sie anschließend folgende Schreibaufträge:

- **Beschreiben** Sie kurz den Sachverhalt, wie er im Zeitungstext dargestellt wird.
- **Bewerten** Sie die im Text angeführten Kontraargumente bezüglich der Nutzung digitaler Medien ab dem frühen Kindesalter.

- **Begründen** Sie, wie ein sehr früher Umgang mit den neuen Medien die Lern- und Aufnahmefähigkeit von kleinen Kindern beeinflusst.
- **Schlagen** Sie konkrete Beispiele oder Maßnahmen **vor**, wie Eltern ihren Kindern einen verantwortungsbewussten Umgang mit den Medien vermitteln können.

Medienkonsum
Wie viel iPhone ein Kind verträgt

Von Jana Hauschild

Ein Dreijähriger malt auf dem iPad, ein Grundschüler zückt sein Smartphone: Spielerisch lernen schon die Kleinsten den Umgang mit neuester Technik. Experten streiten darüber, ab welchem Alter Kinder welche Medien nutzen sollten und verkraften können. Ein US-Psychologe warnt vor dem iPhone-Syndrom[1].

Eine Horde Fünfjähriger bevölkert einen Raum, es ist mucksmäuschenstill. Doch die Kinder schlafen nicht. Sie sitzen an Tischen und spielen auf ihren iPads. Was befremdlich wirkt, ist seit Herbst 2011 Realität in einem US-Kindergarten. Dort wurden alle Kinder eines Jahrgangs mit den Tablet-Rechnern ausgestattet. Täglich spielen und lernen sie nun mit den Geräten.

Experten streiten über dieses Projekt. Kern der Diskussion: Wie viel Technik und Medien verkraften Kinder, und ab welchem Alter sollten sie damit in Kontakt kommen?

Zu viel Medienkonsum gefährdet die Entwicklung, sagen die einen. Tablets und Co. ermöglichen besseres Lernen, meinen die anderen. Die Wissenschaft hingegen hat noch keine klaren Antworten. [...]

Konzentrationsschwäche und Schlafstörungen

Drastischere Folgen von zu viel Medienkonsum sehen der Kinderarzt Christian Fricke und seine Kollegen regelmäßig in der Sprechstunde. „Motorische Unruhe, Konzentrationsschwäche, Schlafstörungen: Das sind klassische Symptome, die auch durch falschen Mediengebrauch entstehen", sagt Fricke, der das Sozialpädiatrische[2] Zentrum Werner Otto Institut in Hamburg leitet. Seiner Meinung nach besteht gar die Gefahr einer Mediensucht.

Doch wann beginnt es, für das Kind schädlich zu werden? Zahlreiche Initiativen klären in Deutschland über Medienkonsum bei Kindern und Jugendlichen auf, einige nennen Richtlinien für Eltern. Das Projekt „SCHAU HIN!" etwa empfiehlt, Kinder unter zwei Jahren gar nicht erst vor einen Bildschirm zu setzen. Bis zum Grundschulalter sei maximal eine halbe Stunde vor dem Fernseher, Smartphone oder Computer zu vertreten. Für Zehnjährige liegt demnach der Grenzwert bei einer Stunde, ab 11 Jahren sind 75 Minuten am Tag in Ordnung. [...]

„Kinder müssen auch lernen, was das reale Leben bereithält"

Taylor[3] aber mahnt an, dass Kinder dafür erst einmal lernen müssten, dass es diese Tätigkeiten auch gibt, und was das reale Leben bereithält. Dazu zählt er auch sinnliche Erfahrungen wie Riechen, Schmecken und Fühlen. Dinge, die ein Bildschirm nicht bieten kann: „Selbst wenn es inzwischen auch Spiele und Filme in 3D gibt. Tatsächlich ist nur das reale Leben dreidimensional", so der Vater zweier Töchter. Regelmäßige Bewegung, Ausflüge mit der Familie oder mit Freunden sollen den Medienkonsum zurückdrängen. [...]

Aber auch die Eltern selbst sollten ihren Medienkonsum kritisch beobachten. „Sie sind die Vorbilder für ihre Kinder. Das sollten sie nie vergessen", sagt Fricke. Ihre Aufgabe sei es, den Kindern Grenzen zu setzen. Experten raten, mit den Kindern und Jugendlichen Nutzzeiten zu vereinbaren. „Dabei sollten sie aber auch nicht zu starr sein. Wenn an einem Regentag oder zur Veröffentlichung eines lang erwarteten Computerspiels durchgespielt wird, dafür danach auch wieder anderen Hobbys nachgegangen wird, ist doch alles in Ordnung", sagt Seitz.

Auf feste Zeiten für bestimmte Altersklassen möchte auch Fricke sich nicht festlegen: „Wichtig ist weniger, wie lange ein Kind zum Beispiel fernsieht oder spielt, sondern was es schaut und spielt." Wenn etwa die Sendung kindgerecht sei, könne sie auch 45 statt 30 Minuten dauern. „Kommt jedoch Gewalt darin vor, richtet das schnell Schaden an", so Fricke. Ängste und Schlafstörungen könnten die Folge sein – vor allem, wenn das Kind täglich solche Inhalte aufnimmt.

Eltern sollten daher immer ein Auge darauf haben, wenn Kinder Filme gucken, Computerspiele spielen oder im Internet surfen. Am wichtigsten sei es, darüber sind sich Medienpädagoge Seitz und Kinderarzt Fricke einig, zu wissen, was die Kinder über die verschiedenen Medien konsumieren. Und: Mit ihnen über die Inhalte sprechen. Vor allem das ermögliche einen gesunden Umgang damit.

Hauschild, Jana: Medienkonsum. Wie viel iPhone ein Kind verträgt. In: SPIEGEL ONLINE, 02.10.2012. Online: https://www.spiegel.de/gesundheit/psychologie/medienkonsum-von-kindern-us-psychologe-warnt-vor-dem-iphone-syndrom-a-859029.html (20.05.2019), gekürzt

Zur Autorin: Jana Hauschild ist Psychologin und freie Journalistin in Berlin.

[1] *Syndrom: Krankheitsbild, das aus mehreren Symptomen besteht*
[2] *Sozialpädiatrie: Teilbereich der Kinderheilkunde und Jugendmedizin (Pädiatrie), der sich mit den Voraussetzungen und Bedingungen für Gesundheit und Entwicklung sowie mit deren Störungen und Auswirkungen befasst*
[3] *Jim Taylor: US-Psychologe und Buchautor*

7.6 Appellieren

7.6.1 Funktionen und Aufbau von appellativen Texten

Appellative Texte wollen die Leserin oder den Leser zu bestimmten Handlungen bewegen oder zur Übernahme bestimmter Meinungen oder Auffassungen veranlassen. Eine derartige Funktion haben Werbung, (politische) Reden, Aufrufe, Flugblätter, Flyer, Leserbriefe oder Predigten. Auch im täglichen Gespräch werden im Zusammenhang mit Aufforderungen oder Bitten appellative Elemente eingesetzt.

Damit der Appell beim Empfänger ankommt, muss ein appellativer Text bestimmten Kriterien entsprechen. Er ist argumentativ aufgebaut, enthält Beweise, Begründungen oder Beispiele, denn ein Appell kann den Empfänger nur erreichen, wenn die **Argumentationslinie sachlich richtig** entwickelt wurde.

Funktionen von appellativen Texten

In **appellativen Texten** kommen folgende sprachliche Funktionen zum Einsatz:

- **Informationsfunktion** – sachliche Darstellung des Problems
- **Emotionsfunktion** – Gefühle sollen geweckt werden
- **Appellfunktion** – Aufforderung zu einer Handlung

- **Aufbau eines Appells**
  - **Einleitung:** Diese stellt das **Problem** sachlich dar. Der Empfänger wird informiert.
  - **Hauptteil:** Es werden **sachliche Argumente** eingesetzt, die im Empfänger auch Emotionen wecken sollen und ihn zu einer bestimmten Handlungsweise bewegen.
  - **Schlussteil:** Der Schluss enthält den eigentlichen **Appell**, der den Empfänger zu einer Handlung bewegen soll oder ihn von Meinungen und Auffassungen überzeugen soll.
  - Die grammatikalische Zeitform ist das **Präsens**.

26 **Aufgabenstellung**

●●

Lesen Sie den Spendenaufruf der Caritas und analysieren Sie den Text nach den Kriterien für einen Appell: Problemdarstellung, Emotionen wecken und Appell.

Kennzeichnen Sie in einem ersten Schritt die jeweiligen Textstellen und übertragen Sie anschließend die wichtigsten Informationen in das Formblatt.

Schulterschluss der Hilfe

Langanhaltende Dürre hat in vielen Ländern Ostafrikas zu einer der schwersten Hunger-Katastrophen der vergangenen Jahrzehnte geführt. Hunderttausende Menschen sind auf der Flucht und geschätzte zwölf Millionen Menschen in Somalia, Äthiopien und Kenia brauchen dringend Überlebenshilfe. Angesichts des menschlichen Elends am Horn von Afrika haben der ORF und die Stiftung „Nachbar in Not“ am 3. August 2011 den Start der Hilfsaktion [...] bekannt gegeben. [...]

„Für Menschen, die – wie die meisten Österreicher – in der glücklichen Lage sind, nie hungern zu müssen, ist das Leid, das derzeit in Ostafrika herrscht, schwer vorstellbar“, sagt „Nachbar in Not“-Vorstandsvorsitzender Michael Opriesnig vom Roten Kreuz. [...]

Das Rote Kreuz etwa hat als eine von nur wenigen Organisationen Zugang zu den Betroffenen in Somalia. „Derzeit werden dort lebensrettende Verteilungen von Nahrungsmitteln und Trinkwasser durchgeführt. Langfristig werden wir gemeinsam mit den Menschen in unseren Projektgebieten dafür sorgen, dass Katastrophen wie die aktuelle Dürre in Zukunft besser bewältigt werden können.“ [...]

„Die Angst der Menschen im Dürregebiet kann man mit Händen greifen. Sie fürchten sich, dass sie die nächsten Wochen nicht überleben werden“, sagt Christoph Schweifer, der Caritas-Auslandshilfechef. [...] „Es geht jetzt darum, zu helfen, bevor es zu spät ist!“ Auch mit Mitteln von „Nachbar in Not“ möchte die Caritas in den nächsten Monaten mehr als 50 000 Menschen im Katastrophengebiet mit Trinkwasser bzw. Nahrung versorgen. Christoph Schweifer: „Sie können mit Ihrer Spende Leben retten.“

Caritas Österreich: Schulterschluss der Hilfe. 03.08.2011. Online: http://www.caritas.at/aktuell/news/news/raw/artikel/4425/89/ (07.03.2013), gekürzt

Problemdarstellung	Wie werden die Emotionen geweckt?	Appell

27 Aufgabenstellung

a. ●

Suchen Sie im Internet nach weiteren Appellen zu einer der folgenden Situationen:

- *Spendenaufruf aufgrund einer Naturkatastrophe*
- *Aufruf zu einer Blutspendeaktion*
- *Spendenaufruf einer Tierschutzorganisation*
- *Schutz der Jugend vor Alkohol*
- *Die Armut in der Welt*
- *Jugend und Sport*
- *Antiraucherkampagne*

b. ●

Analysieren Sie die Appelle nach dem vorgegebenen Formblatt (S. 159).

c. ○

Stellen Sie einige der Texte mit Appellcharakter vor. Diskutieren Sie in einem Klassengespräch die Qualität der jeweiligen Appelle. Wo überwiegt die Emotion? Wo wird das Problem am sachlichsten dargestellt?

28 Aufgabenstellung

●

Verfassen Sie einen Appell zu einer der folgenden Situationen:

- *Arbeitsaufruf zum Reinigen des nahe gelegenen Waldes von Müll*
- *Spendenaufruf für einen ortsansässigen gemeinnützigen Verein, der sich um streunende Hunde und Katzen kümmert*
- *Spendenaufruf für ein von der Klasse initiiertes Hilfsprojekt aufgrund einer Erdbebenkatastrophe in einer bestimmten Region*

Stellen Sie die Ausgangssituation sachlich **dar**.

Setzen Sie sich mit dem Sachverhalt kritisch **auseinander**.

Appellieren Sie an die Leserinnen bzw. Leser, sich der von Ihnen vorgeschlagenen Handlungsweise anzuschließen. Schreiben Sie ca. 350 Wörter.

7.6.2 Die appellative Rede (sRDP-Textsorte: Meinungsrede)

In vielen Fällen sind Appelle Teile einer Rede und werden somit mündlich vor Publikum ausgesprochen. Selbstverständlich bereiten sich auch geübte Rednerinnen und Redner schriftlich auf ihre Rede vor. Bei appellativen Reden (Meinungsreden) achten Sie darauf, folgende Punkte einzubauen:

- Interesse wecken
- Kerngedanken nennen
- Vorschläge begründen
- Vorteile aufzeigen
- zum Handeln auffordern

Appellative Rede (Meinungsrede)

sRDP

- **Einleitung:** Stellen Sie den Anlassfall und Ihren **Standpunkt** dazu kurz und deutlich dar. (Warum spreche ich?)
- **Hauptteil:** Führen Sie **Begründungen** an, **argumentieren** Sie sachlich. (Was ist der Fall? Was müsste stattdessen sein? Was möchte ich erreichen?) Bringen Sie anschauliche **Beispiele.** Ziehen Sie **Schlussfolgerungen**. (Wie lässt sich etwas erreichen?)
- **Schlussteil:** Fordern Sie zur **Aktivität** auf. (Was kann man tun?)

29 Aufgabenstellung sRDP

Verfassen Sie eine appellative Rede, die maximal drei Minuten dauert, zu einer der folgenden Situationen:

- *Kaufen Sie keine Kleidung, die mittels Kinderarbeit hergestellt wird!*
- *Umweltschutz beginnt bei der Mülltrennung in der Klasse!*

Recherchieren Sie fehlende Sachinformationen und formulieren Sie anschließend Ihre **Meinungsrede** schriftlich aus.

- **Stellen** Sie die Ausgangssituation sachlich **dar**.
- **Setzen** Sie sich mit dem Sachverhalt kritisch **auseinander**.
- **Appellieren** Sie an Ihre Zuhörerinnen und Zuhörer, sich der von Ihnen vorgeschlagenen Handlungsweise anzuschließen.

Schreiben Sie ca. 350 Wörter.

Halten Sie die Rede vor der Klasse und bitten Sie um Rückmeldung Ihrer Klassenkolleginnen und Klassenkollegen.

7.6.3 Das Flugblatt – der Flyer

Flugblätter haben die Absicht, mit minimalen Mitteln Menschen zu einer Handlung zu bewegen, z. B. zu spenden oder an einer Veranstaltung teilzunehmen. Ein Flugblatt sollte in einfacher, übersichtlicher Form und in wenigen Sätzen ein Problem darstellen und über die emotionale Ebene zu einer Handlung auffordern. Flugblätter sollen sprachlich und bildlich ansprechend gestaltet sein und Aufmerksamkeit erregen.

30 Aufgabenstellung

a. Sammeln Sie Flugblätter, die in der Schule aufliegen oder an Haushalte verteilt werden.

Analysieren Sie einige im Hinblick auf:

- die Information: Wie wird das Problem dargestellt? Wird es sachlich vermittelt?
- den Emotionscharakter: Wie werden Gefühle geweckt? Werden Bilder dafür eingesetzt? Wie wird das Problem bildlich umgesetzt?
- die Appellfunktion: Wohin kann man sich wenden? Sind konkrete Daten genannt (Kontonummern von Spendenkonten, Adresse, Website, Telefonnummer etc.)?

b. Gestalten Sie ein Flugblatt mithilfe des Computers, in dem Sie Ihre Mitschülerinnen und Mitschüler aufrufen, an einem Rhetorik-Workshop, der jeweils am Samstagvormittag stattfinden soll, teilzunehmen. Informieren Sie so genau wie möglich, wecken Sie aber auch die Emotionen und appellieren Sie an die Solidarität der Klassengemeinschaft, weil der Workshop an eine Mindestanzahl von Teilnehmerinnen bzw. Teilnehmern gebunden ist.

7.7 Journalistische Textsorten

Haben Sie schon jemals überlegt, zu einem Bericht, Kommentar oder Leitartikel in einer Zeitung oder Zeitschrift schriftlich Stellung zu nehmen und Ihren Standpunkt darzulegen? Der **Leserbrief** ist eine solche Form der Meinungsäußerung in Briefform. Er wird von Privatpersonen, aber auch von Interessengruppen an Zeitungen geschickt, weil man möchte, dass die eigene Meinung veröffentlicht wird. Meistens bezieht sich ein Leserbrief auf einen Beitrag einer Zeitung. Nicht alle Leserbriefe werden veröffentlicht. Je aktueller das Thema oder je prominenter die Verfasserin bzw. der Verfasser des Leserbriefes ist, desto größer ist die Chance, dass dieser abgedruckt wird.

Der **Leserbrief** ist ein argumentativer Text, der auch appellative Elemente enthalten kann. Man unterscheidet:

- die **Stellungnahme**, in der die persönliche Sicht einer Leserin oder eines Lesers dargestellt wird; sie oder er stimmt dem Zeitungstext zu, ergänzt ihn oder entkräftet den Inhalt mit Gegenargumenten.
- den **appellativen Leserbrief**, der ein Problem oder einen Missstand argumentativ aufzeigt und sich mit Verbesserungsvorschlägen und Appellen an die Leserinnen und Leser wendet.
- den **offenen Brief**, der für die Allgemeinheit bestimmt ist. Er wird zwar mit der Post oder per E-Mail zugestellt, gleichzeitig aber an die Presse oder an andere Medien zur Veröffentlichung übergeben. In der Regel wird dadurch die Adressatin bzw. der Adressat zu einer Stellungnahme herausgefordert.

7.7.1 Die Stellungnahme

Stellungnahme

- **Aufbau**
  - **Einleitung:** Zu Beginn wird auf den Zeitungstext mit Titel, Autorin oder Autor und Erscheinungsdatum Bezug genommen. Eventuell gibt man in einem Satz an, wovon der Zeitungstext, zu dem man sich äußern möchte, gehandelt hat.
  - **Hauptteil:** Darin wird der eigene Standpunkt vertreten; die eigenen Argumente werden unter Bezugnahme auf die Textteile, die man unterstützen oder widerlegen möchte, angeführt. Achten Sie darauf, dass sich eine Stellungnahme in Form eines Leserbriefs auf das **Wesentliche** beschränkt und die **eigene Meinung sehr klar und deutlich** zum Ausdruck kommt.
  - **Schlussteil:** Das eigene **stärkste Argument** wird angeführt. Anschließend wird das Thema abgerundet. Dies kann durch einen Ausblick auf die Zukunft oder einen Wunsch ausgedrückt werden. Es wird eine abschließende Stellungnahme formuliert, in der man etwa auf mögliche Folgen aufmerksam macht.
- Ehrverletzende Formulierungen sind zu vermeiden.

7.7.2 Der (appellative) Leserbrief (sRDP-Textsorte)

Sie wollen zu einem bestimmten Thema Ihre Meinung äußern und verfassen einen Leserbrief. Dieser sollte bestimmten Kriterien entsprechen:

- ein Thema von hoher Aktualität
- eine auf das Wesentliche beschränkte Meinungsäußerung
- eine nachvollziehbare Argumentation
- eine sachliche und klare Formulierung

Appellativer Leserbrief

sRDP

- **Aufbau**
  - **Titel:** Ein ansprechender Titel erhöht die Chance auf eine Veröffentlichung.
  - **Einleitung:** Es ist auf das Thema und die dazugehörende Meinungsäußerung (Titel, Autorin bzw. Autor sowie Datum der Veröffentlichung des Zeitungsartikels) Bezug zu nehmen.
    Der Inhalt des Zeitungstextes, auf den Bezug genommen wird, wird möglichst nur in einem Satz wiedergegeben (Analyse des Ist-Standes).
  - **Hauptteil:** Die eigenen Argumente werden angeführt. Wenn es einen Textbezug gibt, bezieht man sich auf jene Textteile, die man unterstützen oder widerlegen möchte. Es muss klargestellt werden, wie eine Situation geändert werden kann bzw. welches Ziel mit welchen Mitteln erreicht werden kann (Analyse des Soll-Standes).
    Achten Sie darauf, dass sich ein Leserbrief auf das **Wesentliche** beschränken soll und die **eigene Meinung sehr klar und deutlich** zum Ausdruck kommen muss.
  - **Schlussteil:** Der **Appell** an die Leserin oder den Leser soll zum Handeln aufrufen, damit die aufgezeigten Probleme beseitigt werden. Hierbei setzt man die **stärksten Argumente** ein. Das Thema wird dann mit Zukunftsperspektiven bzw. Hoffnungen auf Verbesserung der Situation abgerundet.
- Ehrverletzende Formulierungen sind zu vermeiden.
- Es sollte auf jeden Fall der Name der Absenderin bzw. des Absenders angegeben werden.
- Der Leserbrief ist eine Textsorte, die vor allem Denkleistungen der Bereiche Reorganisation, Transfer und Reflexion verlangt.

31 Aufgabenstellung

●●

Suchen Sie im Internet oder in einer aktuellen Tageszeitung Leserbriefe und analysieren Sie, wie diese Briefe aufgebaut sind und welche Länge sie üblicherweise haben. Besprechen Sie die Mängel, die Sie eventuell in den verschiedenen Briefen feststellen können.

32 Aufgabenstellung sRDP

●

Fußball: Fans oder Hooligans?

Angesichts von Fernsehbildern von Hooligans, die Fußballplätze stürmen und randalieren, handelt es sich dabei um ein im Fußballsport relevantes Thema.

Verfassen Sie einen **Leserbrief** an den Autor des Zeitungsberichtes und bearbeiten Sie dabei folgende Schreibaufträge:

- **Fassen** Sie die Hauptaussagen des Zeitungsberichts in ein bis zwei Sätzen **zusammen**.
- **Nehmen** Sie kritisch **Stellung** zu der Aussage, dass in Österreich Hooligans mit ähnlich hohen Strafen und Auflagen rechnen sollten wie in England.
- **Appellieren** Sie an die ernsthaften Fußballfans, ein derartiges Vorgehen in den Fußballstadien nicht mehr zu tolerieren.

Schreiben Sie zwischen 270 und 330 Wörter.

Ganz Österreich hat ein Hooligan[1]-Problem

Randalierer müssen aus den Stadien verbannt werden

Die Szenen, die der ORF und Sky[2] erste Reihe fußfrei in die Wohnzimmer dieses Landes lieferten, kennt man eigentlich nur von früher aus dem alten England. Hunderte, teils vermummte Fußballfans stürmen den Platz. 300 Polizisten versuchen in voller Montur, Herr der Lage zu werden. Die Spieler flüchten in die Kabinen, der Schiedsrichter bricht das Spiel ab.

Aber diese Jagdszenen spielten sich nicht im Mutterland der Hooligans ab, sondern im Wiener Hanappi-Stadion. Schon im Vorfeld des 297. Wiener Derbys[3] zwischen Rapid und der Austria gab es konkrete Hinweise, dass Rapid-Anhänger im Falle einer Führung der Austria den Platz stürmen wollen – nach dem Treffer zum 2:0 war es so weit. Man kann nur den Kopf schütteln, dass das nicht zu verhindern war. Das ohnehin dürftige Image des österreichischen Fußballs hat eine Schramme mehr.

Rapid reagierte, wie halt jeder Verein reagiert. Man sei entsetzt, traurig und erschüttert. In Wahrheit sind das nur Floskeln, die man in regelmäßigen Abständen hört. Auch das Argument, es seien ja nur ein paar Idioten, die die Fußball-Idylle stören, ist hinfällig, wenn eine Hundertschaft den Platz stürmt. Rapid hat ein Hooligan-Problem. Das haben aber auch Sturm, Innsbruck, die Austria, Blau-Weiß Linz, Austria Salzburg oder der GAK – und damit ganz Österreich.

England hat zu Beginn des neuen Jahrtausends erkannt, dass im Umgang mit Hooligans eine dramatische Richtungsänderung notwendig ist. Ein Fußball-Verbots-Erlass wurde eingeführt, der sicherstellt, dass 3800 registrierte Hooligans von allen Vereinsspielen in England ausgeschlossen sind und das Land nicht verlassen dürfen, wenn England im Ausland spielt. Sie müssen ihre Pässe abgeben und dürfen auch nicht auf Urlaub fahren. Wer den Erlass missachtet, muss mit einer Strafe von 6000 Euro und bis zu sechs Monaten Haft rechnen. Teil zwei der Strategie war es, die Gitterstäbe, hinter denen die Zuschauer eingesperrt waren, zu entfernen. Die Fußballfans sollen nicht als Störenfriede behandelt werden, die man zu tolerieren habe, sondern als geschätzte, zahlende Kunden, die ein Anrecht haben, Fußballspiele zu besuchen.

Daran muss sich auch Österreichs Fußball orientieren. Randalierer müssen registriert und konsequent mit Stadionverboten belegt werden. Weil der Österreichische Fußballbund, die Bundesliga und die Vereine offensichtlich zu schwach für eine Umsetzung sind, muss eine höhere Instanz eingreifen. Ohne Unterstützung der Regierung hätte auch England sein Problem nicht lösen können.

Sagmeister, Guenther: Ganz Österreich hat ein Hooligan-Problem. In: Kleine Zeitung, 22.05.2011. Online: https://www.ots.at/presseaussendung/OTS_20110522_OTS0046/kleine-zeitung-kommentar-ganz-oesterreich-hat-ein-hooligan-problem-von-guenter-sagmeister (18.02.2022)

[1] *Hooligan (engl.): Schlägertyp, Raufbold. Im deutschen Sprachgebrauch sind damit Personen gemeint, die vor allem bei Sportereignissen, wie Fußballspielen, durch aggressives Verhalten auffallen.*

[2] *Sky: gebührenpflichtiger Privatsender*

[3] *Derby (engl.): Fußballspiel, bei dem zwei rivalisierende Mannschaften einer Region zusammentreffen. Meist sind diese Spiele für die Fans der jeweiligen Vereine mit hoher Symbolkraft und vielen Emotionen verbunden.*

33 Aufgabenstellung

SRDP

a. Lesen Sie den Zeitungsbericht „Kinder auf Kakao-Plantagen: Süßes aus der Hölle“ von Hans-Georg Toeche-Mittler und unterstreichen Sie die wichtigsten Aussagen des Textes.

b. Reagieren Sie auf diesen Zeitungsbericht, indem Sie einen appellativen **Leserbrief** verfassen.

- **Stellen** Sie die Ausgangssituation sachlich **dar**.
- **Setzen** Sie sich mit dem Sachverhalt kritisch **auseinander**.
- **Appellieren** Sie an die Konsumentinnen bzw. Konsumenten, sich der von Ihnen vorgeschlagenen Handlungsweise anzuschließen.

Schreiben Sie zwischen 270 und 330 Wörter.

Achten Sie darauf, dass sich Ihr Text auf das Wesentliche beschränkt und Ihre eigene Meinung bzw. Ihr Appell klar und deutlich zum Ausdruck kommt.

Geben Sie im Anschluss Ihren Text einer Mitschülerin oder einem Mitschüler und bitten Sie um Feedback. Überarbeiten Sie Ihren Text aufgrund der Rückmeldung.

Kinder auf Kakao-Plantagen: Süßes aus der Hölle

Nirgendwo auf der Welt wird so viel Kakao angebaut wie in der Elfenbeinküste – 42 Prozent des international verarbeiteten „braunen Goldes". Auf den Plantagen schuften allerdings zumeist Kinder.

Mit einer Machete[1] schlägt er eine Kakaofrucht nach der anderen vom Baum. Dann sammelt der Bub im grauen T-Shirt, der wohl nicht einmal zehn Jahre alt ist, die orangefarbenen Früchte ein und wirft sie in einen Korb. Den kippt er dann auf einen Berg reifer Früchte. Unter dem dichten Blätterdach der engen Baumreihen sitzt ein weiterer Bursch und knackt die harte, gerillte Schale mit einer scharfen Machete. Er holt das helle, süßlich riechende Fruchtfleisch heraus – den Rohstoff zur Herstellung von Schokolade, deren Nachfrage in Europa gerade vor Ostern enorm gestiegen ist.

Die Elfenbeinküste (Côte d'Ivoire) ist der größte Kakaoproduzent und liefert etwa 42 Prozent des international verarbeiteten „braunen Goldes". In den Plantagen des westafrikanischen Landes schuften Kinder um die zwölf Stunden täglich und erledigen alles, was so anfällt. Für etwa 230 Euro kann sich ein Plantagenbesitzer eine Arbeitskraft kaufen und grenzenlos ausbeuten – meist Kinder aus Dörfern der ärmeren Nachbarstaaten der Elfenbeinküste. Diese Missstände enthüllte der dänische Journalist Miki Mistrati in einem kürzlich veröffentlichten Dokumentarfilm. Damit schienen die Wirtschaftsgiganten der Schokoladeindustrie, die weltweit jährlich etwa drei Millionen Tonnen Kakaobohnen verarbeiten – davon 70% aus Westafrika –, endgültig ihre Unschuld verloren zu haben. Am 1. September 2001 hatten sie sich im „Harkin Engel Protocol" zur Kontrolle und Zertifizierung der Arbeitsbedingungen bei ihren Lieferanten verpflichtet. Bis 2005 wollten sie weltweit gültige Standards für die Kakaoproduktion entwickelt haben. Diese Frist wurde mehrmals verlängert, zuletzt bis Ende 2010.

Die Tulane University in New Orleans (USA) sah sich in einer Studie die Umsetzung dieser Versprechen an und stellte im September 2010 fest: Es habe sich kaum Entscheidendes verändert. Noch immer arbeiteten Hunderttausende von Kindern auf den Plantagen. Nur vier Prozent aller Produktionsbetriebe sind bis heute zertifiziert. So unbestreitbar die Beweise sind, die Mistrati auf seiner Reise durch Westafrika zusammengetragen hat, so komplex sind aber auch die Ursachen für die – oft erzwungene – Kinderarbeit. Und so komplex sind die Gründe dafür, dass die Einkäufer des nach Öl und Gold drittwichtigsten Rohstoffs der Erde demgegenüber machtlos scheinen. Das Problem wurde bis jetzt wohl vorwiegend analysiert und weniger bekämpft.

Hilfe oder Ausbeutung? Analyse ist in der Tat geboten: Auch wenn man nämlich das Problem der Schlepper aus den Nachbarländern in den Griff bekommt, bleibt die Mitarbeit der eigenen Kinder in der afrikanischen Familie vor allem auf dem Lande traditionell selbstverständlich – im Haushalt ebenso wie an Mutters Verkaufsstand auf dem Markt, beim Service im kleinen Restaurant oder eben auch bei der Feldarbeit auf dem Land. Auch die Partnerbetriebe des weltweit tätigen, streng zertifizierten Handelsunternehmens „Fairtrade" berücksichtigen das und haben klare Kriterien zur Unterscheidung zwischen bloßer Hilfe und ausbeutendem Einsatz erarbeitet. Nur so wird eine gesellschaftlich akzeptierte afrikanische Variante von Jugendschutz zu realisieren sein.

Weit mehr Einfluss hätten die Einkäufer der Schokoladeindustrie auf die zweite große Ursache der Kinderarbeit: die wirtschaftliche Situation der Familien. Die Mitarbeiter der Hersteller haben alle ihre Büros in der Wirtschaftsmetropole Abidjan, also nicht weit von den Anbaugebieten entfernt. Sie sind aber dort gut damit ausgelastet, sich im Korruptionssumpf zu behaupten. 2008 machte die Verhaftung sämtlicher Kakaobarone der Führungsriege in der kompliziert organisierten ivorischen[2] Kakaowirtschaft wegen Bestechung international Schlagzeilen. Ende 2010 wurden sie „vorläufig" freigesetzt. Ihre mögliche Verwicklung in Waffenkäufe des vor kurzem gestürzten Präsidenten Laurent Gbagbo nach der ersten Rebellion im Jahr 2002 schienen wohl doch zu gefährlich.

Vermehrte Kontrollen.

Im Kampf gegen die Kinderarbeit und andere soziale Missstände sind inzwischen durchaus auch reale Fortschritte gemacht worden, wenn sie auch klein scheinen. Die Schokoladeriesen spüren den Gegenwind aus Konsumentenrichtung und investieren in agrartechnische und soziale Beratung und schicken vermehrt Kontrolleure in die Produktionsbetriebe. Eine engere Verbindung mit den Betrieben garantiert ihnen dann zwar gesicherte Einkäufe, sie entkräftet aber auch das bisher gern benutzte Argument, man habe ja wegen der vielen regionalen Aufkäufer und Zwischenhändler wenig oder gar keinen Einfluss auf die soziale Situation dort. Der Schweizer Schokohersteller Nestlé, der besonders beharrlich von NGOs[3] attackiert wird, will mit seinem 2009 beschlossenen „Nestlé Cocoa Plan" für solche Projekte nach eigenen Angaben über zehn Jahre hinweg mehr als 100 Millionen Schweizer Franken (ca. 78 Mio. Euro) ausgeben. Gegenüber einem Umsatz von etwa 70 Milliarden Euro jährlich sind das gewiss Peanuts[4]. Die renommierte Schweizer Confiserie Sprüngli und der immer wieder gelobte österreichische Produzent Zotter halten fest, dass sie vor allem Kakao aus Südamerika benutzen. Der seit Kurzem regierende Präsident der Elfenbeinküste, Alassane Ouattara, hat eine wirtschaftliche und soziale Rundumerneuerung versprochen. Er wird dabei die Kakaowirtschaft des Landes nicht aussparen können. Für ihn ist das Kakaogeschäft auch Familiensache: Der Sohn seiner Frau aus ihrer ersten Ehe, Loïc Folloroux, ist Afrika-Direktor der britischen Armajaro-Gruppe, deren Chef auch „Schokofinger" genannt wird, weil er offenbar ein goldenes Händchen bei Spekulationsgeschäften mit dem braunen Gold hatte. Sein jüngster Coup war im Juli 2010 der Einkauf von 241.000 Tonnen Kakao. Das sind gut acht Prozent der Jahresproduktion und ca. die Hälfte von Nestlés Jahresbedarf, die sich „Schokofinger" vor den aktuellen Preissteigerungen gesichert hat. Armajaro dürfte das einen immensen Gewinn und süße Träume beschert haben.

Toeche-Mittler, Hans-Georg: Kinder auf Kakao-Plantagen: Süßes aus der Hölle. In: Die Presse, 23.04.2011. Online: https://diepresse.com/home/panorama/welt/652884/Kinder-auf-KakaoPlantagen_Suesses-aus-der-Hoelle (20.05.2019)

1 *Machete: Buschmesser*
2 *ivorisch: aus der Elfenbeinküste stammend*
3 *NGO (engl. Non-Governmental Organisation): Nichtregierungsorganisation*
4 *Peanuts (engl. Erdnüsse): umgangssprachlicher Ausdruck für Kleinigkeiten oder Unbedeutendes*

34 Aufgabenstellung sRDP

Verfassen Sie einen **Leserbrief** zum Zeitungsbericht über Mobbing in Schulen und bearbeiten Sie dabei folgende Schreibaufträge:

- **Fassen** Sie die Hauptaussagen des Zeitungsberichts in ein bis zwei Sätzen **zusammen**.
- **Nehmen** Sie kritisch **Stellung** zu den Aussagen des Zeitungsberichts und beziehen Sie dabei Ihre persönlichen Erfahrungen, die Sie als Schülerin bzw. Schüler gemacht haben, mit ein.
- **Appellieren** Sie an die Jugendlichen, sich möglicher juristischer Konsequenzen für Mobbing und negativer gesundheitlicher Folgen für Mobbingopfer bewusst zu sein.

Schreiben Sie zwischen 270 und 330 Wörter.

Folgende Fragen sollten Sie sich bei der kritischen Auseinandersetzung mit dem Zeitungsbericht stellen:

- Welche Problematik behandelt der Zeitungstext?
- Wie ist der Begriff „Mobbing" zu definieren?
- Welche rechtliche Handhabe hat man gegen Mobbing? Recherchieren Sie dazu.
- Bedeutet Ausübung von Gewalt das Gleiche wie Mobbing?
- Was halten Sie von der Darstellung des Problems?

Schule als Ort der Gewalt

Jugendliche fühlen sich in der Klasse zunehmend gemobbt. Das System hat für das Problem keine Lösung.

Mobbing scheint beliebt: Kinder und Jugendliche verwenden das Wort heute inflationär, auch für kleine Hänseleien. Dabei ist Mobbing ein Tatbestand. Einer, der oft erfüllt wird, bestätigt eine große Umfrage von „147 Rat auf Draht[1]“. Ergebnis: 46 Prozent der Befragten (9–20 Jahre) waren schon einmal von Mobbing in der Schule betroffen. Schon im Frühjahr veröffentlichte die OECD Zahlen, wonach Österreich beim „Bullying“ (Mobbing in der Schule) den traurigen ersten Platz einnimmt.

Elke Prochazka, die als „Rat auf Draht“-Psychologin die Befragung leitete, definiert Mobbing als „längerfristige, systematische Gewalt“, meist psychische, manchmal auch körperliche. Entscheidend ist die absichtliche Verletzung. „Neben Täter und Opfer ist dafür die Masse rundherum wesentlich.“ Ohne Publikum kein Mobbing. „Bei dem muss man möglichst früh ansetzen, sensibilisieren und aktivieren.“

Cyber-Mobbing

Sichtbar wird das am Beispiel Cyber-Mobbing, von dem laut der Umfrage schon 30 Prozent betroffen waren. Prochazka: „Wenn unter den ersten drei Kommentaren von beleidigenden Postings ein Widerspruch kommt, bremst das die Wucht, zeigen Studien.“ Aktuell fühlen sich zwar nur sieben Prozent als Cyber-Mobbing-Opfer, aber das ist meist eine Fortsetzung des Mobbings in der Schule. Darin liegt auch das wirkliche Problem: Hatten Opfer früher in der Freizeit und der eigenen Wohnung ein Rückzugsgebiet, sind sie durch soziale Medien heute oft 24 Stunden mit den Aggressionen konfrontiert.

„Wir sehen jedoch, dass im Internet ein anderer Umgang herrscht. Opfer blockieren die Mobber selbst.“ Diese Handlungskompetenz fehle beim herkömmlichen Mobbing meistens.

Keine Lösung

Wie überhaupt die Lösungen für das wachsende Problem rar sind. Ein Ansatz wäre die Früherkennung. „Wir haben im Schnitt täglich fünf Anrufe zu dem Thema, die meisten melden sich sehr spät. Durch frühen Rückhalt würde sich Mobbing oft gar nicht entwickeln können.“ Das wären etwa Kummerkästen, die nicht an den belebtesten Orten der Schule hängen. Oder Vertrauenspersonen, die ein Betroffener sprechen kann, ohne dass es alle merken. Prochazka fordert, dass „zumindest die Schulpsychologen, die es ja in jeder Schule gibt, sich des Problems annehmen.“

Die logische Anlaufstelle wären jedoch Lehrer. „Die haben zwar oft Verständnis, aber keine Zeit zum Zuhören“, sagt die Psychologin und betont die wichtigste Regel im Umgang mit Mobbing-Opfern: Zuhören und Glauben schenken. Dass auch in der Lehrer-Ausbildung mehr Konfliktlösung einfließen sollte, will sie nicht sagen.

Wichtig sei, Warnzeichen zu erkennen. „Es muss um Prävention gehen, nicht um Bestrafung. Die Schüler haben uns im Rahmen der Befragung gesagt, dass es als Konsequenz schon reichen würde, wenn einer zum Direktor muss.“

Stärken betonen

Die gesellschaftspolitische Suche nach Wurzeln des Mobbingübels sei schwierig. „Es fehlen aber sicherlich Orte, an denen Jugendliche hören, was sie gut können. Ständig seine Schwächen erklärt zu bekommen plus Leistungsdruck fördere Aggression.“ Kinder und Jugendliche suchen positive Rückmeldung.

Als Wunschdenken bezeichnet Prochazka die immer wiederkehrende Idee, „Soziale Kompetenz“ als Pflichtfach im Unterricht einzuführen. Jugendliche ernst zu nehmen, wäre ein guter Schritt: „Die waren schon überrascht, dass wir sie um ihre Meinung fragen.“

Halbhuber, Axel; Pawlik, Konstanze: Schule als Ort der Gewalt. In: Kurier, 26.08.2015.
Online: https://kurier.at/leben/jeder-zweite-schueler-von-mobbing-betroffen/149.117.119 (20.05.2019)

---

[1] *147 Rat auf Draht: Telefonhilfe, Notruf und psychologische Beratung, für Kinder und Jugendliche sowie deren Eltern und Bezugspersonen unter der Telefonnummer 147 (ohne Vorwahl aus ganz Österreich)*

7.8 Infografiken interpretieren

7.8.1 Infografik: Von der Beschreibung zur Bewertung

visuell: optisch

Diagramm, das: Schaubild

Infografiken sind Tabellen, Diagramme, Statistiken etc., die mittels Zahlen einen Sachverhalt **visuell** darstellen, Entwicklungen aufzeigen oder einander gegenüberstellen. Es genügt jedoch nicht, dass man versteht, was – meist in Form eines Kreis-, Säulen-, Balken- oder Liniendiagramms – dargestellt wird, man muss die Information auch in Worten beschreiben können.

Die sprachliche Interpretation einer Infografik muss daher folgende drei Teile enthalten:

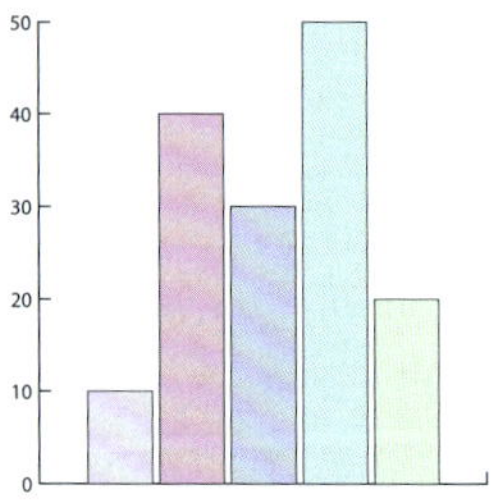

Säulendiagramm: wird oft verwendet, um den Verlauf eines Wertes darzustellen

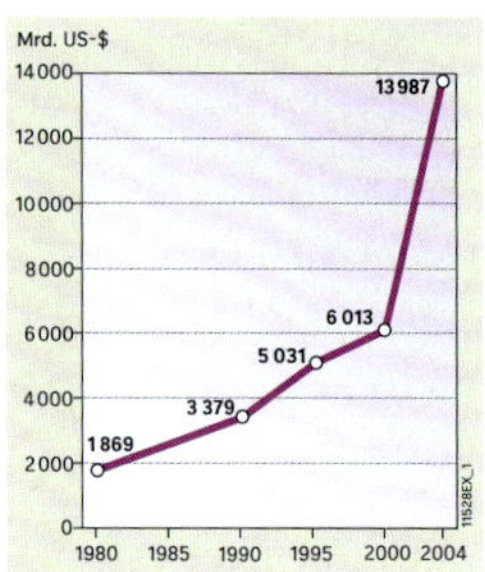

Linien- oder Kurvendiagramm: eignet sich gut zur Darstellung eines Verlaufs

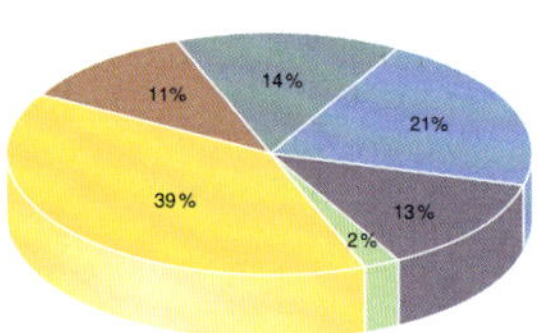

Kreis- oder Tortendiagramm: stellt Ergebnisse als Teile eines Ganzen dar (Kreis: 100 %; einzelne „Tortenstücke" repräsentieren jeweils einen Anteil des Ganzen)

- **Beschreibung**
  - **Titel** der Infografik (unter Anführungszeichen gesetzt)
  - **Quelle:** Autorin bzw. Autor, Auftraggeberin bzw. Auftraggeber der Infografik
  - **Datum** der Veröffentlichung, Angabe des Mediums
  - **Art der Darstellung:** Tabelle, Kreisdiagramm, Säulendiagramm, Balkendiagramm, gestapeltes Flächendiagramm etc.
  - **Empfänger** der Infografik: Zielgruppe bzw. Adressatenkreis, für den die Grafik gestaltet wurde
  - **Überblick:** Darlegung des Sachverhalts
- **Analyse**

  In einem zweiten Schritt ist es wichtig, Informationen aus der Infografik herauszufiltern, sie zu **analysieren:**
  - **Welche Daten** sind wichtig, welche sind weniger bedeutend oder können zusammengefasst werden? Beschreiben Sie nur **relevante** Daten!
  - In welchem **Verhältnis** werden die Daten dargestellt? Könnte die Aufbereitung des Zahlenmaterials so dargestellt werden, dass eventuell ein Manipulationsproblem vorliegen könnte? Soll der Empfänger sachlich informiert werden oder könnte es Absicht sein, ihn zu täuschen?
- **Interpretation und Kommentar**
  - Was sind mögliche **Ursachen** der im Schaubild dargestellten Fakten?
  - Welche **Konsequenzen** ergeben sich aus den Werten?
  - Können diese Werte mit anderen Informationen in **Zusammenhang** gebracht werden?
  - Welche **Schlussfolgerungen** sind aus der dargestellten Infografik zu ziehen?
  - Welche **Meinung** haben Sie zum dargestellten Problem?

Sprachliche Interpretation einer Infografik

sRDP

- **Einleitung:** Grundlegende Informationen (wie Titel, Quelle, Sachverhalt, Ort und Zeit der Veröffentlichung, Art der Infografik) werden **beschrieben**.
  Was? – das Thema, der Sachverhalt, der gemessen oder gezählt wurde
  Wann? – der Zeitraum, für den die Aussage gilt
  Wo? – das Gebiet, für das die Aussage gilt
  Wie? – der Bezugsrahmen, die Einheiten (z. B. Prozentangaben)
  Woher? – die Quelle, aus der die Informationen stammen
- **Hauptteil:** Hier erfolgen die **Analyse** der Infografik, eine **Interpretation** des Zahlenmaterials und ein **Kommentar** zu den analysierten und interpretierten Ergebnissen.
  Welche Frage steht im Vordergrund?
  Welche Werte sind besonders hoch oder besonders niedrig?
  Welche Werte sind überraschend?
  Welche Konsequenzen ergeben sich aus den Werten?
  Welche Forderungen kann man aus den Werten ablesen?
  Können die Werte mit anderen Informationen in Zusammenhang gebracht werden?
- **Schluss:** Eine kurze **persönliche Stellungnahme** verdeutlicht nochmals zusammengefasst das Problem.
- Die grammatikalische Zeitform ist das **Präsens**. Die Sprache sollte **sachlich** und **informativ** sein.

7.8.2 Tipps zur Formulierung

Folgende **Textbausteine** können Ihnen helfen, eine Infografik sprachlich richtig zu beschreiben, analysieren, kommentieren und interpretieren.

Allgemeine Informationen
Titel der Tabelle / Statistik / des Diagramms ... ist ...
Die Tabelle / Die Statistik / Das Diagramm / Das Schaubild gibt Auskunft über / liefert Informationen über / zeigt / stellt dar ... wie viele / was ...
Der Statistik / Dem Diagramm ... ist zu entnehmen, dass ...
Aus dem Diagramm geht hervor, dass ...
Die Daten stammen von / wurden erhoben von / wurden erstellt von / wurden herausgegeben von ...
Die Daten stammen aus dem Jahr ...
Die Angaben basieren auf einer (repräsentativen) Umfrage aus dem Jahr / aus dem Zeitraum von ... bis ...
Als Basis für den Index wurde das Jahr ... (= 100 %) festgelegt / festgesetzt / gewählt.
Die Angaben werden in Prozent gemacht / sind in Prozent.
Auf der x-Achse / y-Achse sind die ... angeführt / aufgeführt / aufgetragen.
Die Zahlen zeigen / geben ... Veränderungen gegenüber ... an.
Die Tabelle gibt Auskunft über folgende Aspekte / folgende Fakten / folgende Informationen ...
Die genauen Werte kann man ... entnehmen.
Die Entwicklung der / des ... wird in Form einer Kurve / von Balken ... dargestellt.
Die Legende gibt Auskunft über ...
In der Legende werden folgende Farben / Abkürzungen ... erklärt.
Zielgruppe des Diagramms / der Statistik ...
Das Diagramm richtet sich an ...

Beschreibung der Entwicklung

Der Anteil ... / Die Zahl der ...

ist von ... (im Jahr ...) auf ... (im Jahr ...) gestiegen / angestiegen / angewachsen / gesunken / gefallen ...

ist um fast / mehr als / weniger als ... Prozent gestiegen / gefallen ...

hat sich um ... Prozent erhöht / zugenommen / verringert / vermindert / ist um ... Prozent gesunken / geschrumpft / gefallen / erhöht worden ...

konnte im Zeitraum von ... verdoppelt / verdreifacht ... werden.

ist zwischen ... und ... verringert / reduziert / vermindert worden.

Erläuterung der Daten

Im Vergleich zu / Im Gegensatz zu / Im Unterschied zu / Verglichen mit dem Jahr ... / ist die Zahl ... um ... Prozent höher / niedriger ...

Der Anteil von ... beträgt / liegt ... im Jahr bei ...

Auf ... entfallen / entfielen im Jahr ... ca. ... Prozent.

Der / Die / Das Gesamt... verteilt sich zu ... Prozent auf ..., zu ... Prozent auf ...

... Prozent aller ... sind / haben / machen ... aus

Die Kosten / Ausgaben für ... betragen / machen aus / erreichen eine Höhe von ...

Die Einnahmen / Der Verbrauch ... liegen / liegt ... bei ... / erreichten / erreichte eine Höhe von ...

Kommentare / Schlussfolgerungen

Es ist festzustellen, dass ... in den letzten Jahren tendenziell steigt / sinkt.

Das Schaubild zeigt deutlich einen Rückgang / Anstieg ...

Bezüglich des erfassten Zeitraums kann gesagt werden, dass ...

Aus dem Schaubild geht leider nicht hervor, dass / wie / ob ...

Aus dem Datenmaterial lässt sich nicht ersehen / nicht entnehmen, ob / wie ...

In Anlehnung an: Tellmann, Udo: Handbuch Sprachförderung im Fach, Varus, 2010.
Online: https://www.wirtschaftsdeutsch.de/lehrmaterialien/redemittel-diagramm.pdf (20.05.2019)

Stolpersteine vermeiden

- **Finite Verbform** bei **Mengen-** und **Prozentangaben**

  Beispiele:

  *Ein Prozent der Jugendlichen **ist** ...* (Singular)

  *Ein Großteil der Jugendlichen **ist** ...* (Singular)

  *Drei Prozent der Jugendlichen **sind** ...* (Plural)

  *Die meisten Jugendlichen **sind** ...* (Plural)

  *Der Anteil der / von Jugendlichen **ist** ...* (Singular)

- Vergleichspartikel „**wie**" oder „**als**"
  - „**wie**" steht immer nach dem Positiv (gleiches Verhältnis): *so breit wie, doppelt so lang wie, dreimal so groß wie, fast so viel wie*

    Beispiel: *Die Anzahl der Städtereisenden ist im Sommer doppelt so hoch **wie** im Winter.*

  - „**als**" steht immer nach dem Komparativ (ungleiches Verhältnis): *größer als, weniger als, kürzer als*

    Beispiel: *Die Nächtigungen in Wien haben sich gegenüber dem Vorjahr mehr **als** verdoppelt.*

35 Aufgabenstellung sRDP

Beschreiben, analysieren, interpretieren und **kommentieren** Sie eine der abgebildeten Infografiken. Achten Sie dabei auf eine sachliche und informative Sprache und versuchen Sie, die dargestellten Daten auf die wesentlichen, aussagekräftigen Aspekte zu reduzieren.

http://s07.static-shell.com/content/dam/shell/static/deu/downloads/youth-study-2010politics.pdf (07.03.2013)

Shell-Jugendstudie

Bereits seit 1953 beauftragt Shell in Deutschland unabhängige Forschungsinstitute mit der Erstellung von Studien, um Sichtweisen, Stimmungen und Erwartungen von Jugendlichen zu dokumentieren. Die Shell-Jugendstudie präsentiert nicht nur eine aktuelle Sicht auf die Jugendgeneration, sondern gibt auch konkrete gesellschaftspolitische Denk- und Diskussionsanstöße. Mit diesem Engagement für die Jugendforschung nimmt Shell in Deutschland seit Jahrzehnten die Möglichkeit wahr, gesellschaftliche Verantwortung zu übernehmen.

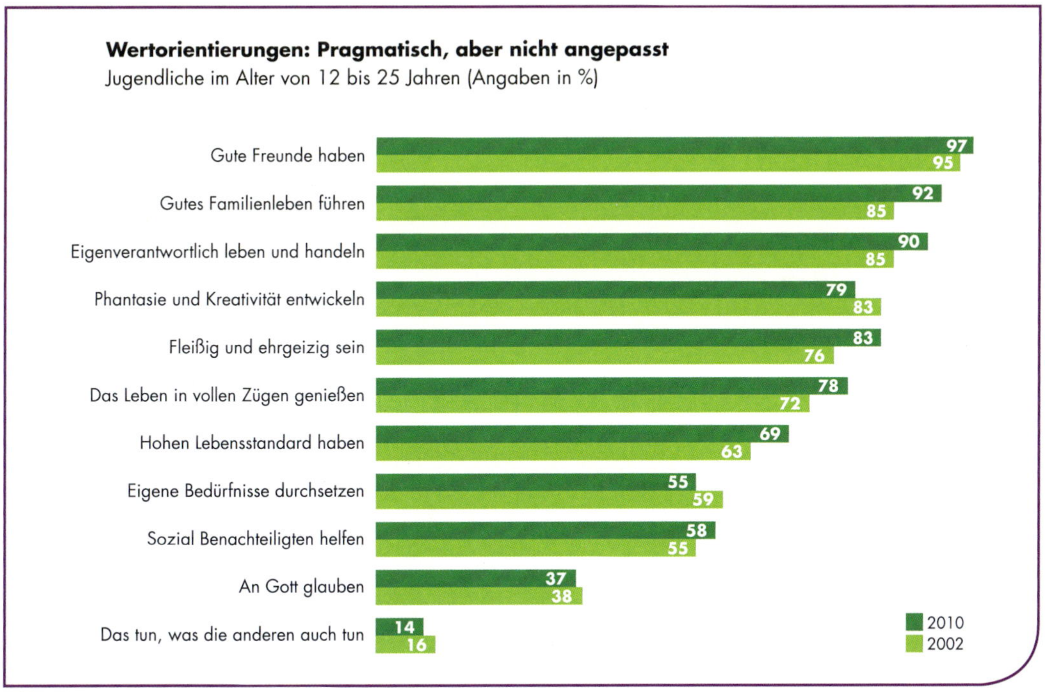

http://s04.static-shell.com/content/dam/shell/static/deu/downloads/youth-study-2010values.pdf (07.03.2013)

Die 16. Shell-Jugendstudie 2010 stützt sich auf eine repräsentativ zusammengesetzte Stichprobe von 2604 Jugendlichen im Alter von zwölf bis 25 Jahren aus den alten und neuen deutschen Bundesländern, die von geschulten Infratest-Interviewerinnen und -Interviewern zu ihrer Lebenssituation und zu ihren Einstellungen und Orientierungen persönlich befragt wurden. Die Erhebung fand auf Grundlage eines standardisierten Fragebogens im Zeitraum von Mitte Januar bis Ende Februar 2010 statt. Im Rahmen der qualitativen Vertiefungsstudie wurden 20 Fallstudien auf der Basis von explorativen Interviews mit Jugendlichen im Alter von 15 bis 24 Jahren durchgeführt.

repräsentativ: *als Einzelne bzw. Einzelner typisch für die Gesamtheit*

Infratest, der: *deutsches Marktforschungsunternehmen*

qualitativ: *die Qualität betreffend*

exploratives Interview, das: *ein freies Gespräch. Die Interviewerin bzw. der Interviewer lenkt das Gespräch zwanglos, sodass es für die Befragte bzw. den Befragten leichter wird, ehrlich und offen zu antworten.*

Ihr persönlicher Lernerfolg

Schätzen Sie selbst ein, was Sie jetzt wissen und können:

✓ oder ✗

		LESEN	ÜBEN
Sie wissen, wie man epische Texte und Sachtexte beschreibt und analysiert.	◯	S. 136–137; 154	S. 138–149; 155
Sie können sachliche und fundierte Argumente aufbauen.	◯	S. 158	S. 159
Sie wissen, welche Textsorten appellativen Charakter haben.	◯	S. 164; 167	S. 165-167
Sie können Leserbriefe verfassen und wissen, wie man eine textgebundene Erörterung verfasst.	◯	S. 160; 169; 162	S. 172–173; 160–163
Sie wissen, wie ein Flugblatt sprachlich gestaltet sein soll.	◯	S. 167	S. 167
Sie können Infografiken beschreiben, analysieren, interpretieren und kommentieren.	◯	S. 174–176	S. 177
Sie wissen, wie man einen Text zusammenfasst.	◯	S. 132-133	S. 133-135
Sie können eine Charakteristik verfassen.	◯	S. 150	S. 151-153

8

FACHSPRACHE(N)

In diesem Kapitel lernen Sie, …

… welche Bedeutung übersichtlich gestaltete Mitschriften für Ihr Lernen haben,

… wie Sie ein Protokoll verfassen,

… was Thesenpapiere und Strategiepapiere sind,

… was man unter Fachwortschatz versteht.

Kompetenzen hier entlang ▶▶▶

8.1 Mitschriften verfassen

8.1.1 Arbeitstechniken

transkribieren: das gesprochene Wort verschriftlichen

Eine der wichtigsten Hilfstechniken des Schreibens in Schule, Studium und Beruf ist das Anfertigen einer **Mitschrift**. Diese Arbeitstechnik erfordert einige Übung und sollte während der Schullaufbahn gut trainiert werden. Technische Hilfsmittel verführen zwar dazu, einfach alles mit einem Tonbandgerät aufzunehmen oder auf dem Notebook mitzuschreiben, jedoch kann dies die Arbeit mit Stift und Papier nicht ersetzen. Es ist viel zu aufwändig, im Nachhinein den Vortrag zu transkribieren und erst recht wieder eine ordentlich gegliederte Mitschrift zu verfassen. Es hat wenig Sinn, zu viel oder so schnell wie möglich mitzuschreiben: Die Mitschrift ist dann kaum lesbar und eignet sich auch nicht dafür, sie als Lernunterlage oder zum Weiterarbeiten einzusetzen. Viele Schülerinnen und Schüler machen den Fehler, nicht zu gliedern oder lückenhaft mitzuschreiben, weil sie sich nicht genug auf das Vorgetragene konzentrieren.

siehe Band 1, Kapitel „Kommunikation im Beruf“

Mitschriften sind **Gedächtnisstützen:** Sie erleichtern das Lernen vor Prüfungen und sind auch wichtig, wenn man im Anschluss an Besprechungen ein Protokoll oder eine Zusammenfassung der Sitzung anfertigen muss.

Wichtige Prinzipien zum Verfassen einer guten und brauchbaren Mitschrift haben Sie bereits im Vorjahr gelernt:

- **Zuhören:** Dies bedeutet **intensives Hinhören, aktives Mitverfolgen** des Vortrags und **gedankliches Wachsein!**
- **Auswählen:** **Sinnvolles** muss von weniger Sinnvollem, **Wichtiges** von weniger Wichtigem getrennt werden, denn wer alles mitschreiben will, der hat auch nicht ordentlich zugehört.
- **Gliedern:** Es ist wichtig, den **Überblick** zu bewahren und das Gehörte in Sinnabschnitte zu unterteilen.

Untersuchungen haben ergeben, dass man höchstens ein Drittel eines Vortrages mitschreiben kann. Daher ist es wichtig, das Wesentliche zu erkennen und zu notieren.

1 Aufgabenstellung

Verfassen Sie kurze Mitschriften von Radionachrichten oder Fernsehnachrichten. Trainieren Sie dabei die drei Grundprinzipien Zuhören, Auswählen und Gestalten einer übersichtlichen Gliederung.

Lesen Sie Ihre Mitschrift einige Tage später noch einmal und überprüfen Sie, ob Sie die Informationen so aufgeschrieben haben, dass diese für Sie noch verständlich und nachvollziehbar sind.

Richtig mitschreiben

- **Kennzeichnen** Sie die Blätter Ihrer Mitschrift mit Datum, Titel (z.B. Unterrichtsstunde, Lehrveranstaltung, Thema) und **nummerieren** Sie die Seiten.
- Verwenden Sie DIN-A4-Blätter, die Sie **systematisch** in Ordnern **abheften** können und zu welchen Sie auch ergänzende Materialien dazulegen können.
- Beschreiben Sie die Seiten **nur einseitig** und lassen Sie zwischen den Zeilen genügend Platz, um eventuelle Ergänzungen vornehmen zu können. Besonders bewährt hat sich, rechts und links einen ausreichend breiten Rand für Bemerkungen, Ergänzungen, Erklärungen etc. freizulassen.
- **Markieren** Sie wichtige Wörter (die von der Vortragenden oder dem Vortragenden besonders hervorgehoben wurden) gleich mit Textmarker. Markieren Sie auch während des Mitschreibens Wörter (Namen, Fachbegriffe etc.), von denen Sie nicht sicher sind, sie richtig verstanden oder geschrieben zu haben, und recherchieren Sie diese nach dem Vortrag.
- Verwenden Sie **gängige Abkürzungen** (z.B., etc., usw.), kreieren Sie aber auch ein System mit eigenen Abkürzungen (➔ für „darauf folgt“, + für „steigend“, – für „fallend“).
- Notieren Sie Titel, Zwischentitel, zentrale Themen und Kernaussagen.
- Schreiben Sie Tafelbilder ab.
- Grundgedanken und Erläuterungen zu **Hauptpunkten** sollten Sie immer aufschreiben, ebenso wie Namen, Daten, Zahlen und Fakten.
- Schreiben Sie keine vollständigen Sätze, sondern **Stichworte**, die sich aber auch später noch nachvollziehen lassen.
- Es hat sich bewährt, selbst gute Mitschriften möglichst bald nach dem Vortrag noch einmal durchzusehen und zu **überarbeiten** und fehlende Informationen zu recherchieren.

2 Aufgabenstellung

●

Üben Sie das Mitschreiben bei jeder Gelegenheit, die sich Ihnen bietet:

a. Fertigen Sie eine Mitschrift einer Exkursion (Firmenbesuch, Vortrag etc.) an, aus der Sie einen Beitrag für den Jahresbericht verfassen.

b. Verfassen Sie eine Mitschrift einer Fernsehdokumentation über ein Thema, das Sie interessiert.

c. Verfassen Sie eine Mitschrift während eines Referats, das von einer Mitschülerin oder einem Mitschüler gehalten wird, und vergleichen Sie Ihre Mitschrift im Anschluss mit dem Handout oder Thesenpapier, das Sie erhalten haben.

d. Überprüfen Sie Ihre Mitschriften nach einigen Tagen noch einmal, ob das Aufgeschriebene noch immer verständlich und nachvollziehbar ist. Vergleichen Sie Ihre Mitschriften mit Mitschriften zum gleichen Thema, die Ihre Klassenkameradinnen oder -kameraden angefertigt haben.

8.1.2 Professionelle Methoden

stimulieren: *anregen*

Sie sollten einige Grundbedingungen beachten, um brauchbare Mitschriften zu gestalten. So ist es schon im Vorfeld wichtig, an einen Vortrag positiv und gut vorbereitet heranzugehen. Alles, was man mit Freude und Elan macht, gelingt bekanntlich viel besser. Eine Methode, die sich nicht nur für gutes Mitschreiben, sondern allgemein für eine positive Arbeitshaltung bewährt hat, ist das **TQ3L-Verfahren**.

CHECKLISTE – TQ3L-Verfahren

TUNE-IN: Stimmen Sie sich auf den kommenden Vortrag, die kommende Unterrichtsstunde positiv ein.

QUESTION: Formulieren Sie neugierige Fragen zum Stundenthema und stimulieren Sie dadurch das Interesse.

LOOK AT THE SPEAKER: Schauen Sie die Vortragende oder den Vortragenden während des Vortrages an, damit Ihnen die nonverbalen Signale (Gestik, Mimik) nicht entgehen. Diese Signale unterstreichen meist die Bedeutung des Gesagten.

LISTEN: Hören Sie genau hin. Auch durch Betonung oder Lautstärke heben Vortragende wichtige Thesen, Gedanken oder Fakten hervor, die Sie für die Mitschrift nutzen können.

LOOK OVER: Von Zeit zu Zeit überdenken Sie das Gehörte: Ist der rote Faden für Sie noch erkennbar oder verstehen Sie nicht mehr, worüber gerade gesprochen wird? Versuchen Sie auch vorauszudenken. Wenn Sie anderer Meinung sind als die bzw. der Vortragende, notieren Sie Gegenargumente, die Sie eventuell für Fragen am Ende des Vortrags oder für eine Diskussion benutzen können.

Stangl, Werner: Lerntechnik, Mitschrift und Notizen in Vorlesungen, Seminaren und Übungen. Online: http://arbeitsblaetter.stangl-taller.at/LERNTECHNIK/Mitschrift.shtml (20.11.2018), gekürzt

3 Aufgabenstellung

Legen Sie mit Ihrer Deutschlehrerin oder Ihrem Deutschlehrer das Thema einer Unterrichtsstunde fest, auf die Sie sich selbst im Vorfeld vorbereiten und bereits Informationen dazu sammeln, z. B. zu einem Thema aus der Literaturgeschichte. Fertigen Sie nun mithilfe des TQ3L-Verfahrens eine Mitschrift dieser Stunde an und berücksichtigen Sie dabei die Tipps des TQ3L-Verfahrens.

Überarbeiten Sie im Anschluss Ihre Mitschrift und vergleichen Sie Ihre Ergebnisse mit jenen Ihrer Mitschülerinnen und Mitschüler. Besprechen Sie in einem Klassengespräch Ihre Erfahrungen. Geben Sie Ihre Mitschrift nach einer Überarbeitung Ihrer Deutschlehrerin oder Ihrem Deutschlehrer und bitten Sie um eine Rückmeldung.

8.1.3 Gliederungstechniken

Techniken, wie Sie Ideen finden und gliedern, haben Sie bereits kennengelernt. Sie wissen, dass man eine **Mindmap** als Lernhilfe und Gliederungsmethode nutzen kann, ebenso das **Clustering**.

siehe Band 1, Kapitel „Ideen finden“

Weitere Methoden, Texte zu strukturieren und zu gliedern, sind:

- **Hierarchie-Methode:** Damit ordnen Sie die Hauptpunkte eines Themas hierarchisch und die entsprechenden Unterpunkte in logischer Reihenfolge.

TITEL
Hauptpunkt 1
Unterpunkt 1
Unterpunkt 2
Unterpunkt 3
Hauptpunkt 2
Unterpunkt 1
Unterpunkt 2
etc.

TITEL
1 Hauptpunkt
1.1 Unterpunkt
1.2 Unterpunkt
1.3 Unterpunkt
2 Hauptpunkt
2.1 Unterpunkt
2.2 Unterpunkt
etc.

Achten Sie bei dieser Methode darauf, nicht zu viele Unterpunkte in die Gliederung aufzunehmen, weil dadurch die Übersichtlichkeit verloren geht. Versehen Sie die jeweiligen Hierarchien mit entsprechenden Nummerierungen.

- **Stichwort-Methode:** Kennzeichen Sie prägnante **Schlüsselwörter** eines Vortrages während des Mitschreibens, um sie bei der Überarbeitung der Notizen eventuell noch zu recherchieren und zu ergänzen.

prägnant: auffällig

Bei all diesen Methoden bewährt es sich, **Farben** einzusetzen, zu unterstreichen und **großzügig mit dem Platz** umzugehen! Üben Sie das Mitschreiben, sooft es geht, und Sie werden feststellen, dass es Ihnen nach einiger Zeit keine Schwierigkeiten mehr bereitet.

4 Aufgabenstellung

Verfassen Sie eine Mitschrift bei Referaten Ihrer Mitschülerinnen oder Mitschüler und versuchen Sie immer wieder, eine andere Gliederungsmethode einzusetzen. Dadurch können Sie herausfinden, welche Methode für Ihre Arbeitsweise am besten geeignet ist. Sie können auch mit färbigen Markierungen arbeiten.

Vergleichen Sie Ihre Mitschriften immer mit jenen Ihrer Mitschülerinnen oder Mitschüler, um herauszufinden, ob wichtige Fakten fehlen, welche Punkte Ihnen besonders gelungen sind und in welchen Bereichen Sie noch Übung brauchen.

Überarbeiten Sie im Anschluss Ihre Mitschrift so, dass sie Ihnen als Lernunterlage dient.

8.2 Protokolle verfassen

8.2.1 Aufgaben eines Protokolls

Sie haben bereits das Protokoll als wesentliches Schriftstück des beruflichen Alltags kennengelernt und auch erste Versuche unternommen, Protokolle anzufertigen.

siehe Band 1, Kapitel „Kommunikation im Beruf"

Beim Verfassen eines Protokolls sollten Sie immer bedenken, dass es sich bei dieser Textsorte um die Darstellung von Vorgängen, Verläufen, Verhandlungen sowie Besprechungen handelt und das Protokoll die Wirklichkeit widerspiegeln muss, es sich also um eine **Dokumentation** handelt. Das Protokoll soll folglich den Anspruch erfüllen, die Wirklichkeit getreu, jedoch verkürzt wiederzugeben. **Korrektheit** und **Vollständigkeit** sind daher wesentliche Bedingungen eines formal einwandfreien Protokolls.

Eckpunkte für das Verfassen eines Protokolls

- **Zweck:**

  Wozu dient das Protokoll?

  - Soll in einer Gruppe Erarbeitetes als Grundlage für weitere Arbeiten dienen?
  - Wird eine Besprechung dokumentiert, damit Nichtanwesenden die Informationen zugänglich gemacht werden können?
  - Dient das Protokoll als Grundlage für wesentliche Entscheidungen?

- **Protokollart:**

  - **Verlaufsprotokoll:** Der chronologische Ablauf der Sitzung wird festgehalten.
  - **Wortprotokoll:** Jedes Wort wird protokollarisch festgehalten (z. B. Redeprotokoll im Parlament, Vernehmungsprotokoll).
  - **Diskussions- oder Ergebnisprotokoll:** Das Wesentliche einer Sitzung wird systematisch festgehalten. Der sachliche Zusammenhang der diskutierten Inhalte und die Zusammenfassung der Entscheidungen werden festgehalten.
  - **Gedächtnisprotokoll:** Erst im Nachhinein werden aus dem Gedächtnis heraus die wichtigsten Beschlüsse und Ergebnisse zusammengefasst. Beachten Sie: Diese Art des Protokolls ist sehr ungenau!

- **Gliederung:**

  Durch sinnvolle Absätze und Unterstreichungen wird eine Struktur erkennbar gemacht. Die Gliederung soll sachlogisch dargestellt werden.

- **Umfang:**

  Ein angemessener Umfang ist ein wesentliches Kriterium eines guten Protokolls. Die Protokollschreiberin oder der Protokollschreiber darf keine Nebensächlichkeiten aufnehmen; es soll ein undetaillierter Einblick in das Geschehen (Sitzung, Besprechung, Arbeitskreis etc.) vermittelt werden. Subjektive Anmerkungen und eigene Interpretationen sind zu vermeiden!

- Die grammatikalisch korrekte Zeit für ein Protokoll ist das **Präsens**.

8.2.2 Protokoll zur Unterrichtsstunde

Unterrichtsprotokolle sind Verlaufsprotokolle und eignen sich gut, das Verfassen von Protokollen zu üben, bieten aber auch abwesenden Mitschülerinnen oder Mitschülern eine **Lerngrundlage** für den versäumten Lehrstoff an.

Ordnen Sie Unterrichtsprotokolle in einem eigenen Ordner, der allen Mitschülerinnen und Mitschülern zugänglich ist. Anfangs ist es hilfreich, wenn zwei oder drei Schülerinnen oder Schüler das Stundenprotokoll verfassen und abgleichen, damit keine wesentlichen Informationen verloren gehen. Mit ein bisschen Routine reicht es in der Folge durchaus, wenn jede Stunde eine andere Schülerin oder ein anderer Schüler die Protokollführung übernimmt.

Routine, die: *gewohnheitsmäßige Ausführung einer Tätigkeit*

paraphrasieren: *mit anderen Wörtern umschreiben, sinngemäß wiedergeben*

CHECKLISTE – Was Sie beim Mitschreiben und Protokollschreiben beachten sollten

- **Notieren** Sie Datum, Thema der Stunde, abwesende Schülerinnen und Schüler.
- **Gliedern** Sie den Verlauf der Stunde durch Ziffern.
- **Unterstreichen** Sie zentrale Themen der Stunde (Hauptüberschriften).
- **Notieren** Sie auch inhaltliche Beiträge von Schülerinnen und Schülern namentlich.
- Übernehmen Sie **Tafelbilder, Zusammenfassungen, Diktiertes** wortwörtlich in Ihr Protokoll.
- **Paraphrasieren** Sie inhaltliche Zusammenhänge.
- Verwenden Sie **allgemein gültige Abkürzungen**.
- Machen Sie **Zusammenhänge grafisch** deutlich.
- Kennzeichnen Sie **Arbeitsaufträge** (z. B. Hausübungen) und achten Sie auf genaue Erklärungen.
- Besondere **Vorkommnisse**, die bedeutend sind, können ebenfalls notiert werden.
- **Lesen** Sie Ihr Protokoll noch einmal **durch**: Stimmen die logischen Zusammenhänge? Ist die formale Gestaltung richtig? Gibt es noch Rechtschreib- oder Grammatikfehler?
- Die Protokollführerin oder der Protokollführer sollte die fertige Arbeit noch einmal **gegenlesen** lassen. Sie können auch eine entsprechende Anmerkung am Protokoll anbringen: gegengelesen von: ... Diese Vorgangsweise sollte Standard sein!
- Jedes Protokoll ist mit **Ort, Datum** und **Unterschrift** der Verfasserin bzw. des Verfassers zu versehen. Unterschreiben Sie Ihr Klassenprotokoll.

5 Aufgabenstellung

●●●

Verfassen Sie nach Absprache mit Ihren Lehrerinnen und Lehrern für das Schuljahr Unterrichtsprotokolle für einen oder mehrere Unterrichtsgegenstände, die Sie in einem Ordner, eventuell auf der Klassenplattform, sammeln.

Gehen Sie dabei nach obiger Vorgangsweise vor. Beginnen Sie damit, dass zwei oder drei Mitschülerinnen oder Mitschüler die Unterrichtseinheit protokollieren. Wenn Sie Routine gewonnen haben, reicht es aus, wenn eine Person die Stunde protokolliert.

Lassen Sie auf jeden Fall Ihr Protokoll gegenlesen, bevor Sie es im Ordner abheften oder auf die Plattform hochladen.

8.3 Positionspapiere verfassen

8.3.1 Arten von Positionspapieren

Positionspapiere zählen zu den informierenden und argumentativen Textsorten. Aufgabe dieser Texte ist es, in **sachlicher** Sprache die begründete Meinung **(Position)** zu einer Thematik kurz, übersichtlich und verständlich darzustellen.

Man unterscheidet:

- **Thesenpapier:** Es dient dazu, für Zuhörerinnen und Zuhörer den Aufbau des Vortrages zu veranschaulichen. Einerseits wird der Aufbau, der Inhalt und die verwendete Literatur besser nachvollziehbar, andererseits werden – und dies ist der **Kern des Thesenpapiers** – die **eigenen Argumente und Thesen deutlicher herausgestrichen**, schriftlich fixiert und damit klar dargestellt. Dies erleichtert anschließend die Diskussion und die Zuhörerinnen und Zuhörer haben eine schriftliche Grundlage für etwaige Fragen in der Hand.

Strategie, die: genau geplantes Vorgehen

- **Strategiepapier:** Künftige Pläne oder Entwürfe, wie ein geplantes Ziel zu erreichen wäre (also die Strategie), werden sachlich übersichtlich schriftlich dargestellt und damit auch für die Allgemeinheit (z. B. allen Mitarbeiterinnen und Mitarbeitern in einem Unternehmen) zur Verfügung gestellt. Im Gegensatz zum Protokoll wird nicht die Entscheidungsfindung aufgezeichnet, sondern **Ergebnisse**, **Leitlinien** oder **Zielformulierungen** werden schriftlich fixiert.

8.3.2 Das Thesenpapier

Thesenpapier

- **Aufbau**
  - **Einleitung:** Es wird in äußerst kurzer Form das Thema vorgestellt.
  - **Hauptteil:** Die Thesen sind **sachlogisch gegliedert** (inhaltlich zusammengehörende Thesen werden übersichtlich zusammengefasst).

    Die Art der These muss erkennbar sein (Interpretation, Kritik, Forderung, Wiedergabe eines Arguments etc.).

    Ein **durchgehender Argumentationsstrang** ist erkennbar. Die Thesen müssen argumentativ richtig aufgebaut sein. Die entsprechenden Quellenverweise sind mitzuliefern.

    Die Argumentationslinie ist sachlich klar und wird in **kurzen und knappen Sätzen** dargestellt und **übersichtlich** gegliedert.
  - **Schluss:** Ein **Literatur-** bzw. **Quellenverzeichnis** ist anzufügen.
- Ein Thesenpapier soll eine Länge von **maximal zwei DIN-A4-Seiten** nicht überschreiten und in ausreichender Zahl für jede Zuhörerin bzw. jeden Zuhörer bei einer Präsentation, einer Diskussion, einer Besprechung oder einem Vortrag aufliegen.

6 Aufgabenstellung

a. ● ● ●

Verfassen Sie ein Thesenpapier für ein Referat zum Thema „Landraub in der Dritten Welt". Verwenden Sie die drei Zeitungsberichte über Ursachen und Hintergründe des Landraubs in Ländern der Dritten Welt als Ausgangspunkt hierfür. Erklären Sie wichtige Begriffe; nennen Sie Länder, die zitiert werden. Führen Sie auch Vorschläge für Lösungsmöglichkeiten an.

Denken Sie daran, dass dieses Thesenpapier eine Informations- und Diskussionsgrundlage für Ihre Mitschülerinnen und Mitschüler sein soll.

b. ○

Vergleichen und diskutieren Sie im Anschluss die Ergebnisse Ihrer Gruppenarbeiten.

Investitionen müssen nicht im Landraub enden

Die Bilanz der bisherigen Agrarinvestitionen in der Dritten Welt ist ernüchternd. Das heißt aber nicht, dass westliches Kapital Afrika und Asien nicht auch helfen könnte.

Es war immer das gleiche Vorgehen. Plötzlich standen reiche und mächtige Männer mit bewaffneten Handlangern auf dem Hof und vertrieben die Bauern von jenem Land, das diese schon seit Jahren bestellten. Den Landlosen blieb in der Folge nichts anderes übrig, als in die Großstadt zu ziehen, wo sie an Hunger litten und die Slums stetig wuchsen. Diese Situation führte 130 vor Christus in Rom zur ersten Sozialbewegung, die vom Volkstribun Tiberius Gracchus angeführt wurde. Gracchus wollte eine Agrarreform durchsetzen, die den Landraub rückgängig gemacht hätte. Das Vorhaben misslang, Gracchus wurde ermordet.

Landraub ist in der Geschichte der Menschheit also nichts Neues. Und viele Beobachter fühlen sich bei den Schilderungen von Betroffenen aus Afrika, Lateinamerika und Asien an die Situation im alten Rom erinnert. Selbst die in dieser Frage unverdächtige Weltbank zog in einer Studie im Vorjahr ein ernüchterndes Resümee über die Agrarinvestitionen, die vor allem von arabischen und asiatischen Staatsfonds sowie westlichen Finanzinvestoren durchgeführt werden. So wurde laut Weltbank allein in den vergangenen drei Jahren eine Fläche von der Größe Frankreichs von Investoren gekauft oder geleast. Bauern, die das Land oft seit Jahrzehnten bestellten, aber keinen Rechtstitel[1] besaßen, wurden vertrieben. So mussten allein bei einem Projekt in Tansania 162000 Menschen ihr Land verlassen. Entschädigungen gibt es dabei in der Regel nicht.

Aber auch der Umgang mit dem Land sorgt oft für Probleme. Manche Investoren spekulieren nur auf einen Wertzuwachs und lassen das Land brach liegen. Andere bestellen die Felder zwar, pfeifen dabei aber auf Dünger und Fruchtfolge[2], weshalb fruchtbarer Boden nach einigen Jahren zur Ödnis wird. Natürlich gibt es auch positive Beispiele, so die Weltbank. In Summe fällt der Befund aber düster aus. Bedeutet das also, dass jegliche Agrarinvestitionen in Ländern der Dritten Welt abzulehnendes Teufelszeug sind? Nein. Auch Afrikas Landwirtschaft könnte davon profitieren, wenn Kapital von außen es ermöglicht, brachliegende Potenziale zu heben. Wenn ein Bauer beispielsweise dank eines Investors mit einem Traktor statt eines Ochsenpflugs seine Felder bestellen kann, profitiert er davon – auch wenn er dem Investor einen Teil des Gewinns wieder abgeben muss.

Dass das Kapital dabei aus dem Ausland kommt, muss ebenfalls kein Nachteil sein. Eine ähnliche Situation gab es ja auch in Osteuropa nach dem Fall des Eisernen Vorhangs. Und auch dort war etwa in Tschechien der Aufschrei groß, als sich der deutsche VW-Konzern anschickte, das Paradeunternehmen Škoda zu übernehmen. Heute, 20 Jahre später, dürfte wohl jeder zwischen Pilsen und Ostrau froh sein, dass Škoda dank frischen Kapitals seinen unglaublichen Expansionskurs starten konnte. Warum Agrarinvestitionen in Afrika und Asien statt zu Erfolgsgeschichten zu Desastern werden, hat mehrere Gründe. Der wichtigste ist die mangelhafte rechtliche Situation. In Ländern, in denen es keine ordentlichen Grundbücher gibt, lassen sich Bauern leicht von ihrem Land vertreiben. Das beweist das Beispiel Kambodscha, wo die Grundbücher erst von den Roten Khmer[3] abgeschafft wurden. Und selbst wenn sie einen rechtlichen Anspruch haben, können sie ihn mangels Geld in einer korrupten Justiz oft nicht umsetzen.

Natürlich sind die Investoren schuldig, wenn sie solche Situationen ausnützen. Änderungen muss aber die lokale Politik herbeiführen, indem sie die Rechte ihrer Staatsbürger respektiert und auf die Einhaltung von Umweltgesetzen pocht, statt selbst die Hand aufzuhalten. Grundsätzlich ist die Landwirtschaft nämlich jener Sektor, mit dem auch Afrika wirtschaftlich reüssieren[4] könnte. Darin sind sich die Experten einig. Europa sollte daher auch endlich die unfairen Agrarsubventionen abbauen. Denn solange italienisches Tomatenmark in Ghana billiger ist als einheimische Tomaten, helfen auch die besten Investitionen nichts.

Zirm, Jakob: Investitionen müssen nicht im Landraub enden. In: Die Presse, 19.08.2011. Online: https://diepresse.com/home/meinung/kommentare/leitartikel/686885/Investitionen-muessen-nicht-im-Landraub-enden (20.05.2019)

---

[1] Rechtstitel: Rechtsanspruch; [2] Fruchtfolge: bestimmte Aufeinanderfolge des Anbaus verschiedener Kulturpflanzen auf einer Nutzfläche; [3] Rote Khmer: Guerillabewegung Kambodschas (ab 1975); [4] reüssieren (franz.): Erfolg haben

OECD[1] sieht Landwirtschaft als Ausweg aus der Armutsfalle

Trotz aller Probleme mit Landraub und Preisschüben: Die Entwicklungsländer brauchen Bauern, um zu wachsen, denn die Landwirtschaft trägt stark zur Armutsbekämpfung bei – genau zu diesem Schluss kommt die OECD.

Wien. Es ist eine logische Schlussfolgerung: Wenn die Preise für Agrarprodukte steigen, müssten jene Menschen, die ihren Lebensunterhalt mit Landwirtschaft verdienen, von dieser Entwicklung profitieren. Das trifft vor allem für Entwicklungsländer zu – dort nämlich trägt die Landwirtschaft mehr zum BIP bei als in den Industrienationen. Positive Impulse aus dem primären Sektor müssten somit der Wirtschaftsentwicklung einen deutlichen Schub verleihen.

Stark steigende Einkommen

Genau zu diesem Schluss kommt die OECD in ihrer jüngsten Studie, in der sie die Performance von 25 Entwicklungsländern im Lauf der vergangenen 25 Jahre unter die Lupe genommen hat. Das Ergebnis: Landwirtschaft trägt stark zur Armutsbekämpfung bei – und dabei ist die Preisentwicklung gar nicht der springende Punkt. Die Studienautoren haben nämlich ermittelt, dass die Produktivität auf dem Agrarsektor im Schnitt viel stärker zulegt als in allen anderen Bereichen der Wirtschaft. Als förderlich erwies sich dabei insbesondere ein Rückzug des Staates aus der Landwirtschaft, also die Abschaffung von Exportzöllen und wettbewerbshemmenden Regeln im Inland. Die größten Erfolge bei der Armutsbekämpfung wurden übrigens in Tadschikistan, Gambia und Kamerun erzielt.

Doch zurück zu den Agrarpreisen: Wer seine Produkte gut verkaufen kann, hat von dem Preisanstieg bei landwirtschaftlichen Produkten der vergangenen Jahre zweifellos profitieren können. Auf die Kehrseite der Medaille weist hingegen die Weltbank in einem zu Wochenbeginn veröffentlichten Bericht hin: Für die Ärmsten der Armen ist diese Entwicklung eine Katastrophe. „Die anhaltend hohen Lebensmittelpreise, gepaart mit niedrigen Lagerbeständen, sorgen vor allem in Afrika für eine prekäre[2] Lage“, so Weltbank-Präsident Robert Zoellick. Verschärft werde die Lage durch die anhaltende Dürre.

Die Weltbank hat ermittelt, dass die Lebensmittelpreise in den von der Trockenheit betroffenen Regionen stärker gestiegen sind als anderswo. Während der Preis für international gehandelten Mais von Juli 2010 bis Juli 2011 um 84 Prozent gestiegen ist, war Mais auf den Märkten von Somalias Hauptstadt Mogadischu im Juli mindestens doppelt so teuer wie vor einem Jahr.

Laczynski, Michael: OECD sieht Landwirtschaft als Ausweg aus der Armutsfalle. In: Die Presse, 19.08.2011. Online: https://diepresse.com/home/politik/aussenpolitik/686875/OECD-sieht-Landwirtschaft-als-Ausweg-aus-der-Armutsfalle (20.05.2019)

[1] OECD (engl.): Organisation für wirtschaftliche Zusammenarbeit und Entwicklung („Organization for Economic Co-operation and Development“), Sitz in Paris; [2] prekär: schwierig

Wettkampf um Afrikas Böden: Landkauf ist nicht gleich Landkauf

Afrikas Regierungen haben mit der Handhabung der Landverkäufe ihre Mühe. Wenig scheint festgelegt, vieles verhandelbar. Nicht immer werden Versprechen auch eingelöst. Die Welternährungsorganisation übt Kritik.

Wien / Red. Seit Jahren streiten Experten, was von dem Wettlauf um Afrikas Land zu halten ist. Führen Auslandsinvestitionen in fruchtbare Böden unweigerlich zum Neokolonialismus[1], der in Zwangsumsiedlungen und Bodendegradierung mündet – oder bieten sie neben allen Risken auch Chancen? Für die Welternährungsorganisation FAO[2] wecken ausländische Investitionen die Hoffnung auf den dringend benötigten Technologietransfer und eine Steigerung der Produktivität des afrikanischen Agrarsektors – inklusive Vorteilen für die lokalen Märkte. Zudem locken Agrarkonzerne die Regierungen mit Infrastrukturversprechen: Für Landrechte bauen sie Schulen, Straßen und erneuern die Wasserversorgung. Das Nahost-Emirat Katar soll Kenia im Jahr 2009 die Errichtung eines Hafens gegen Ackerland in Aussicht gestellt haben. Nicht immer werden diese Versprechen auch eingelöst. Die FAO kritisierte bereits die unsichere Rechtslage und mangelnde Einbindung der Bewohner, die oft um ihre (Land-)Rechte gar nicht wissen. Wenig scheint festgelegt, vieles verhandelbar. Oder wie es Agrarexpertin Mariann Bassey ausdrückt: „Manche erhalten Kompensation[3], andere nicht.“ Das liegt wohl auch daran, wer als Verhandlungspartner auftritt, in Nigeria und Äthiopien etwa ist das „zu 100 Prozent die Regierung“, in Ghana gehört das Land zum Teil auch lokalen Gemeinschaften, die für sich selbst verhandeln. Weil sich die Regierungen Investitionen versprechen, verpachten sie ihr Land oft zu Diskontpreisen. In Madagaskar verlangte die Regierung vom südkoreanischen Konzern Daewoo Logistics für den Erwerb von kolportierten 1,3 Millionen Hektar, einem Viertel der Agrarfläche des Landes, überhaupt kein Geld. In Äthiopien kostet Land in manchen Fällen nichts, in anderen wenig. Es fehlen auch Institutionen, um etwaige vertragliche Rechte durchzusetzen: In Mozambique etwa müssen Investoren nach zwei Jahren ihre Investitionsversprechen eingelöst haben, sonst droht der Landentzug. Verstöße werden aber kaum sanktioniert. Unterschiede gibt es auch hinsichtlich der Art und Weise, wie das gepachtete Land bewirtschaftet wird: Die Palette reicht von Großkonzernen, die ihr Personal gleich mitbringen, bis zu Vertragsbauern (etwa in Nigeria oder Südafrika), die im Auftrag der Agrarindustrie ihre Felder beackern.

O. V.: Wettkampf um Afrikas Böden: Landkauf ist nicht gleich Landkauf. In: Die Presse, 19.08.2011. Online: https://diepresse.com/home/politik/aussenpolitik/686872/Wettkampf-um-Afrikas-Boeden_Landkauf-ist-nicht-gleich-Landkauf?direct=686887&_vl_backlink=/home/politik/aussenpolitik/686887/index.do&selChannel= (20.05.2019)

[1] Neokolonialismus: Wirtschaftssystem, in welchem Länder der reichen Industrienationen die Kontrolle über Ressourcen von Ländern der Dritten Welt anstreben; [2] FAO (engl.): Ernährungs- und Landwirtschaftsorganisation der Vereinten Nationen (Food and Agriculture Organization of the United Nations), Sitz in Rom; [3] Kompensation: Ausgleich

8.3.3 Das Strategiepapier

Strategiepapier

- **Aufbau**
  - **Einleitung:** Das Thema wird in **kurzer sachlicher Form** dargestellt.
  - **Hauptteil:** Die geplanten **Strategien** werden **aufgelistet**. Dabei ist es sinnvoll, die bedeutenderen Strategien zu Beginn und die weniger bedeutenden gegen Ende zu nennen. Weiters kann auch dazu Stellung bezogen werden, welche Chancen es gibt, damit das Projekt zu einem positiven Abschluss gelangt, bzw. welche Risiken bestehen, falls das Projekt und die dafür vorgesehenen Strategien scheitern.
  - **Schluss:** Falls sich Ihre Strategien auf fremde Literatur und Quellen stützen, ist unbedingt ein **Literatur-** bzw. ein **Quellenverzeichnis** anzufügen!
- Ein Strategiepapier sollte eine Länge von **maximal zwei DIN-A4-Seiten** nicht überschreiten und in ausreichender Zahl für alle Beteiligten einer Besprechung aufliegen.

7 **Aufgabenstellung**

a. ●●●

Entwerfen Sie ein **Strategiepapier** zu folgender Problematik: Sie haben sich das Ziel gesetzt, die Klassengemeinschaft und den Ruf der Klasse innerhalb der nächsten Monate zu verbessern. Überlegen Sie sich Strategien, wie dieses Vorhaben gelingen könnte.

Bedenken Sie bei der Planung Ihrer Strategien folgende Punkte:

- Welche Probleme allgemeiner Art gibt es in der Klasse (z. B. Unordnung, Unruhe, Verantwortlichkeiten)?
- Welche Probleme bemängeln Ihre Klassenlehrerinnen und Klassenlehrer (z. B. Disziplinlosigkeit, mangelnden Lerneifer, mangelndes Interesse)?
- Gibt es in der Klasse einzelne Gruppierungen, die sich nicht besonders gut verstehen? Hält die Klasse in Krisensituationen zusammen?
- Wie funktioniert die Kommunikation zwischen Schülerinnen und Schülern? Werden einzelne Schülerinnen oder Schüler bevorzugt, benachteiligt oder alle gleichberechtigt behandelt?
- Wie tritt die Klasse bei Wünschen auf, die die Gesamtheit der Klasse betreffen? Stehen alle hinter der Mehrheit oder fühlen sich einige ungerecht behandelt?
- Wie funktionieren gemeinsame Aktivitäten?
- Welchen Ruf hat Ihre Klasse bei Lehrerinnen und Lehrern, bei anderen Klassen, bei der Direktorin oder dem Direktor der Schule?

Überlegen Sie sich zudem, welche positiven oder vielleicht auch negativen Konsequenzen es bei der Umsetzung des Plans geben könnte. In Ihrer Strategieplanung sollten Sie auch auf ein mögliches Scheitern vorbereitet sein und eventuell einen Plan B zur Hand haben.

b. ○

Präsentieren und diskutieren Sie in der Klasse die einzelnen Gruppenentwürfe und gestalten Sie ein gemeinsames Strategiepapier, das den Konsens der gesamten Klasse findet. Machen Sie die Vorgangsweise für alle Mitglieder der Klasse verpflichtend.

Konsens, der: *Übereinstimmung von Meinungen, Zustimmung*

8.4 Fachwortschatz

8.4.1 Wie viele Wörter hat eine Sprache?

Lexem, das: jedes einzelne Wort im Sprachwortschatz

Die **Gesamtheit aller Wörter einer Sprache** zu einem bestimmten Zeitpunkt wird als **Wortschatz** bezeichnet. Es handelt sich dabei um eine Größe, die niemals stabil ist, sondern beständig anwächst. Jede Sprache hat einen unterschiedlich großen Wortschatz. Je nach Zählweise spricht man von ca. 400000 Lexemen in der deutschen Sprache. Im Vergleich dazu wird der englische Wortschatz auf ca. 500000 und der französische Wortschatz auf etwa 300000 Wörter beziffert.

Auch die **Gesamtheit aller Wörter, die eine Sprecherin oder ein Sprecher kennt und verwendet**, wird als **Wortschatz** bezeichnet.

Dabei unterscheidet man zwischen

- **rezeptivem (passivem) Wortschatz** – also die Wörter, die man zwar versteht, aber nicht unbedingt verwendet – und
- **produktivem (aktivem) Wortschatz**.

Der rezeptive Wortschatz ist immer größer als der produktive. Mit höherem Bildungsgrad steigt der Wortschatz. Im Alltag kommt man mit wenigen tausend Wörtern aus. Laut einer Untersuchung haben 15-jährige Jugendliche einen durchschnittlichen Wortschatz von 12000 Wörtern.

8.4.2 Der Spezialwortschatz

Jedes Fachgebiet und jede Branche zeichnet sich durch einen bestimmten Fachwortschatz – auch **Technolekt** genannt – aus. Diese Fachausdrücke sind für Laiinnen und Laien unter Umständen nicht immer verständlich, weil viele Wörter außerhalb des Fachgebietes nicht gebräuchlich sind oder manchmal auch eine andere Bedeutung haben. Viele Fachbegriffe und Fremdwörter bezeichnet man auch als **Fachvokabular**. Bestimmte soziale und berufliche Kreise pflegen eine Sondersprache – einen Jargon –, wodurch Teile der Fachsprache zum **Fachjargon** werden können, abwertend auch manchmal als Fachchinesisch bezeichnet.

siehe Kapitel „Sprache"

Beispiele für Berufsgruppen mit ausgeprägter Fachsprache sind etwa: Medizinerinnen und Mediziner, Juristinnen und Juristen, Technikerinnen und Techniker, Kaufleute, Mathematikerinnen und Mathematiker, Bergleute oder Jägerinnen und Jäger. Auch die Verwaltungssprache, das sogenannte Amtsdeutsch, oder die offizielle deutsche Amtssprache der Europäischen Union bleiben für Laiinnen und Laien wegen ihrer komplizierten juristischen Formulierungen oft schwer verständlich.

Die Gesamtheit aller Begriffe und Benennungen innerhalb einer bestimmten Fachsprache wird als **Terminologie** bezeichnet. Werden bestimmte Objekte eines bestimmten Themengebiets durch Richtlinien festgeschrieben, so spricht man von einer **Nomenklatur** (z. B. die Nomenklatur der chemischen Verbindungen).

8.4.3 Fachwortschatz aus Amt und Alltag

8 Aufgabenstellung

●●

Finden Sie zu den Erklärungen die passenden Fachwörter aus dem Bereich „österreichisches Amtsdeutsch“.

B																	Abkürzung für Bezirkshauptmannschaft
F			S														Arbeitstag zwischen Feiertagen und Wochenende
K				U													Gemeindesteuer
A																	Abkürzung für Arbeitsmarktservice
Z							G										Freizeit als Ausgleich für Überstunden
B					K												Verwaltungseinheit, die über mehreren Gemeinden steht
N		V															ein Gesetz ändern oder ergänzen
E						T											auswärtige Zweigstelle einer Firma oder Schule
A				K													Verzeichnis der öffentlichen Dienststellen
P			L														Durchsuchen und Feststellen der Identität einer Person
K						R											Leiter einer Museumsabteilung
D				K													Formulare, Vordrucke
O																	Abkürzung für Oberster Gerichtshof
L						R											Mitglied der Landesregierung (weibl.)
K			Z														Amtsbüro; Büro einer Rechtsanwältin oder eines Rechtsanwalts

9 Aufgabenstellung

○

Besprechen Sie, welche sprachlichen Verbesserungen die Oldenburger Behörden bei offiziellen Schreiben planen. Was waren die Kritikpunkte?

Aus für Amtsdeutsch und Fachchinesisch

Behördenbriefe, „Verkehrsbegleitgrün“ und „Personenvereinzelungsanlagen“ werden abgeschafft. Azubis[1] der Stadt gehen gegen Amtsdeutsch vor. 75 Musterbriefe sind schon umgekrempelt.

Oldenburg. Behördenbriefe verstehen – oft schwer, manchmal unmöglich. In Oldenburg soll sich das ändern. Den städtischen Briefen wird jetzt nach und nach das Beamtendeutsch ausgetrieben – und das erledigen die jeweils „frischen“ Auszubildenden in der Stadtverwaltung. Oberbürgermeister Gerd Schwandner: „Die Leute sind sprachlich noch unverdorben. Sie helfen uns, noch bürgerfreundlicher zu werden. [...]

Die Auszubildenden [...] sind die ersten, die Paragrafenketten, umständliches Deutsch, Floskeln[2] oder Schachtelsätze aufspüren und beseitigen. Binnen dreier Monate sichteten sie die Schreiben des Bürger- und Ordnungsamts und krempelten 75 um. „Das bleibt so“, sagt die Personalchefin Inge von Danckelman. „Wir werden jetzt ständig eine solche Projektgruppe haben“ – die sich dann anderer Ämter annehmen werde.

„Natürlich hatten wir ein wenig Angst, den Altgedienten zu sagen, was sich ändern soll“, berichtete am Dienstag Auszubildende Dörthe Johannes. Die aber hätten sich gefreut, dass sich jemand der Schreiben annahm. Es habe ein gewisses Unbehagen gegeben, „aber es fehlte die Zeit, etwas zu ändern“. Immerhin gibt es in den Ämtern etwa 2000 Standardschreiben. Zu den geänderten gehört auch das Schreiben, das auf einen abgelaufenen Ausweis hinweist und Gegenstand der NWZ-Berichterstattung war. Darin heißt es nun nicht mehr: „Bitte sprechen Sie innerhalb der nächsten zwei Wochen vor“, sondern „Vielleicht ist Ihnen noch gar nicht aufgefallen, dass Ihr Ausweis abgelaufen ist. Ich möchte Sie daran erinnern, innerhalb von zwei Wochen einen neuen Personalausweis zu beantragen.“

Der Hinweis aufs mögliche Bußgeld[3] entfiel; auch hier heißt es jetzt: Der Ton macht die Musik. Allerdings hat Freundlichkeit auch Grenzen. Von Danckelman: „Die Rechtssicherheit von Bescheiden muss erhalten bleiben.“

Kuchta, Thorsten: Behördenbriefe. Aus für Amtsdeutsch und Fachchinesisch. In: NWZ online, 23.12.2009. Online: https://www.nwzonline.de/oldenburg/politik/aus-fuer-amtsdeutsch-und-fachchinesisch_a_1,0,3209594337.html (20.05.2019)

[1] *Azubi (umgangssprachlich): Lehrling, Auszubildende bzw. Auszubildender*
[2] *Floskel: nichtssagende Redensart*
[3] *Bußgeld: Geldstrafe*

8.4.4 Fachwortschatz aus der Wirtschaft

10 Aufgabenstellung

●●●

Finden Sie zu den Fachwörtern aus der Wirtschaft die passenden Erklärungen und tragen Sie die entsprechenden Zahlen in der Tabelle ein. Sie können unbekannte Begriffe auch im Internet oder in einem Lexikon recherchieren. Vergleichen Sie die Ergebnisse in einem Klassengespräch.

	Fachwörter		Erklärungen
1	Lower Management		Versicherung
2	Konsolidierung		beurteilende Betrachtung der Bilanz, um die finanzielle Lage eines Betriebes abzuschätzen
3	Deflation		visuelles Erscheinungsbild eines Unternehmens
4	Assekuranz		Ankündigung der voraussichtlichen Ankunft einer Warensendung
5	Headhunterin bzw. Headhunter		Beziehungspflege im eigenen Betrieb
6	Renumeration		Fehlbetrag, Mangel, Fehler
7	Debitorinnen bzw. Debitoren		untere Ebene der Führung eines Betriebes
8	Konvention		Mitglied einer Wirtschaftsgemeinschaft, kennt die Verhältnisse von innen her
9	lukrativ		Ausstattung mit Vermögenswerten
10	Bilanzkritik		das Geldwesen betreffend
11	Human Relations		Umwandlung kurzfristiger Staatsschulden in Anleihen
12	Corporate Design		Auswahl an Produkten
13	Manko		Neuerung, Änderung z. B. eines Produkts
14	Insiderin bzw. Insider		Verminderung des Geldumlaufs, Preisverfall
15	Produktpalette		Geschäftsbedingungen (Liefer- und Zahlungsbedingungen)
16	Innovation		gewinnbringend, einträglich
17	Konditionen		Rückzahlung, Rückgabe
18	monetär		Übereinkommen, Abkommen, Geschäftsbrauch
19	Avis		Person, die Führungskräfte abwirbt
20	Dotation		buchhalterischer Ausdruck für Warenschuldnerinnen und -schuldner, die Leistungen oder Güter auf Kredit beziehen

8.4.5 Fachwortschatz aus der Datenverarbeitung

11 Aufgabenstellung

●●

Erklären Sie die Fachwörter aus dem IT-Bereich. Schreiben Sie die Fachbegriffe mit den passenden Erklärungen in Ihr Heft. Sie können unbekannte Begriffe auch im Internet oder in einem Lexikon recherchieren. Vergleichen Sie die Ergebnisse in einem Klassengespräch.

IT, die: Informations-technologie

Modem • Router • Modul • binär • Error • Bit • Operating System • CAD • Byte • Domain • Remote Terminal • Hardware • konfigurieren • Pixel • Host • Provider • Webmaster • URL • Hoax • Assembler • Spam • Hacker • chatten • booten • Phishing • konvertieren • Netiquette • Software • Delete-Taste • Junk Mail • Firewall • TAN • Copy and Paste

8.4.6 Fachwortschatz aus der Gastronomie

12 Aufgabenstellung

●

Im Folgenden finden Sie Begriffe aus dem Fachwortschatz der Gastronomie. Kreuzen Sie die richtigen Bedeutungen an. Vergleichen Sie anschließend die Ergebnisse in einem Klassengespräch.

Hors d'œuvre
☐ Nachtisch ☐ Appetitanreger ☐ Zwischengang

Menage
☐ Tischgestell für Essig, Öl ☐ Kaffeesorte ☐ Schnaps

Sideboard
☐ Garderobe ☐ Servicetisch ☐ großer Esstisch

tranchieren
☐ in Teile schneiden ☐ panieren ☐ entgräten

Gourmet
☐ Vielesser ☐ Feinschmecker ☐ Kochkritiker

dekantieren
☐ Wein verkosten ☐ Weinflasche öffnen ☐ Wein in eine Karaffe umfüllen

Souper
☐ festliches Abendmahl ☐ raffinierte Suppe ☐ Dinner für zwei Personen

Souschef
☐ Chef des Restaurants ☐ ältester Lehrling ☐ Stellvertreter des Küchenchefs

Digestif
☐ Verdauungsgetränk ☐ Willkommensgetränk ☐ Obstsaft

8.4.7 Fachwortschatz aus der Mode

13 Aufgabenstellung

●●

Ergänzen Sie den Lückentext mit Wörtern aus dem Kästchen. Sie können unbekannte Begriffe auch im Internet oder in einem Lexikon recherchieren. Vergleichen Sie die Ergebnisse in einem Klassengespräch.

Anzug • Catwalk • Hot Pants • Haute Couture • Shows • Dressmen • Roben • Prêt-à-porter • Blazer • Kollektion • Modeschauen • Smoking • Kollektion • Models • Accessoires

Berühmte Modedesigner präsentieren mehrmals im Jahr ihre ________________ auf den ______________, dabei wird streng zwischen ________________ – der tonangebenden Modekunst – und ____________ – der Konfektionskleidung – unterschieden. Diese Modetrends werden von ________________ und ________________ auf dem ________________ vorgeführt. Dabei gibt es oft sehr glamouröse Trends zu beobachten: Von sommerlich knappen ________________ über extravagante ________________ bis hin zu auffälligen ________________ gibt es alles, was sich die Modewelt erträumt. Aber auch Männer kommen nicht zu kurz: Der elegante ________________, der ________________ und sogar der ________________ werden immer wieder in neuen Varianten gezeigt; sehr häufig kommt in der Männerwelt Schräges und Schrilles dennoch nicht zu kurz. Allerdings unterscheidet sich die ______________________, die es zu kaufen gibt, meist doch erheblich von den Stücken, die bei den großen ________________________ in Paris, Mailand und Düsseldorf gezeigt werden.

8.4.8 Fachwortschatz aus dem Tourismus

14 Aufgabenstellung

●●

Kennen Sie die folgenden Fachwörter? Kreuzen Sie die richtige Bedeutung an. Vergleichen Sie anschließend Ihre Ergebnisse in einem Klassengespräch.

Tourismus			
Economyclass	☐ Tarifklasse im Flugverkehr	☐ teurer Flug	☐ ökonomischer Flug
Motel	☐ Hotel an der Autobahn	☐ billiges Hotel	☐ Hotel im Zentrum
all-inclusive	☐ inklusive Steuer	☐ alles ist im Preis enthalten	☐ Hotelpreis inkludiert
Couch-Surfing	☐ Wellenreiten	☐ faules Nichtstun	☐ kostenlose Unterkunft
Last-Minute-Angebot	☐ Auktionsangebot	☐ Einzelangebot	☐ verbilligte, kurzfristig anzutretende Reise
Lodge	☐ Hotelbar	☐ Hotelterrasse	☐ Anlage mit Ferienwohnungen
Lounge	☐ Hotelhalle	☐ Frühstücksraum	☐ Rezeption
Safari	☐ exotische Reise	☐ Australienreise	☐ Gesellschaftsreise zum Jagen

8.4.9 Fachwortschatz aus der Technik

15 Aufgabenstellung

●●

Kennen Sie die folgenden Fachwörter? Finden Sie zu den Fachwörtern aus der Technik die entsprechenden Erklärungen und tragen Sie die passenden Zahlen ein. Vergleichen Sie anschließend Ihre Ergebnisse in einem Klassengespräch.

	Fachwörter		Erklärungen
1	Hydraulik		Bewegung der Körper, ohne Berücksichtigung von Kräften
2	kubisch		gewerbliches Schutzrecht für eine Erfindung
3	Nanotechnologie		Doppelung kritischer Bauteile zur Erhöhung der Zuverlässigkeit
4	Ionisation		rechnerunterstütztes Produzieren / Entwickeln
5	technische Redundanz		Lehre der Bewegung von Flüssigkeiten; technische Anwendung
6	Near-Zero-Downtime		Eigenschaft eines Werkstoffs, sich unter Belastung plastisch zu verformen
7	Patent		ein globales Navigationssatellitensystem zur Positionsbestimmung und Zeitmessung
8	CAM / CAD		in der dritten Potenz vorliegend
9	Global Positioning System		Erhöhung der Reaktionsgeschwindigkeit durch die Senkung der Aktivierungsenergie einer chemischen Reaktion
10	Quantenmechanik		Wärmelehre, ist ein Teilgebiet der klassischen Physik
11	Katalysator		Forschung und Fertigung im Bereich 10^{-9} Meter
12	Thermodynamik		eine physikalische Theorie zur Beschreibung der Materie, ihrer Eigenschaften und Gesetzmäßigkeiten
13	Duktilität		Entfernung von Elektronen aus einem Atom oder Molekül, damit ein positiv geladenes Ion zurückbleibt
14	Kinematik		Fähigkeit, die Dauer eines Ausfalls eines Systems auf ein Minimum zu reduzieren

8.4.10 Fachwortschatz aus dem Bauwesen

16 Aufgabenstellung

●●

Finden Sie zu den Erklärungen die passenden Fachwörter aus dem Bereich Bauwesen und Architektur.

F		A																lösbare Verbindung zwischen Rohren, Teil eines Trägers
B			U															Abdichtungs- und Isoliermasse
K				P														vorspringende, als Träger verwendete Platte
P		A																begradigen
M					B													erdfeuchtes Kies-Zement-Gemisch (8 : 1)
F			D															Grundkonstruktion
Ö				S														beckenförmige Abwasserbehandlungsanlage
W					L				F					K				Stoffeigenschaft zur Berechnung der Wärmestromdichte
E					T													Abstand, Abweichen vom Mittelpunkt
K				A	U													Prüfung und Schlussgenehmigung eines Bauwerks
S				K														aus Gips hergestellte Ornamentik
A			K															Hinausragen eines Bauteils über die Baufluchtlinie

Ihr persönlicher Lernerfolg

Schätzen Sie selbst ein, was Sie jetzt wissen und können:

✓ oder ✗

		LESEN	ÜBEN
Sie können übersichtliche Mitschriften anfertigen.	○	S. 181	S. 180–181
Sie können Protokolle verfassen.	○	S. 182-185	S. 185
Sie wissen, welche Arten von Positionspapieren es gibt, und können ein Thesenpapier sowie ein Strategiepapier verfassen.	○	S. 186	S. 187-188; 189
Sie kennen Fachbegriffe aus Wirtschaft, Informatik, Gastronomie, Mode, Tourismus, Technik und Bauwesen.	○	S. 190	S. 191–195
Sie wissen, was der Begriff Amtsdeutsch bedeutet.	○	S. 191	S. 191

9

MEDIEN

In diesem Kapitel lernen Sie, ...

... wie Medien unser Alltagsleben beeinflussen,

... wie die Sprache der Medien auf uns wirkt,

... wie Bilder auf uns einwirken,

... wie Fernsehen und Gewalt in Zusammenhang stehen können,

... wie sich der Medienkonsum in Österreich entwickelt hat,

... welche Verhaltensregeln Sie im Netz einhalten sollten,

... wie Werbung in den Medien wirkt,

... wie sich Werbung in den Medien positioniert.

Kompetenzen hier entlang ▶▶▶

9.1 Vom Umgang mit den Medien

9.1.1 Begriffsklärung (Wiederholung)

Interaktion, die: Wechselbeziehung zwischen Personen oder Gruppen

Die Massenmedien spielen als **Kommunikationsmittel** eine zentrale Rolle in unserem Alltag. Technische Hilfsmittel (Druck, digitale Vervielfältigungsverfahren etc.) vereinfachen die Vervielfältigung, was Kommunikation mit einer großen Breitenwirkung ermöglicht. Allerdings findet **keine unmittelbare Interaktion** von Sender und Empfänger statt. Wir sprechen hierbei von einer Einwegkommunikation, denn durch die Zwischenschaltung technischer Hilfsmittel gibt es keine unmittelbare Wechselbeziehung zwischen Personen.

1 Aufgabenstellung

●●

Medien lassen sich nach Art der Wahrnehmung und Art der Übermittlung einteilen. Wiederholen Sie zu zweit, was Sie dazu gelernt haben, und finden Sie Beispiele für jede Kategorie. Vergleichen Sie anschließend in einem Klassengespräch die Ergebnisse Ihrer Partnerarbeiten.

siehe Band 1, Kapitel „Medien"

Art der Wahrnehmung			Art der Übermittlung	
visuelle Medien (Augen)	**audiovisuelle Medien (Ohren und Augen)**	**auditive Medien (Ohren)**	**Printmedien (Druckmedien)**	**Funkmedien (Funk oder digitale Übermittlung)**
Zeitung		CD	Zeitung	

Web 2.0, das: interaktive Angebote im Internet; Inhalt wird nicht nur genutzt, sondern auch selbst erstellt

Die Welt der Medien befindet sich in den letzten Jahrzehnten in einem ständigen und rasanten Wandel: Waren die **ersten bürgerlichen Zeitungen** nach 1848 eine große Errungenschaft für die Bevölkerung, die erste **Ausstrahlung eines Radioprogramms** 1913 in New York eine Sensation und die erste **Fernsehübertragung** in Österreich 1955 ein medialer Meilenstein, so überschlagen sich im 21. Jahrhundert die technischen Neuerungen im Bereich der Kommunikation (Internet, Web-2.0-Angebote etc.) und lassen unüberschaubare Möglichkeiten an Informationsaustausch zu, aber auch die Gefahr der Informationsüberflutung aufkommen.

9.1.2 Informationsüberflutung

Was wir über unsere Welt, unsere Gesellschaft, über Phänomene der Natur etc. wissen, erfahren wir großteils durch die Massenmedien. Ob Nachrichten, die über diese Medien verbreitet werden, stimmen, kann von den durchschnittlichen Medienkonsumentinnen bzw. durchschnittlichen Medienkonsumenten nur schwer überprüft werden. Welche Verantwortung haben Medien, was gibt es an ihnen zu kritisieren? Ein wesentliches Gefahrenmoment ist zweifellos die Möglichkeit der Manipulation. Doch nicht nur die Urteilsfindung über Richtigkeit oder Unrichtigkeit, sondern auch die Belanglosigkeit vieler Nachrichten bzw. auch die Unfähigkeit, bei Nachrichten, die uns unmittelbar berühren, zu handeln, ist ein Hauptkritikpunkt in der Diskussion um die Verantwortung der Medien.

Neil Postman – **Wir amüsieren uns zu Tode**

[...] Die Telegraphie[1] tat etwas, was Morse[2] nicht vorhergesehen hatte, als er prophezeite, sie werde „das ganze Land in eine einzige Nachbarschaft verwandeln“. Sie zerstörte die bis dahin geläufige Definition von Information und gab so dem öffentlichen Diskurs[3] eine neue Bedeutung. Zu den wenigen, die diese Folgewirkung erkannten, gehörte Henry David Thoreau, und in seinem Buch Walden schrieb er: „Wir beeilen uns sehr, einen magnetischen Telegraphen zwischen Maine und Texas zu konstruieren, aber Maine und Texas haben möglicherweise gar nichts Wichtiges miteinander zu besprechen. [...] Wir beeilen uns, den Atlantischen Ozean zu durchkabeln, um die Alte Welt der Neuen ein paar Wochen näher zu rücken; vielleicht lautet aber die erste Nachricht, die in das große amerikanische Schlappohr hinein rinnt: Prinzessin Adelheid hat den Keuchhusten.“

Postman, Neil: Wir amüsieren uns zu Tode. Urteilsbildung im Zeitalter der Unterhaltungsindustrie. © Frankfurt am Main: S. Fischer, 2008, S. 84

1 Telegraphie (von griech. „fern“ und „schreiben“): Die Buchstaben werden über einen Code übertragen.
2 Samuel F. B. Morse (1791–1872): US-amerikanischer Erfinder
3 Diskurs: Gedankenaustausch

2 Aufgabenstellung

○

Diskutieren Sie in einem Klassengespräch die folgenden Fragen:

- Welche Kritikpunkte äußert Thoreau mit seiner Aussage, die bereits aus der Mitte des 19. Jahrhunderts stammt?
- Was meint er mit dem Satz: *„[...] Maine und Texas haben möglicherweise gar nichts Wichtiges miteinander zu besprechen.“*
- Finden Sie aktuelle Bezüge zu dieser Aussage. Welche Informationen bekommen Sie tagtäglich, die mit Ihrem persönlichen Alltag nichts zu tun haben?
- Gab es in letzter Zeit Meldungen in Zeitungen, Radio oder Fernsehen, die Ihr Verhalten beeinflusst haben bzw. die Konsequenzen auf Ihr Alltagshandeln hatten?

3 Aufgabenstellung

a. ●

Beobachten Sie Ihren Medienkonsum eine Woche lang und führen Sie ein Tagebuch, in dem Sie folgende Punkte festhalten:

- Wie viel Zeit widme ich täglich den Massenmedien (Print- und Funkmedien)?
- Welche Inhalte weiß ich am Ende des Tages noch?
- Welche Informationen haben mein Handeln im Alltag beeinflusst?
- Welchen Nutzen konnte ich aus den Informationen ziehen?

b. ○

Diskutieren Sie in einem Klassengespräch die Ergebnisse Ihrer Selbstbeobachtung.

9.1.3 Die Sprache der Medien

Medium, das (lat.): *Mitte, Mittelpunkt, vermittelndes Element*

Medien prägen eine Gesellschaft im Hinblick auf ihre Kultur und ihr soziales Umfeld. Wir können uns heute eine Welt ohne Medien gar nicht mehr vorstellen. Das bedeutendste Medium aber ist die **Sprache** selbst: Sie erschafft Bedeutungen, Zusammenhänge, Beziehungen und Wirklichkeiten. Mithilfe der Sprache werden Dinge erst sichtbar gemacht – dementsprechend mächtig sind Massenmedien, die sich des Mediums Sprache bedienen und eine Wirklichkeit abbilden, die sie der breiten Masse zugänglich machen und so die Menschen beeinflussen.

4 Aufgabenstellung

a. ●●●

Vergleichen Sie folgende Schlagzeilen aus den Titelseiten österreichischer Tageszeitungen, die über das gleiche Ereignis berichten, und analysieren Sie die Überschriften nach folgenden Kriterien:

- Wie ist die Schlagzeile formuliert (z. B. reißerisch, spannend, seriös, informierend, unterhaltend, sachlich)?
- Gibt es bereits in der Schlagzeile wichtige Informationen?
- Wird durch die Schlagzeile positive oder negative Stimmung erzeugt oder ist die Schlagzeile neutral formuliert?
- Führen Sie eine Reihung der Schlagzeilen durch: Welche erscheint Ihnen am informativsten und seriösesten, welche hingegen am wenigsten? Begründen Sie Ihre Entscheidung.

b. ○

Besprechen Sie abschließend die Ergebnisse Ihrer Gruppenarbeiten in einem Klassengespräch.

Marktamt: Jagd auf Schweine-Döner

Was mit englischer Pferde-Lasagne begonnen hat, hat nun auch die heimischen Kebab-Verkäufer erreicht. Das Marktamt ist im Dauereinsatz.

Reibenwein, Michaela: Marktamt: Jagd auf Schweine-Döner. In: Kurier, 18.02.2013. Online: https://kurier.at/chronik/oesterreich/marktamt-macht-jagd-auf-schweine-doener/3.636.460 (20.05.2019)

Schiefe Optik?

Kärntner Pferdewürstel gehen jetzt an Obdachlose

Das als Rindfleisch deklarierte Pferdefleisch, das in Wolfsberg in Würsteln sichergestellt wurde, wird nicht vernichtet, sondern an die steirischen VinziWerke[1] weiter gegeben. Die Würstel seien gesundheitlich unbedenklich und sollen armen Menschen als Nahrung dienen.

O. V.: Schiefe Optik? Kärntner Pferdewürstel gehen an Obdachlose. In: Heute, 27.02.2013. Online: http://www.heute.at/kurioses/art23706,855233 (30.03.2013)

[1] *VinziWerke (Vinzenzgemeinschaft): Sozialeinrichtung für Obdachlose und Menschen, die finanziell bedürftig sind*

Gegenseitige Schuldzuweisungen in europaweitem Lebensmittelskandal

Schlammschlacht ums Pferdefleisch

Pferdefleisch wurde als Rindfleisch deklariert.

O. V.: Gegenseitige Schuldzuweisungen in europaweitem Lebensmittelskandal. In: Wiener Zeitung, 10.02.2013. Online: http://www.wienerzeitung.at/nachrichten/europa/europachronik/523385_Schlammschlacht-ums-Pferdefleisch.html (30.03.2013)

Pferdefleisch: Kärntner Wurstfleisch enthielt zu 100 Prozent Pferde-DNA

Lavanttaler Fleischer legte bereits am Samstag Geständnis ab – mehr als 100 Proben aus steirischer Firma negativ

APA: Pferdefleisch: Kärntner Wurstfleisch enthielt 100 Prozent Pferde-DNA. In: Der Standard, 26.02.2013. Online: https://derstandard.at/1361241167788/Pferdefleisch-Mehr-als-100-Proben-aus-steirischer-Firma-negativ (20.05.2019)

Massenmedien werden auch dazu benutzt, durch bewusste Desinformation Propaganda zu verbreiten bzw. Nachrichten für unterschiedlichste Zwecke zu manipulieren. Derartige Nachrichten, die meist reißerische Formulierungen enthalten, werden in den sozialen Medien zunehmend zum Problem. Viele wissen nicht mehr, wie sie wahre von falschen Informationen unterscheiden können. Als **Fake News** werden manipulativ verbreitete, vorgetäuschte Nachrichten oder Falschmeldungen bezeichnet, die sich überwiegend im Internet, insbesondere den sozialen Netzwerken rasend schnell verbreiten.

Der Umgang mit News hat sich grundlegend verändert. Bis zum Anfang des vorigen Jahrzehnts haben Menschen Nachrichten in sehr wenigen Medien konsumiert: Tageszeitungen, Radio, Fernsehen. Im Idealfall überprüfen Journalistinnen bzw. Journalisten dort ihre Quellen, gewichten Redaktionen die Beiträge. Nichtsdestotrotz gab und gibt es auch in den klassischen Medien Fake News, die sogenannten (Zeitungs-)Enten.

Woran erkennt man Fake News?

- Überschriften, Aufmacher oder Bildunterschriften passen nicht zum Nachrichteninhalt.
- Authentische Inhalte werden mit falschen Informationen in Zusammenhang gebracht und weiterverbreitet. Dafür werden Bilder aus dem Zusammenhang gerissen und mit einer neuen Geschichte versehen.
- Inhalte werden verfälscht oder erfunden, um irrezuführen und einer Person oder einem Thema bewusst zu schaden.

Fake News sind auch im politischen Geschehen ein bestimmendes Thema geworden, insbesondere dann, wenn Politikerinnen und Politiker versuchen, den Begriff Fake News für sich zu deuten und Fakten nur dann als echt anerkennen, wenn sie zu den eigenen politischen Zielen passen.

In Anlehnung an: Das Lügen-Biotop. Wie Fake News entstehen und warum sie eine Gefahr darstellen. Online: https://www.heise.de/select/ct/2017/16/1501792166630082 (20.05.2019)

Sieben Tipps um Fake News zu erkennen:
https://www.saferinternet.at/

http://hoaxmap.org/

polemisch: unsachlicher Angriff

5 **Aufgabenstellung**

O

Lesen Sie den Zeitungsbericht *Studie: Jugendliche verunsichert durch Fake News* und diskutieren Sie anschließend in einem Klassengespräch die Inhalte dieses Berichtes.

Studie: Jugendliche verunsichert durch Fake News

Aktuelle Untersuchung zeigt, wie Österreichs Jugend mit Informationen im Internet umgeht

Wien (OTS) - Anlässlich des 14. internationalen Safer Internet Day am 07. Februar 2017 präsentiert Saferinternet.at die Ergebnisse einer aktuellen Studie zum Thema „Gerüchte im Netz: Wie bewerten Jugendliche Informationen aus dem Internet“. Soziale Netzwerke zählen zu den Hauptinformationsquellen, obwohl sie von den Jugendlichen als wenig vertrauenswürdig eingeschätzt werden. 86 Prozent der Befragten geben an nicht immer sicher zu sein, ob die Informationen, mit denen sie im Netz konfrontiert sind, auch wahr sind. Sie erwarten von Eltern und Lehrenden Hilfe beim Erwerb von Informationskompetenz.

Unter dem Begriff „Fake News“ ist das Thema „Gerüchte im Netz“ in letzter Zeit ins Zentrum der Aufmerksamkeit gerückt. Auch Jugendliche sind mit diesem Thema konfrontiert, da sie sich täglich über Soziale Netzwerke informieren, wo sich solche Falschnachrichten schnell und leicht verbreiten.

Im Rahmen der Initiative Saferinternet.at beauftragten das Österreichische Institut für angewandte Telekommunikation (ÖIAT) und die Internet Service Providers Austria (ISPA) das Institut für Jugendkulturforschung mit einer Studie zum Thema „Gerüchte im Netz – Wie bewerten Jugendliche Informationen aus dem Internet“. Bei einer repräsentativen Online-Umfrage wurden 400 Jugendliche im Alter von 14-18 Jahren zu ihrem Umgang mit Informationen aus dem Netz befragt. Zusätzlich wurden sechs vertiefende Einzelinterviews durchgeführt.

Soziale Netzwerke und Fernsehen wichtigste Informationsquellen

Die mit Abstand wichtigsten Informationsquellen für Jugendliche in Österreich zu tagesaktuellen Themen (Politik, Sport, Promis etc.) sind, neben dem Fernsehen, mittlerweile Soziale Netzwerke. Jeweils 59 Prozent geben diese als eine ihrer drei wichtigsten Informationsquellen an. Es folgen Radio (33 %), YouTube (27 %) und Tageszeitungen (25 %) sowie Websites der Tageszeitungen (20 %). 17 Prozent geben an, tagesaktuelle Informationen vor allem von YouTubern zu beziehen und 12 Prozent von Gratiszeitungen. Jugendliche beziehen ihre tagesaktuellen Informationen also aus einem Mix aus traditionellen und Online-Medien.

Häufig genutzte Online-Medien als wenig glaubwürdig eingeschätzt

Bemerkenswerte Unterschiede ergeben sich, wenn die Nutzungshäufigkeit der Medien mit der Einschätzung der Glaubwürdigkeit verglichen wird. Als „sehr glaubwürdig“ schätzen Jugendliche vor allem die traditionellen Medien wie Radio (32 %), Fernsehen (29 %) und Webseiten klassischer Medien (23 %) ein. Hingegen bewerten nur 10% der Jugendlichen Soziale Netzwerke, die gleichauf mit Fernsehen die häufigste Informationsquelle darstellen, als sehr glaubwürdig. Ein ähnliches Bild ergibt sich beim beliebten Videoportal YouTube: Nur 9 Prozent der Jugendlichen beurteilen dieses als sehr glaubwürdig. Dazu passt auch, dass 60 Prozent der Jugendlichen angeben, dass ihrer Einschätzung nach ein großer Teil der Nachrichten zu aktuellen Themen in Sozialen Netzwerken unwahr ist.

„Daran erkennt man das Dilemma der Jugendlichen. Obwohl sie Sozialen Netzwerken nur eine geringe Glaubwürdigkeit zugestehen, sind sie für Jugendliche die wichtigste Informationsquelle für tagesaktuelle Themen. Jugendliche sind sich dieser Widersprüchlichkeit durchaus bewusst, wissen aber oft nicht, wie sie damit umgehen sollen“, so Bernhard Jungwirth, Saferinternet.at-Koordinator.

Bei der Beurteilung der Glaubwürdigkeit sind Unterschiede je nach formaler Bildung besonders auffällig. Jugendliche mit höherer Bildung vertrauen eher den traditionellen Medien, Jugendliche mit geringerer formaler Bildung bewerten hingegen im Vergleich Online-Angebote wie Wikipedia (15 % höhere formale Bildung / 29 % niedrigere formale Bildung), bestimmte YouTuber (3 % / 23 %) oder Soziale Netzwerke (3 % / 19 %) als glaubwürdiger.

Herausforderung Informationsbewertung: 86 Prozent sind unsicher

In der Informationsflut des Internets haben Jugendliche Schwierigkeiten, wahre von falschen Meldungen zu unterscheiden. 86 Prozent der befragten Jugendlichen geben an zumindest manchmal nicht sicher zu sein, ob die Informationen, mit denen sie konfrontiert sind, richtig oder falsch sind. Bei rund 4 von 10 Jugendlichen (38 %) ist das sogar „oft“ oder „sehr oft“ der Fall. Daher ist es auch nicht verwunderlich, dass 61 Prozent der Jugendlichen die Informationsbewertung im Internet als große Herausforderung beurteilen.

Bilder gelten als besonders vertrauenswürdig

Jugendliche vertrauen Bildern mehr als dem geschriebenen oder gesprochenen Wort. Rund 71 Prozent der Befragten geben sogar an, bearbeitete Bilder erkennen zu können.

Allerdings ziehen Jugendliche kaum in Betracht, dass Bilder auch aus dem Kontext gerissen sein könnten. Insgesamt spielt die Ästhetik eine wichtige Rolle bei der Beurteilung, ob eine Meldung für wahr oder falsch gehalten wird. So wird zum Beispiel einem professionell gestalteten Video ein höherer Wahrheitsgehalt zugeschrieben als einer verwackelten Handyaufnahme.

Informationsbewertung in der Praxis von Jugendlichen

62 Prozent der Jugendlichen recherchieren selbst im Internet, wenn sie sich nicht sicher sind, ob eine Information richtig ist. 45 Prozent überprüfen, wer die Information veröffentlicht hat, 30 Prozent vertrauen auf ihr Bauchgefühl und 19 Prozent achten darauf, von wem sie die Information erhalten haben. Jugendliche mit höherer formaler Bildung recherchieren dabei öfter selbst im Internet (71 %) als Jugendliche mit geringerer formaler Bildung (52 %).

Die Recherche bleibt in der Praxis aber meist sehr oberflächlich. Bei einer Google-Suche werden meistens nur die ersten Treffer berücksichtigt, die zweite Ergebnisseite wird laut den qualitativen Einzelinterviews nicht zu Rate gezogen. Oft reicht schon ein Überfliegen der angeführten Headlines in den Suchergebnissen aus, um eine Information für ausreichend überprüft zu halten.

Der Umgang mit Informationen will gelernt sein

Um in der Informationsflut zwischen wahr oder falsch unterscheiden zu können, benötigt es Informationskompetenz. „Unsere Gesellschaft, und damit auch unsere Kommunikation, verlagert sich immer mehr ins Internet, daher wird die Fähigkeit, Informationen richtig einschätzen bzw. bewerten zu können zusehends wichtiger. Das gilt für jede Nutzerin und jeden Nutzer selbst, aber auch, und das wurde bislang oft übersehen, für das Funktionieren einer demokratischen Gesellschaft,“ sagt ISPA Generalsekretär Maximilian Schubert. „In diesem Sinne muss das Erkennen, Beurteilen und Bewerten von Informationen flächendeckend als eine der zentralen Kulturtechniken unserer Zeit gefördert werden – besonders bei der jungen Generation.“

Vor allem Lehrende und Eltern haben laut den befragten Jugendlichen eine wichtige Rolle, diese Informationskompetenz zu vermitteln und als Ansprechpersonen zu agieren. Jugendliche vertreten auch die Ansicht, dass es gar nicht früh genug sein kann, Kindern einen kritischen Umgang mit (Online-)Medien beizubringen.

Rund die Hälfte (47 %) der Befragten gibt an bereits einmal in der Schule gelernt zu haben, wie die Richtigkeit von Informationen überprüft werden kann. Die Vermittlung der Informationsbewertungskompetenz im Internet hat somit einen ersten Schritt in die richtige Richtung gemacht, ist jedoch im Alltag von Schule und Familie noch nicht angekommen. Barbara Buchegger, pädagogische Leiterin Saferinternet.at dazu: „In Sachen Informationsbewertung sehen wir bei unseren Workshops mit Jugendlichen einen enormen Aufholbedarf. Diese Lücke lässt sich durch eine verbindliche Förderung digitaler Kompetenzen im Schulalltag schließen. Genauso sind aber auch Eltern gefordert mit ihren Kindern die Bewertung von Online-Quellen zu üben.“ […]

APA: Studie: Jugendliche verunsichert durch Fake News. Online: https://www.ots.at/presseaussendung/OTS_20170130_OTS0066/studie-jugendliche-verunsichert-durch-fake-news-anhaenge (20.05.2019), gekürzt

6 Aufgabenstellung

●●

Wie beurteilen Sie die folgenden Fotos? Würde es den Grundsätzen publizistischer Arbeit entsprechen, sie in einer Tageszeitung abzudrucken? Warum handeln Fotoreporterinnen bzw. Fotoreporter besonders bei Bildmaterial manchmal an der Grenze zur Verantwortungslosigkeit?

Wohnungslose Mutter in Paris

9 / 11

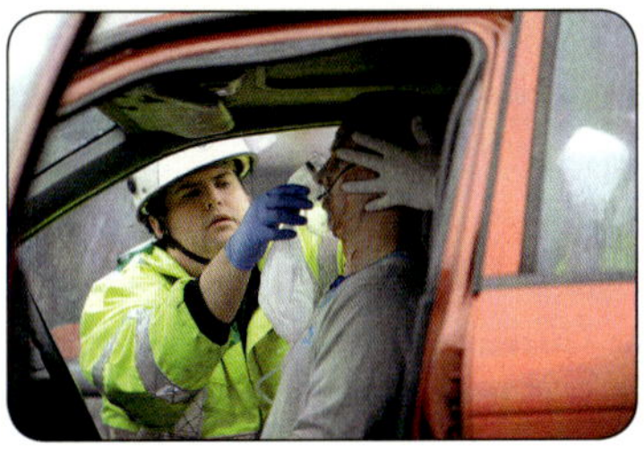

Autounfall

Flüchtlingsdrama in Teneriffa

Der österreichische Presserat bedient sich eines Ehrenkodex, demzufolge sich Journalistinnen und Journalisten an bestimmte **Regeln und Grundsätze** halten sollen, um die Berufsethik zu wahren.

Grundsätze für die publizistische Arbeit (aktuelle Fassung, Stand 07.03.2019) – Auszug

5. **Persönlichkeitsschutz**
5.1. Jeder Mensch hat Anspruch auf Wahrung der Würde der Person und auf Persönlichkeitsschutz.
5.2. Persönliche Diffamierungen, Verunglimpfungen und Verspottungen verstoßen gegen das journalistische Ethos.
5.3. Personen, deren Leben gefährdet ist, dürfen in Medienberichten nicht identifiziert werden, wenn die Berichterstattung die Gefährdung vergrößern kann.

6. **Intimsphäre**
6.1. Die Intimsphäre jedes Menschen ist grundsätzlich geschützt.
6.2. Bei Kindern ist dem Schutz der Intimsphäre Vorrang vor dem Nachrichtenwert einzuräumen.
6.3. Vor der Veröffentlichung von Bildern und Berichten über Jugendliche ist die Frage eines öffentlichen Interesses daran besonders kritisch zu prüfen.
6.4. Berichte über Verfehlungen Jugendlicher dürfen deren mögliche Wiedereingliederung in die Gesellschaft nicht erschweren oder gar verhindern. Volle Namensnennung ist in solchen Fällen zu unterlassen.
6.5. Bei der Befragung und beim Photographieren von Kindern und in der Berichterstattung über Fälle, die deren Existenz nachteilig beeinflussen kann, ist besondere Zurückhaltung geboten.

7. **Schutz vor Pauschalverunglimpfungen und Diskriminierung**
7.1. Pauschalverdächtigungen und Pauschalverunglimpfungen von Personen und Personengruppen sind unter allen Umständen zu vermeiden.
7.2. Jede Diskriminierung wegen des Alters, einer Behinderung, des Geschlechts sowie aus ethnischen, nationalen, religiösen, sexuellen, weltanschaulichen oder sonstigen Gründen ist unzulässig.
7.3. Eine Herabwürdigung oder Verspottung von religiösen Lehren oder anerkannten Kirchen und Religionsgemeinschaften, die geeignet ist, berechtigtes Ärgernis zu erregen, ist unzulässig.

Österreichischer Presserat: Grundsätze für die publizistische Arbeit (Ehrenkodex für die österreichische Presse), aktuelle Fassung (Stand 07.03.2019). Online: https://www.presserat.at/show_content.php?hid=2 (20.05.2019), gekürzt, Originalschreibweise

9.2 Medienkonsum

9.2.1 Fernsehen und Gewalt

Die Darstellung von **Gewalt in den Massenmedien**, besonders im Fernsehen, ist ein häufig diskutiertes Thema, das besonders dann zur Sprache kommt, wenn Jugendliche Gewaltdelikte begehen. Häufig wird befürchtet, dass die Darstellung von brutalen Verbrechen in Film, Fernsehen oder in Computerspielen den Jugendlichen als Anleitung dient, dieses Verhalten nachzuahmen.

rezipieren: aufnehmen, betrachten

voyeuristisch: durch Zusehen (sexuelle) Befriedigung erlangen

Viele Jugendliche rezipieren mediale Gewalt in Horrorfilmen oder Thrillern nicht deshalb, weil die Gewaltdarstellung selbst ein Genuss im Sinne des Nachahmungsreizes für sie darstellt, sondern weil dadurch eine Art „Angstlust" entsteht, eine Mutprobe, die es zu überstehen gilt. Die Spannung wird als Lust- und zugleich Angstgefühl empfunden, das mit dem Gefühl der Bedrohung, Errettung und Geborgenheit einhergeht. Man kann also eher von einem voyeuristischen Gefühl als von einem Nachahmungsreiz bei der Betrachtung derartiger Filme ausgehen.

interpersonell: mehrere Personen betreffend

Jedoch haben Studien einen Zusammenhang zwischen Aggressionspotenzial (aggressive Gedanken, Einstellungen oder gewalttätiges Verhalten) und dem Konsum von Fernsehgewalt nachweisen können. Gewalt im Fernsehen kann einen verstärkenden Einfluss auf Kinder mit aggressiven Tendenzen haben. Besonders Kinder mit sozialen, schulischen oder interpersonellen Problemen neigen dazu, mehr fernzusehen, und werden damit in ihrem aggressiven Verhalten bestärkt. Es ist allerdings auch zu bedenken, dass Menschen, die eine aggressive Persönlichkeit haben, verstärkt aggressive Mediendarstellung bevorzugen und jüngere Kinder weniger als ältere Kinder zwischen Realität und Fantasie unterscheiden können.

In Anlehnung an: Stangl, Werner: Medien: Fernsehen und Gewalt. Online: https://arbeitsblaetter.stangl-taller.at/MEDIEN/FernsehenGewalt.shtml (20.05.2019)

Langzeitstudien haben gezeigt, dass vor allem jüngere Kinder, die mehr als eine Stunde unbeaufsichtigt fernsehen, eher gefährdet sind, zu Gewaltbereitschaft zu neigen. Jedoch weisen unterschiedliche psychologische Studien darauf hin, dass selbst Erwachsene aufgrund des Konsums von gewaltverherrlichenden Filmen dazu neigen können, selbst aggressiv bis gewalttätig aufzutreten.

7 Aufgabenstellung

a. ●●●

Diskutieren Sie in einer Gruppenarbeit, wie Sie zu Aggression in den Medien stehen. Sehen Sie sich gerne Thriller oder Horrorfilme an? Haben Sie beim Zusehen eher ein positives Gefühl oder machen Ihnen diese Darstellungen bisweilen Angst? Mussten Sie einen dieser Filme schon einmal unterbrechen oder konnten Sie nicht mehr länger hinschauen? Wie geht es Ihnen nach dem Konsum eines Thrillers oder Horrorfilms?

Besprechen Sie den Inhalt mit Ihren Mitschülerinnen und Mitschülern. Was hat sich verändert: Wovor haben Sie sich als Kind im Fernsehen geängstigt, was ängstigt Sie heute?

b. ○

Besprechen Sie die Ergebnisse Ihrer Gruppenarbeiten in einem Klassengespräch.

9.2.2 Häufigkeit der Mediennutzung

8 Aufgabenstellung

a. ●

Lesen Sie den Textausschnitt über eine Studie zum Fernsehverhalten in den USA.

b. ○

Diskutieren Sie in der Klasse die wichtigsten Aussagen des Textes. Reflektieren Sie anschließend Ihr Fernsehverhalten: Wie häufig sehen Sie sich Filme mit aggressivem Inhalt an?

[...] Ein Durchschnittsschüler in den USA hat nach Abschluss der Highschool (das heißt nach zwölf Schuljahren) etwa 13000 Stunden in der Schule verbracht – und 25000 Stunden vor dem Fernsehapparat. Er hat 32000 Morde und 40000 versuchte Morde gesehen sowie 200000 Gewalttaten. Der Täter kommt in 73 Prozent der Fälle ungestraft davon, in mehr als der Hälfte (58 Prozent) der Fälle tut die Gewalt nicht weh, und in nur vier Prozent aller Gewaltakte werden gewaltlose Alternativen der Problemlösung aufgezeigt. Wenn nun Kindergehirne die Regeln aus ihren Erfahrungen, also aus den gesehenen Gewaltszenen, extrahieren[1], dann kann sich in ihrem Gehirn nur das Folgende in Form tiefer Trampelpfade breit gemacht haben: Gewalt gibt es sehr häufig in der Welt, sie löst Probleme und hierzu gibt es keine Alternative, Gewalt tut nicht weh, und der Gewalttäter kommt ungeschoren davon. [...]

Stangl, Werner: Medien: Fernsehen und Gewalt. Online: https://arbeitsblaetter.stangl-taller.at/MEDIEN/FernsehenGewalt.shtml (20.05.2019), gekürzt

[1] *extrahieren: (heraus)ziehen*

9 Aufgabenstellung

a. ●

Beobachten Sie eine Woche lang Ihre Fernsehgewohnheiten und beantworten Sie ehrlich folgende Fragen:

Meine Fernsehgewohnheiten

Ich sehe _________ Stunden pro Tag fern.

Folgende Sendungen schaue ich am liebsten:

- ☐ Serien: ______________________________
- ☐ Zeichentrickfilme: ______________________________
- ☐ Spielfilme: ______________________________
- ☐ Wissensbeiträge: ______________________________
- ☐ Nachrichten: ______________________________
- ☐ ______________________________

Folgende Fernsehsender sehe ich am häufigsten (nennen Sie drei):

- ☐ ______________________________

Beim Fernsehen erledige ich nebenbei: ______________________________

Programmunterbrechungen nutze ich, um ______________________________

b. ○

Erstellen Sie eine Übersicht über die Ergebnisse aller Mitschülerinnen und Mitschüler (Durchschnittsfernsehdauer, Lieblingssendungen etc.) als Plakat und besprechen Sie die Ergebnisse.

Weitere Informationen unter:

http://mediaresearch.orf.at

Laut der **Medienforschung** des ORF waren im ersten Quartal 2017 81% der österreichischen Bevölkerung ab dem 14. Lebensjahr regelmäßig Internet-Userinnen und -User (6,6 Millionen).

10 Aufgabenstellung

●●

siehe Kapitel „Schreibhandlungen"

Vergleichen Sie die Internetnutzung der Österreicherinnen und Österreicher im ersten Quartal 2017. Welche Auffälligkeiten können Sie feststellen? Beschreiben und analysieren Sie die abgebildete Infografik. Achten Sie dabei auf eine sachliche und informative Sprache und versuchen Sie, die dargestellten Daten auf die wesentlichen, aussagekräftigen Aspekte zu reduzieren.

Welche persönlichen Erfahrungen können Sie zu dieser Statistik einbringen? Wie wird das Internet bei Ihnen zu Hause von den einzelnen Familienmitgliedern genutzt? Wofür nutzen Sie das Internet? Gibt es Seiten, die Sie regelmäßig besuchen?

Strukturvergleich – 1. Quartal 2017

Austrian Internet Monitor Angaben in %	Österr. Bevölkerung ab 14 Jahren	Internet-NutzerInnen gesamt	häufige NutzerInnen[1]
BASIS in Tsd.	7.440	6.279	5.282
Geschlecht:			
Männer	48	50	52
Frauen	52	50	48
Alter:			
14 – 19 Jahre	8	9	11
20 – 29 Jahre	15	18	21
30 – 39 Jahre	15	17	19
40 – 49 Jahre	18	21	19
50 – 59 Jahre	17	18	16
60 – 69 Jahre	12	10	9
70 Jahre und älter	15	8	5
Schulbildung:			
ohne Matura	73	69	66
mit Matura	27	31	34
Berufliche Stellung:			
Leitend	7	9	10
Nicht leitend	28	32	34
Selbständig	8	9	10
(Fach-)Arbeiter	10	11	11
Pensionist	27	17	13
Schüler/Student	9	10	12
Sonstiges[2]	11	12	10

Quelle: AIM, Integral, 1. Quartal 2017: n = 1.000
Grundgesamtheit: ÖsterreicherInnen ab 14 Jahren
[1] nutzen Internet täglich, [2] Karenz, arbeitssuchend, Hausfrau/mann

Medienforschung des ORF: Austrian Internet Monitor: Basisstudie zur Internetnutzung in Österreich: Struktur Internet-User, 1. Quartal 2017. Online: http://medienforschung.orf.at/medienforschung/online/aim/index.html (06.02.2018)

11 Aufgabenstellung

●●●

Laut einer Schätzung nutzten 2016 rund 3,5 Milliarden Personen weltweit das Internet. Der Anteil der Internetnutzerinnen und -nutzer an der weltweiten Bevölkerung lag im gleichen Jahr bei 49,2 Prozent. Es wird prognostiziert, dass es im Jahr 2020 weltweit rund 4,2 Milliarden Internetnutzer geben und der Anteil auf 54,6 Prozent steigen wird.

In Anlehnung an: Statistiken zur Internetnutzung weltweit. Online: https://de.statista.com/themen/42/internet/ (06.02.2018)

a.) Beschreiben und analysieren Sie die abgebildete Infografik über die österreichische Internetnutzung nach Zielgruppe. Achten Sie dabei auf eine sachliche und informative Sprache. Reduzieren Sie die dargestellten Daten auf wesentliche, aussagekräftige Aspekte.

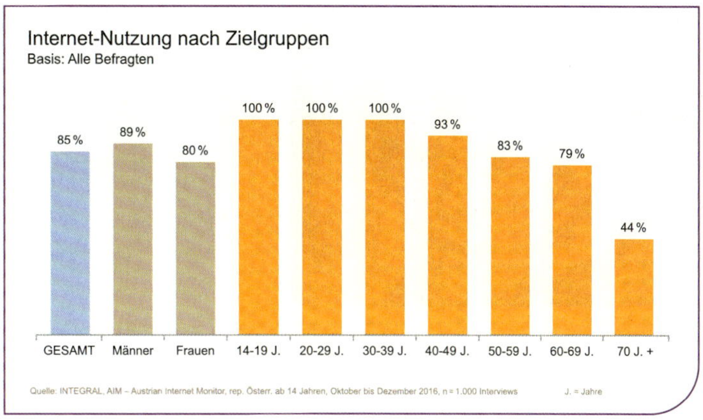

Internet-Nutzung nach Zielgruppen. Quelle Zahlen: http://www.integral.co.at/downloads/Internet/2017/01/AIM-C_-_Q4_2016.pdf (30.11.2018)

b.) Lesen Sie den folgenden Artikel über die weltweite Internetnutzung. Welche Entwicklung in der Art der Nutzung des Internets können Sie erkennbar? Welche Unterschiede beim Zugang zu Internet gibt es? Fassen Sie den Bericht kurz zusammen und diskutieren Sie in einem Klassengespräch die wesentlichen Aussagen.

Meilenstein 2017: Hälfte der Weltbevölkerung online

2017 markiert einen Meilenstein der digitalen Welt. Waren es Anfang 2016 noch 354 Millionen weniger Menschen, die einen Zugang zum Internet hatten, gibt es 2017 mehr als 3,7 Milliarden Internetnutzer, etwa die Hälfte der Weltbevölkerung. Eine Studie schafft nun einen globalen Überblick und zeigt Unterschiede in Bezug auf digitale Trends, aber auch regionale Diversitäten auf.

Jedes Jahr veröffentlicht die Agentur We Are Social einen Bericht über Trends im Hinblick auf die weltweite Nutzung digitaler Endgeräte, den globalen Internetzugang und die Veränderungen in der Nutzung von sozialen Netzwerken. Zusammen mit Hootsuite, einer Social Relationship Plattform, wurden Statistiken von 238 Ländern ausgewertet und mit den Statistikerhebungen von 2016 verglichen, somit entstand „Digital in 2017 – Global Overview". Dieser umfassende Bericht vergleicht und analysiert nicht nur die Veränderungen zum vergangen Jahr, sondern zieht auch einen Regionen- und Ländervergleich.

Im Vergleich zu 2016 ist die Zahl der Internetznutzer um 10% innerhalb eines Jahres gestiegen. Allerdings hat sich die Art der Internetnutzung in den letzten Jahren sehr verändert. Waren es Anfang 2016 noch 65% Internetnutzer, die ihren Computer oder Laptop als digitales Endgerät benutzten, sind es Anfang 2017 schon 20% weniger. Auch die Zahl der Tablet Nutzer ist gesunken. Eine völlig entgegengesetzte Entwicklung zeigt sich bei der Nutzung von Mobiltelefonen, die in den letzten 12 Monaten um 30% anstieg. Auch Social Media spielen eine immer größere Rolle. Mittlerweile haben sich 37%, also fast 2,8 Milliarden Menschen, online vernetzt.

Weltweit gibt es jedoch gravierende Unterschiede beim Zugang zum Internet. Liegt die durchschnittliche Rate der Verbreitung des Internets weltweit bei circa 50%, haben in Nordamerika und Europa über 80% der Menschen Zugang zum Internet. In Afrika ist es nicht einmal 30% der Bevölkerung möglich, durch ein stationäres oder mobiles Endgerät das Internet zu nutzen. Auch die Verbreitung in den einzelnen Ländern ist sehr unterschiedlich. Wenig überraschend ist, dass Nordkorea das Land mit der geringsten Internetverbreitung ist und nur 0,1% der Bevölkerung Zugang zum Internet hat. Die anderen Schlusslichter finden sich alle auf dem afrikanischen Kontinent. Am anderen Ende der Skala sind die Vereinigten Arabischen Emirate Spitzenreiter, wo 99% der Bevölkerung Zugang zum Internet hat, dicht gefolgt von Island und Norwegen auf den Plätzen zwei und drei.

Insgesamt betrachtet ist die Internetverbreitung in den letzten Jahren exponentiell gestiegen und wird sich fortsetzen. Dabei gibt der globale Vergleich Anlass zur Sorge. Entgegen der Hoffnung, dass die Digitalisierung schlechter entwickelten Ländern eine Chance zum wirtschaftlichen Aufschwung bietet, zeigt sich auch bei der Internetverbreitung die altbekannte Schere zwischen armen und reichen Ländern. Das Risiko wächst, dass manche Länder den Anschluss an die digitale Welt verlieren.

Meilenstein 2017: Hälfte der Weltbevölkerung online (26.01.2017): Online: https://politik-digital.de/news/meilenstein-2017-haelfte-der-weltbevoelkerung-online-2-151132/ (20.05.2019)

12 Aufgabenstellung

○

Diskutieren Sie in einem Klassengespräch folgende Aussage:

Andy Warhol
(1928–1987), US-amerikanischer Grafiker, Künstler, Filmemacher sowie einer der bedeutendsten Vertreter der US-amerikanischen Pop Art (Kunstrichtung ab Mitte der 1950er-Jahre)

> *„In the future, everybody will be famous for fifteen minutes!"*
> *(Andy Warhol)*

13 Aufgabenstellung

○

Sprechen Sie darüber, welche Bedeutung die Nachrichtenübermittlung des 21. Jahrhunderts für die Berufswelt, aber auch für den privaten Gebrauch hat. Welche Nachteile ergeben sich für die Menschen, die keinen Zugang zur heutigen Kommunikationstechnologie haben?

Millionen von Menschen dokumentieren täglich auf Facebook, Twitter und anderen sozialen Netzwerken freiwillig sogar intimste Perspektiven ihres privaten Lebens. Nur die wenigsten sind sich dessen bewusst, dass das Internet nie etwas vergisst, sprich, dass im Netz nichts endgültig gelöscht ist und man sich daher gut überlegen sollte, was man von sich preisgibt.

Das Internet ist nicht nur ein Medium für jede Art der Informationsbeschaffung, es dient auch der Unterhaltung und der Kommunikation.

Wer sich im World Wide Web zurechtfinden möchte, muss den Fachjargon kennen, gängige Abkürzungen verstehen, aber auch die Kommunikationsregeln von Foren, Blogs und News-Groups kennen und einhalten. Unter **Netiquette** oder **Netikette** (aus dem englischen „net" für „Netz" und „etiquette" für „Etikette") versteht man das gute Benehmen in der elektronischen Kommunikation. Es gibt aber keinen einheitlichen Netiquette-Text. Meist hängt es auch von der Betreiberin bzw. vom Betreiber eines Kommunikationssystems (Usernets) ab, die Einhaltung zu kontrollieren und gegebenenfalls Verstöße durch Ausschluss zu sanktionieren.

sanktionieren: bestrafen

14 Aufgabenstellung

●●

Sammeln Sie auf der genannten Website einige Regeln, die Ihnen persönlich sehr wichtig sind, wenn Sie im Netz unterwegs sind, und erstellen Sie eine Übersicht.

http://www.usenet-guide.de/de_newusers/hoeflichkeit.htm

2010 veröffentlichte der Deutsche Knigge-Rat Höflichkeitsregeln für soziale Netzwerke.

Netiquette – gutes Benehmen im Netz

- **Zwischenmenschliches:** Formulierung und Inhalt sollten der Person oder der Gruppe gegenüber angemessen sein. Wie gut kennt man sich bereits? Unhöflichkeit, Doppeldeutigkeiten oder gar Beleidigungen sind absolut verpönt.
- **Lesbarkeit:** Damit sich Nachrichten gut lesen lassen, sollten sie einen korrekten Satzbau sowie eine korrekte Rechtschreibung haben. Das andauernde Schreiben mit Kleinbuchstaben gilt als unschön, konstantes Schreiben mit Großbuchstaben wird in der Regel als aggressives Schreien interpretiert.
- **Gesetzliche Regelungen:** Das Urheberrecht und Zitierregeln sind zu beachten. Dies gilt auch für die Nutzung fremder Bilder!
- **„Du" oder „Sie":** In den meisten Foren hat sich das Duzen durchgesetzt. Siezt man, wird das meist als Ausdruck der Distanz verstanden.
- Das Netz ist keine Einbahnstraße.
- Vergessen Sie nicht, dass auf der anderen Seite ein Mensch sitzt. Es gilt als unhöflich, falsche Namen (Pseudonyme oder Codenamen) zu verwenden. Benutzen Sie Ihren **wirklichen Namen** (Realnamen).
- Vorsicht bei Crosspostings! Keine Multipostings!
  Als **Crossposting** (auch Multiposting) bezeichnet man das gleichzeitige Versenden eines Beitrags an mehrere Newsgroups oder Webforen.
- Teilen Sie etwas **Neues** mit. Ihre Artikel sprechen für Sie – seien Sie stolz auf sie.
- Nehmen Sie sich **Zeit**, wenn Sie einen Artikel schreiben. Auch die Aufmachung ist wichtig.
- Achten Sie auf die Subject- bzw. **Betreff**-Zeile. Vorsicht mit Kommerziellem!
- Die Wahl der passenden **News-Group** beachten! Lesen Sie genau, was Sie an Postings erhalten und wem Sie etwas posten!
- **Humor** lockert die Kommunikation im Netz auf.

In Anlehnung an: Wikipedia: Netiquette: https://de.wikipedia.org/wiki/Netiquette (20.05.2019)

15 Aufgabenstellung

●●●

Diskutieren Sie in einer Gruppenarbeit die oben angeführten Netiquette-Regeln. Welche Punkte halten Sie für besonders wichtig, welche sind für Sie verzichtbar? Sollten diese Regeln ergänzt werden? Werden diese Regeln in der Praxis weitestgehend eingehalten oder haben Sie schon sehr grobe Verstöße gegen die Netiquette wahrgenommen?

16 Aufgabenstellung

○

Diskutieren Sie in einem Klassengespräch Risiken, die von Chatrooms und sozialen Netzwerken ausgehen können. Cybermobbing, Chatsucht und Onlinesucht sind nur einige Aspekte davon. Es gibt immer wieder Chatterinnen und Chatter, die sich für etwas ausgeben, was sie nicht sind (sogenannte Fakes). Auch die Gefahr des Realitätsverlusts, wenn sich jemand als eine andere Persönlichkeit ausgibt, die sie bzw. er im tatsächlichen Leben nicht ist, und sich dann außerhalb des Chatrooms für die im Chat erstellte Person hält, kommt immer wieder vor.

9.3 Werbung und Medien

9.3.1 Werbung – wofür?

siehe Band 1, Kapitel „Medien"

emotionalisieren: Emotionen wecken, Gefühle erregen

Ursprünglich diente Werbung dazu, potenzielle Käuferinnen und Käufer über eine Ware oder eine Dienstleistung zu informieren (Marktschreierinnen bzw. Marktschreier, Plakate, Postwurfsendungen etc.). Die moderne Werbeindustrie bedient sich bestimmter Techniken etwa dadurch, dass Produkte und Dienstleistungen mit einer emotionalen oder sozialen Zusatzbedeutung gekoppelt werden. Waren und Dienstleistungen werden durch Schlüsselreize emotionalisiert, wodurch der Verbraucherin oder dem Verbraucher Komfort, Gesundheit oder Sozialprestige vermittelt werden sollen. Die Kaufentscheidung fällt meist erst durch die Koppelung der beiden Funktionen eines Produktes oder einer Dienstleistung – Grundnutzen (eigentliche Funktion) und Zusatznutzen.

17 Aufgabenstellung

●●●

Versetzen Sie sich in die Rolle einer Werbefachfrau bzw. eines Werbefachmannes und überlegen Sie sich, welchen Zusatznutzen man mit dem Grundnutzen folgender Produkte und Dienstleistungen koppeln könnte.

Produkt	Grundnutzen	Zusatznutzen
geräumiger Wagen der Mittelklasse	Fortbewegungsmittel	viel Stauraum, Komfort, Prestige
Lebensversicherung		
Bausparvertrag		
Duschgel		
Outdoor-Kleidung		
Sportschuhe		
Friseurbesuch		
Autowerkstätte		

9.3.2 Wie man Werbung definieren kann

Definitionen von Werbung

- Werbung umfasst die **Gesamtheit werbender Maßnahmen,** um potenzielle Käuferinnen oder Käufer zu überzeugen und damit zu einem Kaufentschluss zu bewegen. In der Marktwirtschaft dient die Werbung vor allem der Einführung neuer Produkte und der Weckung neuer Bedürfnisse.
  Reklame ist die (mit aufdringlichen Mitteln durchgeführte) Anpreisung von Waren oder Dienstleistungen – mit dem Ziel, eine möglichst große Anzahl von Personen als Interessenten oder Kunden zu gewinnen.
  Eine systematische Verbreitung politischer, weltanschaulicher oder religiöser Ziele und Ideen nennt man **Propaganda**.

  Online: www.duden.de (27.03.2013)

- Werbung ist das Bemühen um die gleichzeitige Lenkung möglichst vieler Personen. Seelische Beeinflussung ist das Hauptprinzip der Werbung. Die Hintergründe ihrer Kaufentscheidung sind den meisten Menschen nicht bewusst.
  Die gezielte **Beeinflussung** von Entscheidungen und **Kaufverhalten** der Menschen, die von ihnen nicht bewusst wahrgenommen wird, nennt man **Manipulation**. Vor allem Kinder und junge Menschen sind manipulativen Einflüssen praktisch wehrlos ausgeliefert.

  In Anlehnung an: Schulz, Jürgen: Werbung. In: Gabler Wirtschaftslexikon. Online: https://wirtschaftslexikon.gabler.de/Definition/werbung.html (20.05.2019)

18 Aufgabenstellung

●●●

Vergleichen und diskutieren Sie die Definitionen von Werbung. Welche Aufgabe sollte Werbung Ihrer Meinung nach haben?

19 Aufgabenstellung

●●●

Auf welche Strategien in der Werbung weist Hans Manz in seinem Gedicht hin? Mit welchen Argumenten werden Produkte oft besonders beworben? Sind Sie selbst schon „Opfer" der Werbung geworden und haben ein bestimmtes Produkt nur deshalb gekauft, weil es in der Werbung angepriesen worden war? Kaufen Sie lieber Marken- oder Designerkleidung als Kleidung ohne Label? Was könnte die Ursache für ein derartiges Kaufverhalten sein?

Hans Manz – **Wer verdient, kauft**

Aber was?
Das Gute,
das Bessere,
das Beste?

Das Beste vom Besten,
das Allerbeste vom Allerbesten,
das Allerbeste vom Allerbestesten?

Das Billige,
das Wohlfeile,
das Preisgünstige,
das Preiswerte,
das Teure?

Das Notwendige,
das Brauchbare,
das Entbehrliche,
das Überflüssige?

Das billige Gute?
Das wohlfeile Bessere?
Das preisgünstige Beste?
Das preiswerte notwendige Allerbeste?
Das brauchbare teure Entbehrliche?
Das überflüssige ...

Halt, aufhören! Hauptsache, du zahlst!

Manz, Hans: Wer verdient, kauft. In: Verkauft! Werbung und Literatur. Buchklub CROSSOVER, Band 2. Wien, Österreichischer Buchklub der Jugend, 2006, S. 114

9.3.3 Positionierung von Werbung

Je nachdem, welches **Zielpublikum** angesprochen werden soll, wird Werbung in unterschiedlichen Medien eingesetzt. Die **Effizienz von Zeitungen** als Werbeträger hängt von verschiedenen Faktoren ab. Entscheidend sind vor allem die Auflage, die Reichweite einer Zeitung (Anzahl der Leserinnen und Leser), aber auch das Verbreitungsgebiet (sind die Leserinnen und Leser dieser Region Zielgruppe meiner Werbebotschaft?), das Interesse und die Kaufkraft der Leserinnen und Leser und das Renommee bzw. Ansehen des Blattes.

Den Printmedien ist in den letzten 15 Jahren mit dem **Internet** eine zusätzliche Konkurrenz nicht nur im medialen Bereich, sondern auch als Werbemittel entstanden. Die Vorzüge der Printmedien werden darin mit denen der audiovisuellen Medien vereint; zusätzlich gibt es Interaktionsmöglichkeiten, die weder im Print- noch im TV-Bereich vorhanden sind. Außerdem sind das Internet und das **Mobiltelefon** die Medien mit den größten Zuwachsraten und daher für die Wirtschaft als Werbeträger äußerst interessant. Viele Unternehmen nützen das Internet mit seinen verschiedenen Diensten (Mail, Foren, Chat, Weblogs, Networks etc.); Werbeauftritte führen durch Links zum Online-Store und laden direkt zum Einkaufen ein.

Store, der (engl.): Geschäft

20 Aufgabenstellung

a. ●

Lesen Sie das Interview mit Medienprofis. Klären Sie Ihnen unbekannte Wörter und markieren Sie wichtige Stichwörter im Text.

b. ●●●

Erstellen Sie eine Liste der im Text angesprochenen Werbeformen.

c. ●●●

Stellen Sie die im Text angeführten Vor- und Nachteile der verschiedenen Werbeformen in den Medien einander gegenüber.

d. ●●●

Überlegen Sie sich zwei bis drei Produkte und entwickeln Sie Ideen, welches Produkt Sie auf welche Art und in welchem Medium bewerben würden. Präsentieren Sie die Ergebnisse Ihrer Gruppenarbeiten der Klasse.

Das Internet beschäftigt die Werbebranche immer mehr

„Jedes Medium hat seine Stärken"

Neben den klassischen Medien haben in den letzten Jahren neue Medien massiv an Bedeutung für die Werbung gewonnen. „Jedes Medium hat seine Stärken", sagen Markus Zinsberger und Deborah Arpino vom Wiener Büro der internationalen Media-Kommunikations-Agentur Universal McCann.

***Wiener Journal:** Welche neuen Medien werden von Ihrer Agentur genutzt, um Werbung zu positionieren?*

Markus Zinsberger: Wir nutzen momentan stärker das Internet. Das hat in den letzten zwei Jahren stark zugenommen. Neben dem Internet geht es dann auch in Richtung Mobile Marketing. Es gibt auch Feldversuche im interaktiven TV-Bereich, wo mit Werbeanbindungen experimentiert wird. Aber das ist noch im Versuchsstadium und ist noch nicht ganz ausgereift.

Bieten Ihrer Meinung nach neue Medien bessere Möglichkeiten, Kunden anzusprechen?

Markus Zinsberger: Es kommt sicherlich immer auf die Zielsetzung und Zielgruppe an. Für manche Unternehmen können neue Medien schneller, vielleicht auch leichter und gezielter zur Ansprache führen. Zum Beispiel kann eine „Newsletter-Ansprache" für viele Firmen einen positiveren Nutzen haben als ein klassisches Medium wie eine Print- oder eine TV-Kampagne.

Deborah Arpino: Jedes Medium bringt spezifische Stärken mit sich. Es hat noch nie ein Medium ein anderes ersetzt. Der Trick ist es, herauszufinden, warum ein Medium überhaupt interessant ist für eine Zielgruppe.

Gibt es eine Online-Werbeform, die Ihrer Meinung nach derzeit am effizientesten[1] ist?

Markus Zinsberger: Am effizientesten für uns von den Kontaktzahlen und Klick-Raten sind immer noch größere Formate wie Pop-up-Fenster[2]. Offen ist die Frage, ob große Formate eine Effizienz in Wahrnehmung und Erinnerung mit sich bringen. Höhere Klick-Raten werden meist auch erzielt, wenn z.B. der Banner mit einem „Mouse over"-Effekt belegt ist. Interessant ist auch der Bereich des Advertorial[3]. Das ist zwar leider teurer, aber meistens inhaltlich gut gestaltet und meist werden in Wahrnehmung und Erinnerung auch bessere Werte erzielt.

Wie sehen die Trends und Möglichkeiten in der Online-Werbung aus?

Markus Zinsberger: Sicherlich in den „Content"[4]-Bereich stärker hineinzugehen und dahingehend verstärkt Webseiten zu nutzen und „Content" zu positionieren. Mehr wegzugehen von der klassischen Internetwerbung, weil sie oftmals allein steht. Mehr Verbindungen müssen geschaffen werden. Der Trend bei jüngeren Zielgruppen sind spektakuläre Werbeformate wie z.B. „Superstitials" (große Pop-ups, zum Teil mit Microsites[5] – Anm. der Red.), die gut ankommen. Viele Companies[6] bringen auch Games im Internet raus, denn der Trend ist, dass man Webseiten kreiert, die sehr aktionslastig sind.

Deborah Arpino: Wenn Kunden fragen, ob sie das Internet als Medium nutzen sollen, ist immer die Frage im Hintergrund, was man machen möchte und was die Leute auf der Website finden sollen.

Mit welchen Vor- oder Nachteilen müssen Ihre Kunden im Bereich Telemarketing (Telefon-Werbung, Fax-Werbung, E-Mail-Werbung) rechnen?

Markus Zinsberger: Telemarketing im Zusammenhang mit Fax-Werbung wird eigentlich so gut wie gar nicht von unserer Seite empfohlen. E-Mail-Marketing ist ein Bereich, der jetzt schon ganz gut positioniert ist und meist unweigerlich ein „must" darstellt.

Wird Telemarketing als Werbeform in Zukunft eine wichtige Rolle spielen?

Markus Zinsberger: Im Call-Center-Bereich, speziell wenn es um Beschwerde-Hotlines geht, wird eine Hotline nicht so schnell vom Markt verschwinden. Ein gutes Beispiel dafür ist die Telefonauskunft. Obwohl es das System elektronisch vollkommen abgebildet gibt, gibt es noch immer Tausende Anrufe bei der Telefonauskunft.

Deborah Arpino: Es ist auch oft so, dass man zwar alles elektronisch abhandeln könnte, aber wenn man eine Beschwerde hat, möchte man doch lieber mit einem Menschen sprechen. Die menschliche Komponente ist sehr wichtig.

Wie schätzen Sie das Potenzial von Mobile Marketing ein und welche Zielgruppen werden Ihrer Ansicht nach angesprochen?

Markus Zinsberger: MMS[7]-Marketing ist leider immer noch sehr schwach und wird wenig bis gar nicht genutzt. MMS wird noch ein bisschen dauern. Aber der SMS-Bereich ist mittlerweile schon stark ausgebaut und wird bei den Gewinnspielen fast immer genutzt. Die Zielgruppen, die durch SMS-Marketing angesprochen werden, waren früher sicherlich jünger als mittlerweile.

Welche neuen Elemente bringt das digitale Fernsehen für die Werbung?

Markus Zinsberger: Digital ist für uns insofern interessant, weil im TV-Bereich die Frequenz viel breiter wird, das heißt, man kann viel mehr Informationen übertragen, als man es analog schafft. Die Möglichkeit auch, dass im digitalen TV verschiedene „Tools"[8] angeboten werden, wo der Konsument sich sein passendes aussucht und nicht etwas vorgesetzt bekommt. Für den Konsumenten hat das einen riesengroßen Vorteil, dass er noch mehr zu wählen hat.

Deborah Arpino: Der Mensch ist aktiv auf der Suche und kann anders als bei normalem Fernsehen entscheiden, was er gerade machen möchte.

Das Gespräch führte Eva Steinbauer.

Steinbauer, Eva: Das Internet beschäftigt die Werbebranche immer mehr. „Jedes Medium hat seine Stärken". In: Wiener Zeitung, 18.09.2004. Online: http://www.wienerzeitung.at/themen_channel/wz_digital/digital_news/305219_Jedes-Medium-hat-seine-St%20undaumlrken.html (04.12.2018), mit kleineren orthografischen Korrekturen

---

1 *effizient: wirksam*

2 *Pop-up-Fenster (engl. pop up: aufklappen): Beim Öffnen einer Seite im Internet oder beim Klicken auf einen Link öffnet sich automatisch ein kleines Browserfenster; häufig mit Werbung.*

3 *Advertorial: gebildet aus den englischen Wörtern für Anzeige („advertisement") und Leitartikel („editorial"). Es handelt sich dabei um eine Werbeanzeige, die den Anschein eines redaktionellen Beitrages erwecken soll.*

4 *Content (engl.): Inhalt*

5 *Microsite (engl. „Micro-Website"): eine schlanke Website mit wenigen Unterseiten innerhalb eines größeren Internetauftritts*

6 *Company (engl.): Unternehmen*

7 *MMS (Multimedia Messaging Service): eine Weiterentwicklung der SMS; bietet die Möglichkeit, multimediale Nachrichten an Handys oder E-Mail-Adressen zu versenden*

8 *Tool (engl.): Werkzeug*

▶▶▶ Ihr persönlicher Lernerfolg

Schätzen Sie selbst ein, was Sie jetzt wissen und können:

✓ oder ✗

		LESEN	ÜBEN
Sie können kritisch mit Zeitungsberichten und Bildern umgehen.	○	S. 198-203	S. 200-203
Sie wissen, dass die österreichische Presse einem Ehrenkodex folgt, und kennen einen Teil daraus.	○	S. 203	S. 203
Sie wissen, wie sich der Medienkonsum in Österreich entwickelt hat.	○	S. 205	S. 205-207
Sie wissen, was Netiquette bedeutet, und können die Grundsätze guten Benehmens im Netz umsetzen.	○	S. 208	S. 208-209
Sie wissen, wie Werbung in den Medien wirkt und wie sie sich positioniert.	○	S. 210-212	S. 212-213
Sie können Grundnutzen und Zusatznutzen von beworbenen Produkten unterscheiden und erkennen einige Mechanismen der Werbung.	○	S. 210-211	S. 210

10

LITERATUR, KUNST UND GESELLSCHAFT

In diesem Kapitel lernen Sie, ...

... welche literarischen Gattungen es gibt und wie diese unterteilt sind,

... welche gesellschaftliche Relevanz auch ältere Texte heute haben können,

... wie Sie epische, lyrische und dramatische Texte erkennen,

... wie Sie mit literarischen Texten vorbehaltlos und kreativ umgehen können.

Kompetenzen hier entlang ▶▶▶

Fiktionale Texte lassen sich **in drei Gattungen** einteilen:
- **Epik:** erzählende Dichtung
- **Lyrik:** Lieder, Gedichte
- **Dramatik:** dialogische (seltener monologische), auf Theater oder Film bezogene Dichtung

10.1 Epik

10.1.1 Epische Texte

Das Wort Epik stammt aus dem Griechischen „épein“ und bedeutet „erzählen“. Epische Texte sind somit **erzählende Texte**. Dabei handelt es sich um altes Kulturgut, denn Menschen haben einander immer schon Geschichten erzählt und sich so unterhalten. Erzählt wird meistens in **Prosa**, also in ungebundener Sprache. Selten weist die Prosa einen regelmäßigen Rhythmus auf („rhythmische Prosa“) oder der Text steht in **Versform** (gebundene Sprache). Die Grenze zwischen Realität und Fiktion ist dabei jedoch nicht wesentlich. Die erzählende Literatur ist fast unüberschaubar vielfältig, es gibt jedoch einige **Kennzeichen**, nach denen epische Werke einzuordnen sind.

Epik

Man unterscheidet:

- **Große Formen**
  - Epos
  - Roman
  - Novelle
- **Kleine Formen**
  - Erzählung
  - Kurzgeschichte
  - Parabel, Fabel, Legende
  - Märchen, Sage
  - Anekdote
  - Prosaskizze
  - Essay, Feuilleton
  - u.v.m.

10.1.2 Epos

Lesetipps:
- *Michael Köhlmeier: Die Nibelungen: neu erzählt*
- *Michael Köhlmeier: Sagen des klassischen Altertums*

Beim **Epos** handelt es sich um eine episch breite Geschichte. Oftmals werden Helden- oder Göttersagen eines Volkes gesammelt und miteinander verbunden. Die Sprache des Epos ist zumeist die **Versform**. In Epen kommen viele Schauplätze vor und die Geschichten umfassen einen großen Zeitrahmen. Häufig gibt es mehrere Handlungen nebeneinander, in denen viele Figuren vorkommen; die Heldin bzw. der Held spielt oft eine zentrale Rolle. Die Figuren sind aber meist **Typen**, d.h., sie sind keine charakterlich ausgeprägten Persönlichkeiten, sondern sie sind schwarz-weiß gezeichnet (z.B. der Böse, der Gute, der Held, der Gegenspieler).

Berühmte Epen:

- **Mahabharata:** eines der bedeutendsten altindischen Epen
- **Gilgameschepos:** babylonisches Epos um 2000 v. Chr.
- **Ilias:** Versepos von Homer, 8. Jh. v. Chr.
- **Odyssee:** Versepos von Homer, 8. Jh. v. Chr.
- **Aeneis:** Vergils römisches Nationalepos über die Gründung Roms
- **Nibelungenlied:** mittelhochdeutsches Heldenepos im Donauraum, um 1200 entstanden; die Verfasserin bzw. der Verfasser ist unbekannt

1 **Aufgabenstellung**

●●●

Recherchieren Sie den Inhalt der genannten Epen anhand eines Literaturlexikons oder mithilfe des Internets. Verfassen Sie kurze Inhaltsangaben einiger dieser Werke. Sie können diese Arbeit als Eintrag für Ihr Kulturportfolio verwenden.

2 **Aufgabenstellung**

a. ●

Lesen Sie den Textausschnitt aus Homers Odyssee.

b. ○

Klären Sie in einem Klassengespräch, was in dieser Textstelle passiert. Wer sind die handelnden Figuren? Kennen Sie weitere Episoden aus der zehnjährigen Irrfahrt Odysseus' aus diesem Seefahrerepos?

Meinen berühmten Namen, Kyklop? Du sollst ihn erfahren.
Aber vergiß mir auch nicht die Bewirtung, die du verhießest!
Niemand ist mein Name; denn Niemand nennen mich alle,
Meine Mutter, mein Vater, und alle meine Gesellen.
Also sprach ich; und drauf versetzte der grausame Wütrich:
Niemand will ich zuletzt nach seinen Gesellen verzehren;
Alle die andern zuvor! Dies sei die verheißene Bewirtung!
Sprach's, und streckte sie hin, fiel rücklings, und lag mit gesenktem
Feistem Nacken im Staub; und der allgewaltige Schlummer
Überwältiget' ihn: dem Rachen entstürzten mit Weine
Stücke von Menschenfleisch, die der schnarchende Trunkenbold ausbrach.
Und nun hielt ich die Spitze des Knittels in glimmende Asche,
Bis sie Feuer fing, und stärkte mit herzhaften Worten
Meine Gefährten, daß keiner sich feig' im Winkel verkröche.
Aber da eben jetzo der Ölbaumknittel im Feuer
Drohte zu brennen, so grün er auch war, und fürchterlich glühte;
Zog ich ihn eilend zurück aus dem Feuer, und meine Gefährten
Standen um mich; und ein Himmlischer haucht uns Mut in die Seele.
Und sie faßten den spitzen Olivenknittel, und stießen
Ihn dem Kyklopen ins Aug', und ich, in die Höhe mich reckend,
Drehete. Wie wenn ein Mann, den Bohrer lenkend, ein Schiffholz
Bohrt; die Unteren ziehn an beiden Enden des Riemens,
Wirbeln ihn hin und her; und er flieget in dringender Eile:
Also hielten auch wir in das Auge den glühenden Knittel,
Drehten, und heißes Blut umquoll die dringende Spitze.
Alle Wimpern und Augenborsten versengte die Lohe
Seines entflammten Sterns; es prasselten brennend die Wurzeln.
Wie wenn ein kluger Schmied die Holzaxt oder das Schlichtbeil
Aus der Ess' in den kühlenden Trog, der sprudelnd emporbraust,
Wirft und härtet; denn dieses ersetzt die Kräfte des Eisens:
Also zischte das Aug' um die feurige Spitze des Ölbrands.
Fürchterlich heult' er auf, daß rings die dumpfige Kluft scholl.
Und wir erschraken und flohn in den innersten Winkel. Doch jener
Riß aus dem Auge den Knittel, mit vielem Blute besudelt,
Schleudert' ihn ferne von dannen mit ungebärdigem Grimme.

Homer: Odyssee. Stuttgart, Reclam, 2000, S. 146, Originalschreibweise

Homer *(800–701 v. Chr., Griechenland) gilt als Autor der Ilias und Odyssee und damit als erster Dichter des Abendlandes. Weder sein Geburtsort noch das Datum seiner Geburt oder seines Todes sind zweifelsfrei bekannt. Es ist nicht einmal sicher, ob es Homer überhaupt gegeben hat.*

3 **Aufgabenstellung**

●●●

Schreiben Sie den Textausschnitt aus Homers Odyssee in eine sprachlich moderne Fassung um. Sie können auch mehrere Rollen vergeben und den Textausschnitt als Hörspiel umgestalten und vorlesen.

Lesetipps:
- *Charles Dickens: Oliver Twist*
- *John Buchan: Die neununddreißig Stufen*
- *Ödön von Horvath: Jugend ohne Gott*
- *Alfred Andersch: Sansibar oder der letzte Grund*
- *Robert Schneider: Schlafes Bruder*
- *Paulus Hochgatterer: Caretta Caretta*
- *Thomas Glavinic: Der Kameramörder*
- *Daniel Glattauer: Gut gegen Nordwind*
- *Michael Köhlmeier: Madalyn*

10.1.3 Roman

Romane sind große Erzählungen in Prosa, die das Leben und die Entwicklung einer bzw. eines Einzelnen oder einer Gruppe von Menschen über einen längeren Zeitraum hinweg zeichnen oder über einen kürzeren Zeitraum sehr detailliert behandeln. Meistens gibt es mehrere Handlungsstränge nebeneinander. Das Milieu wird sehr oft detailliert geschildert. Die Figuren werden psychologisch genau dargestellt, es handelt sich um Charaktere.

Romane lassen sich in viele **Genres** unterteilen. Einige Beispiele sind:

- **Reise- und Abenteuerroman,** z. B. *Daniel Defoe: Robinson Crusoe*
- **Schelmenroman,** z. B. *Günter Grass: Die Blechtrommel*
- **Entwicklungsroman,** z. B. *Hermann Hesse: Siddharta*
- **Stadtroman,** z. B. *Alfred Döblin: Berlin Alexanderplatz*
- **Historischer Roman,** z. B. *Leo Perutz: St. Petri Schnee*
- **Dystopischer Roman,** z. B. *George Orwell: 1984*
- **Kriminalroman,** z. B. *Friedrich Dürrenmatt: Das Versprechen*
- **Detektivroman,** z. B. *Friedrich Glauser: Wachtmeister Studer*
- **Fantasyroman,** z. B. *J. R. R. Tolkien: Herr der Ringe*

Genre, das: Gattung, Art

4 Aufgabenstellung

Sammeln Sie Beispiele zu den angeführten Genres. Erzählen Sie Ihren Mitschülerinnen und Mitschülern kurz den Inhalt eines von Ihnen genannten Romans.

5 Aufgabenstellung

Erzählen Sie in zwei Minuten aus dem Stegreif den Inhalt eines Romans, der Ihnen besonders gut oder überhaupt nicht gefallen hat, und begründen Sie auch, warum Ihre Kritik positiv oder negativ ausfällt. Das Zeitlimit von zwei Minuten sollte nicht überschritten werden. Im Anschluss lassen Sie sich von der Klasse Feedback geben.

6 Aufgabenstellung

Überlegen Sie, welche Romane und deren Verfilmungen Sie kennen, und diskutieren Sie folgende Fragen:

- Welche Vorteile und Nachteile bieten Verfilmungen? Welche Vorteile hat das Medium Buch für eine Geschichte?
- Gibt es Romanverfilmungen, von denen Sie sehr enttäuscht oder positiv überrascht waren?
- Lesen Sie aufgrund einer guten Verfilmung auch den Roman? Welche Erfahrungen haben Sie damit?

10.1.4 Novelle

Novellen sind längere Prosatexte, in denen es nur einen Erzählstrang gibt, in welchem eine ungewöhnliche oder spannende Begebenheit geschildert wird. Thema ist ein Konflikt oder eine besondere Situation, von der das Leben eines Menschen oder einer Gruppe von Menschen abhängt (z. B. ein Kriminalfall oder ein besonderer Schicksalsschlag). Im Unterschied zum Roman ist die Novelle kürzer und auf eine Haupthandlung beschränkt, in welcher die Konzentration auf den Höhepunkt der Geschichte gelenkt wird. Novellen waren vor allem im 19. Jahrhundert eine sehr beliebte Gattung, in der modernen Literatur werden kaum Novellen geschrieben.

Lesetipps:
- *E. T. A. Hoffmann: Das Fräulein von Scuderi*
- *Franz Grillparzer: Der arme Spielmann*
- *Stefan Zweig: Schachnovelle*
- *Stefan Zweig: Angst*
- *Gottfried Keller: Romeo und Julia auf dem Dorfe*
- *Patrick Süskind: Die Geschichte von Herrn Sommer*

7 Aufgabenstellung
●●●

Recherchieren Sie die Inhalte der in den Lesetipps genannten Novellen und wählen Sie eine aus, um einen Eintrag für Ihr Kulturportfolio zu gestalten. Entnehmen Sie Anregungen, wie man einen Lesetext bearbeiten könnte, dem Kapitel 5 „Portfolio“.

10.1.5 Erzählung

Es handelt sich bei der Erzählung um einen kürzeren Prosatext, dessen Abgrenzung von anderen Textsorten wie etwa der Novelle nicht immer eindeutig und präzise nachzuvollziehen ist. Der Reiz der Erzählung liegt an der lockeren Darstellungsform, sie kommt dem mündlichen Erzählen sehr nahe. Auch in der Erzählung gibt es zumeist nur eine Haupthandlung, die sich auf den Höhepunkt oder Wendepunkt der Geschichte konzentriert, und die Gesamtheit der Figuren ist ebenso wie der Zeitrahmen meistens weniger breit gestaltet als beim Roman. Ein wichtiges Kennzeichen ist der geschlossene Aufbau: Die Erzählung hat eine Einleitung, in der Personen und Umstände der Geschichte näher erläutert werden, und ein abgeschlossenes Ende (im Gegensatz zur Kurzgeschichte).

Lesetipps:
- *Friedrich von Schiller: Der Verbrecher aus verlorener Ehre*
- *Adalbert Stifter: Bergkristall*
- *Marie von Ebner-Eschenbach: Krambambuli und andere Erzählungen*
- *Franz Werfel: Eine blassblaue Frauenschrift*
- *Franz Kafka: Die Verwandlung*
- *Erich Hackl: Auroras Anlass*
- *Michael Köhlmeier: Sunrise*

8 Aufgabenstellung

a. ●

Lesen Sie eine der in den Lesetipps genannten Erzählungen und verfassen Sie dazu eine informierende Inhaltsangabe sowie eine Textanalyse. Charakterisieren Sie auch die Hauptperson(en) der Erzählung.

siehe Kapitel „Schreibhandlungen“

b. ●

Gestalten Sie einen Buchumschlag zu der von Ihnen gelesenen Erzählung. Bedenken Sie, dass der Klappentext zum Lesen auffordern soll und kurze Informationen über die Autorin oder den Autor beinhalten muss. Recherchieren Sie fehlende Informationen im Internet.

c. ●●●

Überlegen Sie sich, wie Sie die Erzählung verfilmen würden. Wer könnte die Rollen besetzen? Welche Handlungen sollten gekürzt, welche sehr breit dargestellt werden? Welche Art von Musik würden Sie einsetzen? Wo wäre der passende Drehort für die Umsetzung Ihrer Verfilmung? Entwerfen Sie stichwortartig ein Konzept für die filmische Umsetzung.

10.1.6 Kurzgeschichte

Charakteristisch für die Kurzgeschichte ist, dass ein (entscheidender) Lebensausschnitt einer Person oder einer Gruppe meist sehr knapp und spannend erzählt wird. Häufig werden Alltagsgeschichten abgebildet. Die Kurzgeschichte beschränkt sich auf eine Haupthandlung mit einem engen Zeit- und Raumrahmen und einem kleinen Inventar an Figuren. Diese werden jedoch zumeist psychologisch genau dargestellt. Ein typisches Element der Kurzgeschichte ist der offene Anfang und / oder das offene Ende.

H. C. Artmann
(1921–2000), österreichischer Autor. Er gilt als Integrationsfigur der österreichischen Nachkriegsliteratur, der der österreichischen Seele einen kritischen Spiegel vor Augen führte.

9 **Aufgabenstellung**

a. ●

Lesen Sie die Kurzgeschichte „Keine Menschenfresser bitte“ von H. C. Artmann und verfassen Sie eine informierende Inhaltsangabe. Charakterisieren Sie auch die Hauptpersonen der Erzählung. Was könnte der Autor damit bezweckt haben, der Protagonistin den Namen „Reißfleisch“ zu geben?

b. ○

Was will H.C. Artmann mit seiner Kurzgeschichte mitteilen? Nach welchen Kriterien beurteilen die Protagonistinnen die Studenten, die sich um das Zimmer bewerben? Welche Klischees werden in der Geschichte bedient?

c. ●●●

Diskutieren Sie folgende Fragestellungen:

- *Hegen Sie selbst manchmal Vorurteile gegenüber fremden Personen? Wenn Sie jemanden kennenlernen, wie wichtig ist für Sie der erste Eindruck?*
- *Was halten Sie vom Ruf, der jemandem vorauseilt? Beachten Sie diesen?*
- *Haben Sie schon einmal die Erfahrung gemacht, dass Sie jemandem gegenüber Vorurteile hatten und sich diese später als vollkommen ungerechtfertigt herausgestellt haben? Wie sind Sie mit dieser Erfahrung umgegangen?*
- *Wenn man von Ihnen eine bestimmte Meinung hat, z. B. Sie seien „intelligent, aber faul“ oder „schlampig, aber kreativ“, wie gehen Sie mit solchen Vorurteilen um? Versuchen Sie, diese zu widerlegen? Stört es Sie, wenn Sie mit derartigen Vorurteilen konfrontiert werden?*
- *Was halten Sie von Vorverurteilungen, die Gruppen von Menschen betreffen? Gibt es Aussagen wie „Die Klasse A ist so faul, die Klasse B so anstrengend“ usw. an Ihrer Schule? Wie geht die Klassengemeinschaft mit derartigen Pauschalierungen um? Was könnte eine Klasse dagegen unternehmen?*
- *Was kann man gegen Vorurteile machen, wie kann man sie aus dem Weg räumen? Haben Sie schon einmal Ihre Mitmenschen überzeugen können, dass Vorurteile, die gegenüber anderen ausgesprochen wurden, falsch waren?*

d. ○

Versuchen Sie, in Ihrer Gruppenarbeit einen Konsens über die erzielten Antworten zu finden, und berichten Sie die Ergebnisse Ihrer Gruppenarbeit Ihren Mitschülerinnen und Mitschülern.

e. ●

Sie haben nun einige Impulse zum Thema Vorurteile bekommen. Schreiben Sie einen argumentativen Text, in welchem Sie die Fragestellungen aus der Gruppenarbeit reflektieren und Ihre eigenen Gedanken zum Thema Vorurteile darstellen.

H.C. Artmann – **Keine Menschenfresser bitte**

Frau Amtsrat Reißfleisch wollte einen Untermieter aufnehmen und hatte zu diesem Behuf[1] tags vorher die Studentenschaft angerufen. Vornehmes Gassenkabinett[2], elektrisches Licht, Bett, Pendeluhr, Schreibtisch, Universitätsnähe usw. Für nur 900 Schilling, ab sofort beziehbar ... Nun aber, an diesem Nachmittag, war sie doch ein wenig bedrückt, da sie fürchtete, man möchte ihr einen dunkelhäutigen Herrn zuschicken. Und das wäre besonders peinlich vor den Nachbarn und so weiter und so weiter. Vielleicht wären auch Kannibalen und Mädchenhändler unter ihnen, wie man ja nur zu häufig im Lesezirkel erfahren kann ...

Frau Amtsrat Reißfleisch und ihre Freundin Adele saßen diesen Nachmittag bei Kaffee und Mohnstrudel und warteten die kommenden Dinge etwas nervös ab. „Am liebsten", sagte Frau Amtsrat, „wär mir halt so ein solider Amerikaner, der was alle Ersten pinktlich seinen Zins zahlen tut und nicht schnarcht ...". „Ganz recht, liebe Melanie", sagte Adele, „die Ameriganer sein die Solidesten, und Geld haben tun s'auch. Auf keinen Fall darfst du dir einen Arawer, Perser oder gar einen Dürken nehmen. Die haben uns schon viermal belagert ..."

Die Klingel der Wohnungstür schrillte scharf und kriegerisch. Frau Amtsrat Reißfleisch richtete sich würdig auf, ging ins Vorzimmer, das zugleich als Besenkammerl diente, und öffnete einen Spalt die Türe.

„Ich komm wegen Kabinett. Ist noch frei, bittschen? Mein Name ist Berislav Stojanovic ..."

„Sind Sie der Ameriganer, den was ich das Zimmer versprochen hab?", fragte die Frau Amtsrat durch den Türspalt.

„Amerikaner?", meine Stojanovic verfremdet ...

„Dut mir leid", sagte Frau Amtsrat kurz, „aber das Zimmer is schon an ein Ameriganer vergeben!" Die Türe schlug kurz vor der Adlernase des langen Kroaten zu.

„Wer war's denn?", fragte Adele. Aber bevor Frau Amtsrat Reißfleisch noch eine Antwort erstatten konnte, klingelte es abermals.

„Ich komme wegen Zimmer. Ist das Zimmer noch frei, bitte? Mein Name ist Wassilis Liolakis ..."

„Sind Sie der Ameriganer, den was ich das Zimmer versprochen hab?", fragte Frau Amtsrat mit der gleichen diplomatischen Schläue wie vorher.

„Ich bin aus Ioannina und das is in Griechenland und ..." Die Tür krachte ins Schloss. „Lauter Tschuschen!", sagte Frau Amtsrat zu ihrer Freundin Adele und wollte seufzend in ein Stück Mohnstrudel beißen, als es abermals, nun aber sanft und bescheiden, klingelte. Frau Amtsrat war jedoch schon gewitzigt und sah dieses Mal nur durch das Guckloch auf den Gang hinaus. Draußen stand ein gut aussehender Inder mit pechschwarzem Vollbart und Turban, und in seinen dunklen Augen lag eine tiefe Traurigkeit. Er wusste wohl schon, dass er dieses billige Kabinett mit Gassenaussicht niemals bekommen würde.

„Wer war's denn?", fragte Adele mit klopfendem Herzen. Sie hatte keine Tür gehen gehört. Es musste was Schreckliches draußen gestanden haben. Frau Amtsrat seufzte jetzt wirklich, biss in das angefangene Stück Mohnstrudel und meinte pikiert[3]: „Jetzt schicken s' einem sogar schon Menschenfresser in d'Wohnung. Ich werd mich bei der Vermittlung gehörig beschwern!"

Nach einer Weile ging im Vorzimmer alias Besenkammer das Telefon. Frau Amtsrat Reißfleisch sprach eine Weile. Dann kam sie strahlend und zufrieden zu Adele zurück, die ihrerseits ein neues Stück Mohnstrudel begonnen hatte und kaute. „Wer war's denn, Melanie?", fragte Adele.

„Gott sei Dank", sagte Frau Amtsrat, „das nette Fräulein Elfi von der Studentenvermittlung hat angerufen. In einer halben Stunde kommt ein ameriganischer Herr wegen dem Zimmer. Und stell dir vor: James Eisenhover heißt er! Ich hab natirlich fest zugesagt. Der griegt das Zimmer und kein anderer, wo wahr ich die Frau Amtsrat Melanie Reißfleisch geb. Krauthaupt bin!"

Nach einer exakten halben Stunde läutete es an der Wohnungstür. Sanft, bescheiden, nicht ohne eine gewisse Distinktion[4]. Frau Amtsrat erhob sich mit einem bärenzuckersüßen Lächeln und öffnete weit und einladend die Tür ... Ein freundliches „Grissgooooot!" erstarb in ihrer amtsrätlichen Kehle. „My name is Eisenhover", sagte der dezent gekleidete Gentleman und trat ein. Aus seinem kohlschwarzen Gesicht blitzte ein tadelloses, freundliches Gebiss ... „Ich komme wegen das Zimmer ...", sagte er.

Artmann, H. C.: Keine Menschenfresser bitte. In: Was sich im Fernen abspielt. Salzburg, Residenz Verlag, 1995, S. 131–133, Originalschreibweise

[1] *zu diesem Behuf: zu diesem Zweck*
[2] *Kabinett: kleines, meist schmales, einfenstriges Zimmer*
[3] *pikiert: beleidigt, verstimmt*
[4] *Distinktion: Vornehmheit*

Lesetipps:
Gotthold Ephraim Lessing: Das Ross und der Stier
Franz Kafka: Kleine Fabel
Bertolt Brecht: Der Skorpion und der Frosch

10.1.7 Parabel – Fabel – Legende

Bei einer Parabel, Fabel oder Legende wird eine Geschichte, in der eine Wahrheit in der Art eines **Gleichnisses** dargestellt wird, erzählt. Es gibt eine Erzählebene, also die Geschichte selbst, und eine Erkenntnisebene. Hierin wird eine Lehre oder eine Aussage mit didaktischer Absicht aufgezeigt. Die Geschichte ist allgemein gültig und typisierend dargestellt. In der Fabel sind die Akteure Tiere als vermenschlichte Protagonisten, eine Legende ist eine religiöse Parabel.

10 Aufgabenstellung

Jean de la Fontaine *(1621–1695), französischer Schriftsteller*

a. Lesen Sie die Fabel „Der Löwe und die Maus" von Jean de la Fontaine und besprechen Sie anschließend folgende Fragen: Welche Erzählebene, welche Erkenntnisebene können Sie in dieser Fabel erkennen? Welche belehrende Absicht steckt in diesem gleichnishaften Text?

Jean de la Fontaine – **Der Löwe und die Maus**

Eine lebenslustige, kleine Maus tollte übermütig um einen Löwen herum, der in der warmen Mittagssonne vor sich hindöste. Der waghalsige Mäuserich stieg dem König der Tiere sogar auf die riesigen Pranken und beäugte sie neugierig. Da wurde der Löwe wach, packte die kleine Maus und wollte sie fressen.
Das Mäuschen zappelte vor Angst und stotterte: „Lieber Herr König, ich wollte dich nicht aufwecken, wirklich nicht. Bitte, bitte, lass mich leben. Was hast du von so einem geringen, mageren Bissen, den deine großen Zähne nicht einmal spüren? Sonst sind Hirsch und Stier Opfer deiner ruhmreichen Jagd. Was kann dir denn ein so winziges Wesen, wie ich es bin, schon für Ehre einbringen? Ich gebe dir mein Mausewort, wenn du mich freilässt, dann werde ich dir bestimmt auch einmal aus der Not helfen."
Der Löwe musste über diese kühnen Worte schmunzeln, und versonnen betrachtete er den kleinen Wicht in seinen großen Tatzen. Der Gedanke, dass er jetzt Herr über Leben und Tod war, erschien ihm göttlich. „Lauf, kleiner Wildfang, ich schenke dir dein Leben", sagte er feierlich und öffnete langsam seine Pranken. Als die Maus behände davonflitzte, rief er ihr neckend nach: „Vergiss dein Versprechen nicht!" […]
Diese Güte wurde später von der Maus belohnt – so unwahrscheinlich es zunächst klingt. Eines Tages fing sich der Löwe in einem Netz, das als Falle aufgestellt war. Er brüllte schrecklich in seinem Zorn – aber das Netz hielt ihn fest.
Da kam die Maus herbeigelaufen und zernagte einige Maschen, so dass sich das ganze Netz auseinanderzog und der Löwe frei davongehen konnte.

Fontaine, Jean de la: Der Löwe und die Maus.
Online: http://www.hekaya.de/txt.hx/der-loewe-und-die-maus--fabel--fabeln_antike_3 (04.12.2018)

Kurt Schwitters *(1897–1948), deutscher Maler, Dichter und Werbegrafiker*

b. Lesen Sie den Text „Die Fabel vom guten Menschen" von Kurt Schwitters. Welche Erzählebene, welche Erkenntnisebene können Sie in dieser Fabel erkennen? Welche Lehre soll aus dieser Fabel gezogen werden? Inwiefern gestaltet sich die didaktische Absicht dieser Fabel anders als in klassischen Fabeln? Was könnte der Autor beabsichtigen?

Kurt Schwitters – **Die Fabel vom guten Menschen**

Es war einmal ein guter Mensch, der freute sich seines Lebens. Da kam eine Mücke geflogen und setzte sich auf seine Hand, um von seinem Blut zu trinken.
Der gute Mensch sah es und wusste, dass sie trinken wollte; da dachte er: „Die arme kleine Mücke soll sich einmal satt trinken", und störte sie nicht. Da stach ihn die Mücke, trank sich satt und flog voller Dankbarkeit davon. Sie war so froh, dass sie es allen Mücken erzählte, wie gut der Mensch gewesen wäre, und wie gut ihr sein Blut geschmeckt hätte. Da wurde der Himmel schwarz von Mücken, die alle den guten Menschen sehen und sein gutes Blut trinken wollten. Und sie stachen und stachen ihn und tranken und tranken, und wurden nicht einmal satt, weil es ihrer zu viele waren. Der gute Mensch aber starb.

Schwitters, Kurt: Die Fabel vom guten Menschen. In: Das literarische Werk, Band 3. Schauberg / Köln, DuMont, 1975, S. 37

10.1.8 Märchen – Sage

Märchen sind zumeist die erste Literatur, mit der man als Kind in Form von mündlichem Erzählen konfrontiert wird. Dies liegt auch an der Tradition des Märchens, denn erst nach langer mündlicher Überlieferung wurden Märchen aufgeschrieben. Es handelt sich um kurze Prosaerzählungen von fantastisch-wunderbaren Begebenheiten, die frei erfunden sind und keine zeitliche oder räumliche Festlegung zulassen, worauf die häufig verwendeten Floskeln „vor langer, langer Zeit" oder „an einem unbekannten Ort" hinweisen. In die realistischen Handlungen greifen immer übernatürliche Kräfte ein, die der Geschichte eine entscheidende Wendung verleihen; von diesen äußeren Mächten sind die Protagonistinnen und Protagonisten häufig abhängig. Die Figuren sind schwarz-weiß gezeichnet, also Typen, die eine besonders stark ausgeprägte Charaktereigenschaft aufweisen. Typisch für das Märchen ist die formelhafte Sprache, z. B. „es war einmal", „und wenn sie nicht gestorben sind ...", „und sie lebten glücklich und zufrieden ...".

Das moderne Märchen dient oft der Verdeutlichung und Kritik an gesellschaftlichen Zuständen.

Im Gegensatz zum Märchen weist die **Sage** neben der wunderbar-fantastischen Geschichte einen realen Kern auf; dies ist in den meisten Fällen der Raumbezug. Sagen sind wie das Märchen mündlich tradiert und wurden dadurch ständig umgestaltet und umgedeutet. Man unterscheidet Natursagen, die sich mit angsteinflößenden Naturereignissen befassen, historische Sagen, die Gestalten und Ereignisse der Vergangenheit thematisieren, Heldensagen, die sich um außerordentliche Personen ranken, und viele andere mehr.

Lesetipps:
- *Jakob und Wilhelm Grimm: Kinder- und Hausmärchen*
- *Märchen aus Tausendundeiner Nacht*
- *Märchen der Welt: z. B. Irische Märchen*
- *Hans Christian Andersen: Gesammelte Märchen*
- *Folke Tegetthoff: Alles Liebe! Alle Liebesmärchen von F. Tegetthoff*

siehe Kapitel „Schreibprozesse"

11 Aufgabenstellung

●●●

a. Schreiben Sie die Titel sämtlicher Märchen, die Sie kennen, auf und recherchieren Sie im Internet deren Autorinnen bzw. Autoren. Gestalten Sie im Anschluss ein übersichtliches Handout, auf dem Sie Märchen nach Autorin bzw. Autor und Zusatzinformationen zur Person sowie Titel und Erscheinungsjahr des Märchens auflisten.

b. Wählen Sie eines dieser Märchen aus und schreiben Sie es um, indem Sie Figuren, Ort und Handlung des Geschehens ins 21. Jahrhundert versetzen. Trotzdem sollen aber Elemente des Märchens noch erkennbar bleiben (z. B. übernatürliche Kräfte, schwarz-weiß gezeichnete Figuren).

c. Kennen Sie moderne Märchen? Recherchieren Sie im Internet, was Sie zu diesem Begriff herausfinden können.

d. Recherchieren Sie im Internet oder in der Bibliothek Titel von Sagen, die in Ihrer Heimat oder näheren Umgebung spielen. Vergleichen Sie die verschiedenen Sagen: Welche Gemeinsamkeiten können Sie erkennen?

e. Gestalten Sie einen Beitrag für Ihr Kulturportfolio. Stellen Sie eine Sage Ihrer Wahl vor. Beschreiben Sie die Handlung und Figuren, die Zeit, in der sie spielt. Wie würde sich die Sage gestalten, wenn Sie diese in die heutige Zeit versetzen würden?

Märchensammlung
z. B. unter:
http://www.maerchen.org

Sagensammlung
z. B. unter:
http://www.sagen.at

10.1.9 Anekdote

Die Anekdote ist eine sehr kurze Geschichte, die in gedrängter, pointierter Form einen Augenblick oder Wesenszug einer Person, häufig einer bekannten Persönlichkeit, zu enthüllen sucht, der charakteristisch für einen Menschen oder eine Situation ist. Die Anekdote steht in der Nähe zum Witz, zumeist endet die Geschichte mit einer Schlusspointe. Der Wahrheitsgehalt dieser Begebenheit ist häufig nicht feststellbar. Matthias Claudius, Heinrich von Kleist oder Johann Peter Hebel erhoben die Anekdote zur hohen Kunstform.

12 Aufgabenstellung

O

Welche Charaktereigenschaften können Sie aufgrund der Anekdote Papst Pius XII. und Albert Einstein zuweisen? Was besagt diese Anekdote über das Verhältnis, das damals zwischen Wissenschaft und katholischer Kirche herrschte?

Albert Einstein

Nuntius Pacelli, der spätere Papst Pius XII. (1876–1958), unterhielt sich in Berlin häufig mit Albert Einstein (1879–1955). Später berichtete Einstein, an diesem Mann der Kirche habe ihm immer am meisten imponiert, daß er den Glauben niemals mit dem Fanatismus des Eiferers, sondern immer mit der Güte des Wissenden vertreten habe. In einem Gespräch sagte einmal Einstein zu Pacelli: „Ich achte die Religion, aber ich glaube an die Mathematik. Bei Ihnen, Eminenz, wird es umgekehrt sein." Pacelli: „Sie irren. Mathematik und Religion sind für mich nur verschiedene Ausdrucksformen derselben göttlichen Exaktheit." Einstein war erstaunt: „Aber wenn die mathematische Forschung nun eines Tages ergäbe, daß gewisse Erkenntnisse der Wissenschaft denen der Religion widersprechen?" Pacelli lächelte: „Ich schätze die Mathematik so hoch, daß Sie, Herr Professor, in solchem Fall nie aufhören sollten, nach dem Rechenfehler zu suchen."

Albert Einstein. Online: http://www.anekdoten-online.de/ (20.05.2019), Originalschreibweise

10.1.10 Prosaskizze

Peter Altenberg *(1859–1919), österreichischer Schriftsteller und wichtiger Vertreter der Wiener Moderne (Kulturbetrieb Wiens zwischen 1890–1910)*

In dieser Textgattung werden Eindrücke und Empfindungen literarisch so festgehalten, als wäre es ein erzähltes Gemälde. Bei diesem Text bleiben ähnlich einer flüchtig hingeworfenen Skizze bewusst Teile fragmentarisch. Stimmungen, Farben, Licht, Töne und Gerüche sollen wiedergegeben werden, ein sinnlich fassbarer Text soll entstehen. Als Meister der Prosaskizze gilt der österreichische Schriftsteller Peter Altenberg, auch von Thomas Mann gibt es zahlreiche Prosaskizzen.

Peter Altenberg – **At home**

Grillparzerstraße eine breite lichte Gasse, welche Oktobersonne trank und in die gelben Flächen der Häuser einschlürfte, daß die Sonnentropfen auf den Spiegelfenstern spritzten. Das Holzstöckelpflaster erinnerte den Fuß an feste braune Waldwege.

In dem dumpfigen Stiegenhause stampften müde Männer in milchblauen Blusen. Oben im zweiten Stock waren die Türen weit geöffnet. Es roch nach Türanstrich und Dienstbotenkaffee.

In den Débâcles[1] der Hauswirtschaft sitzen die Dienstboten ruhig auf Sesseln aus weichem Holz und trinken Punkt fünf den Jausenkaffee aus dicken weißen Schalen.

Und wenn einst alles in Trümmer sinkt und Asche, wird sich aus dem Schutt des Hauses noch das hellbraune Rauchwölkchen des Dienstbotenkaffees friedlich emporschlängeln!

Die Dienstboten! Haßerfüllt verlassen sie im Frühjahr die Stadt und ziehen mit stupider Hoffnung in die Wälder, in die Berge - - -.

So verlassen sie haßerfüllt das elende Land und ziehen mit stupider Hoffnung in den Stadtkerker ein. [...]

Altenberg, Peter: Prosaskizzen. At home. In: Wie ich es sehe. Berlin, 1896. Online: http://agerlibrorum.tripod.com/agerlibrorum/id11.html (20.05.2019), gekürzt, Originalschreibweise

[1] *Débâcle (franz.): (hier:) nicht herrschaftlicher Teil des Hauses, Dienstbotenbereich*

13 Aufgabenstellung

●

Schreiben Sie nach dem Vorbild Altenbergs eine Prosaskizze zu einem der vorgeschlagenen Themen:

- *Blick aus dem Fenster meines Zimmers / Klassenzimmers*
- *Die Stimmung am ersten / letzten Schultag*
- *Empfindungen vor einer Schularbeit*

10.1.11 Essay – Feuilleton – Glosse

Eine sachliche, geistreiche Abhandlung über ein Thema aus dem philosophischen, kulturellen, wissenschaftlichen oder gesellschaftlichen Bereich nennt man **Essay**.

Diese Texte sind bewusst künstlerisch und sprachlich aufwändig gestaltet, die subjektive Meinung der Autorin oder des Autors wird dargestellt. Essays, die in Zeitungen oder Zeitschriften veröffentlicht werden, werden häufig als **Feuilletons** (auch: **Glossen,** Kolumnen, Meinungen) bezeichnet, diese Texte zählen somit zu den journalistischen Textsorten.

Tipps, wie man professionelle Essays schreibt, finden Sie unter:

http://bit.ly/2tA4h1S

14 Aufgabenstellung

●●●

a. Analysieren Sie den Text von Ronald Pohl nach folgenden Kriterien:

- Welches gesellschaftspolitische und kulturelle Thema spricht der Autor an?
- Welche Absicht, welche Meinung verfolgt der Autor dieser Glosse?
- Welche Teile der Glosse sind argumentativ aufgebaut? Wie ist der Titel der Glosse gemeint?

b. Recherchieren Sie im Internet, was Sie zum Brockhaus-Lexikon finden. Erklären Sie, was das Besondere an diesem Nachschlagwerk ist.

c. Suchen Sie in Tageszeitungen (auch online) Texte, die unter dem Titel „Feuilleton, Glosse, Kolumne“ laufen, und analysieren Sie diese nach denselben Kriterien.

Brock aus

Kleines Plädoyer für „Conversation“

Das Ende des Brockhaus-Lexikons ist betrüblich. Als Besitzer der schmucken Lederbände war man mit dem Öffnen eines der Buchdeckel sofort verzaubert. Wer sich zum Beispiel für das Gelege der Amsel interessierte, konnte sich mit ein paar wenigen Handgriffen nach Armenien vorarbeiten.

Natürlich haben der Vogel Amsel und das Land Armenien miteinander nicht viel mehr gemein als den Anfangsbuchstaben. (Die „Eier“ in Armenien heißen Dram; für einen Dram erhält man aktuell 100 Luma.) Und natürlich findet man über beide, Amsel wie Armenien, auf Wikipedia sehr viel Wissenswertes. Allen bedingungslosen Vertretern von Netz und Fortschritt muss man dennoch entgegentreten. Vertreter des Fortschritts sind wir alle, die wir in Biomärkten Bionaden kaufen und auf (bald) grün unterlegten Radwegen über den Wiener Ring preschen.

Allen diesen Menschen muss man freundlich entgegnen: Im Netz wäre man niemals von „Amsel“ auf „Armenien“ gekommen. Nur wer das „Conversations-Lexicon“ (1796) gegen die Absicht seiner Erzeuger zu benutzen versteht, wird auch fündig. Vielleicht ist daher folgender kleiner Hinweis nicht verkehrt: Man sucht nicht, man findet. Wichtige Einsichten werden einem zufällig zuteil. Wissen ist nicht Macht, sondern sein Erwerb ist die Lustbarkeit der Ohnmächtigen.

Pohl, Ronald: Brock aus. In: Der Standard, 17.06.2013.
Online: https://derstandard.at/1371169768897/Brock-aus?_lexikaGroup=1 (20.05.2019)

10.2 Lyrik

10.2.1 Kennzeichen der Lyrik

Leier, die (griech.): altes Musikinstrument

Lyrik leitet sich vom griechischen Wort„lyra“ ab und bedeutet Leier. Die liedhafte Dichtung zeichnet sich durch mehrere Merkmale aus.

Kennzeichen der Lyrik

- **Vers:** Das Ordnungsprinzip eines lyrischen Textes ist der Vers, die gebundene Rede. Als Vers bezeichnet man die Zeile eines Gedichts.
- **Strophik:** Die Strophe ist eine Anordnung von Versen. Im lyrischen Text werden inhaltliche Einheiten in Form von Strophen getrennt, die häufig regelmäßig gebaut sind, manchmal aber auch eine unterschiedliche Zeilenanzahl und Zeilenlänge (Verse) aufweisen können.
- **Rhythmus:** Die Gliederung des Redeflusses zeigt an, welche Teile eines Verses betont und welche unbetont gesprochen werden müssen.
- **Reim:** Darunter versteht man eine regelmäßige Wiederkehr gleichklingender Lautgruppen.

Die wichtigsten Reimformen sind:

Paarreim: Die Verszeilen reimen sich paarweise.

z. B. *Jung Siegfried war ein stolzer Kn**ab*** ***a***
*Ging von des Vaters Burg her**ab*** ***a***
*Wollt rasten nicht in Vaters H**aus*** ***b***
*Wollt wandern in die Welt hin**aus*** ***b***
*Begegnet’ ihm manch Ritter **wert*** ***c***
*Mit festem Schild und breitem Sch**wert**. [...]* ***c***
(Uhland, Ludwig: Siegfrieds Schwert)

Kreuzreim: Jede zweite Verszeile reimt sich.

z. B. *Ich wollt ein Sträußlein b**inden**,* ***a***
*Da kam die dunkle N**acht.*** ***b***
*Kein Blümlein war zu **finden**,* ***a***
*Sonst hätt ich dir’s gebr**acht.*** ***b***
(Brentano, Clemens: Ich wollt ein Sträußlein binden)

Umarmender Reim: Die erste und die vierte Verszeile sowie die zweite und die dritte Verszeile reimen sich.

z. B. *Lass die Moleküle r**asen**,* ***a***
*was sie auch zusammenkn**obeln!*** ***b***
*Lass das Tüfteln, lass das H**obeln,*** ***b***
*Heilig halte die Ekst**asen**.* ***a***
(Morgenstern, Christian: Lass die Moleküle rasen)

Schweifreim: Paarreime wechseln sich mit einem umarmenden Reim ab.

z. B. *Der Mond ist aufgeg**angen**,* ***a***
*Die goldnen Sternlein pr**angen**,* ***a***
Am Himmel hell und klar, ***b***
Der Wald steht schwarz und schweiget, ***c***
Und aus den Wiesen steiget, ***c***
Der weiße Nebel wunderbar. ***b***
(Claudius, Matthias: Abendlied)

15 Aufgabenstellung

●●

Kennzeichnen Sie in den Gedichten die sich reimenden Verszeilen und stellen Sie das Reimschema fest.

Jakob van Hoddis – **Weltende**

Dem Bürger fliegt vom spitzen Kopf der Hut,
In allen Lüften hallt es wie Geschrei.
Dachdecker stürzen ab und gehen entzwei
Und an den Küsten – liest man – steigt die Flut.
[...]

Hoddis, Jakob van: Weltende. In: Neis, Edgar: Impressionismus und Expressionismus in deutscher Literatur. Epochen deutscher Literatur. Hollfeld, C. Bange Verlag, 1983, S. 59

Paul Gerhardt – **Abendlied**

Nun ruhen alle Wälder,
Vieh, Menschen, Städt‘ und Felder,
es schläft die ganze Welt.
Ihr aber, meine Sinnen,
auf, auf, ihr sollt beginnen,
was eurem Schöpfer wohlgefällt.
[...]

Auszug aus: Gerhardt, Paul: Abendlied. Online: https://www.projekt-gutenberg.org/gerhardt/gedichte/chap017.html (19.06.2020)

Novalis – **Aus den „Geistlichen Liedern“**

[...]
Wenn alle untreu werden,
So bleib’ ich dir doch treu;
Daß Dankbarkeit auf Erden
Nicht ausgestorben sei.
Für mich umfing dich Leiden,
Vergingst für mich in Schmerz;
Drum geb’ ich dir mit Freunden
Auf ewig dieses Herz.

Novalis: Aus den „Geistlichen Liedern“. In: Lindken, Hans-Ulrich: Die deutsche Frühromantik. Epochen deutscher Literatur. Hollfeld, C. Bange Verlag, 1995, S. 49, gekürzt

Ums Buch ist mir nicht bange

Ums Buch ist mir nicht bange,
Das Buch hält sich noch lange.

Man kann es bei sich tragen
und überall aufschlagen.

Sofort und ohne Warten
kann dann das Lesen starten.
[...]

Auszug aus: Gernhardt, Robert: Das Buch. In: Gesammelte Gedichte 1954–2006. Frankfurt am Main,

16 Aufgabenstellung

●●●

In dem kurzen epischen Text „Robinson“ versteckt sich ein Gedicht, das aus drei Strophen besteht und pro Strophe vier Verszeilen mit einem Kreuzreim aufweist. Finden Sie das Gedicht und schreiben Sie es auf.

Alexander Selkirk – **Robinson**

Im Jahre 1703 gerät der Bootsmann Alexander Selkirk auf hoher See mit dem Kapitän des Segelschiffs, auf dem er fährt, in einen Streit. Manchmal weint er, wenn die Worte still in seiner Kehle stehn. Das Leben auf dem Schiff wird für den jungen Mann unerträglich. Doch er lernt an seinem Orte, schweigend mit sich umzugehn. Er will freiwillig von Bord gehen; er glaubt nämlich auch, dass das Schiff nicht seetüchtig genug sei, die schwere Fracht über den Ozean zu bringen, und dass es sicher irgendwo Schiffbruch erleiden werde. Deswegen verlässt er den alten Segler und beschließt, auf einer Insel, vor der die Mannschaft vor Anker gegangen ist, zurückzubleiben. Er lebt auf dieser einsamen Insel und erfindet alte Dinge, halb aus Not und halb im Spiel, er baut sich eine Hütte, fängt Ziegen und jagt Tiere, splittert Stein zur Messerklinge, schnürt die Axt an einem Stiel. Mehrmals erhält er Besuch von landenden europäischen Schiffen. Doch die Besucher fürchten sich vor dem phantastischen Mann in seinem Ziegenlederfell – und schießen sogar auf ihn. So bleibt er lange Zeit allein, kratzt mit einer Muschelkante seinen Namen in die Wand, er vergisst beinahe seine Muttersprache, und der allzu oft genannte, wird ihm langsam unbekannt. Vier Jahre und vier Monate später kehrt er in seine englische Heimatstadt zurück. Das Segelschiff, auf dem er einst fuhr, ist bei einem Schiffbruch tatsächlich zugrunde gegangen.

Selkirk, Alexander: Robinson. In: Treffpunkte 7. Hannover, Schroedel, 1992

10.2.2 Lyrische Textsorten

Pathos, das (griech.): Theatralik (oft übertriebene) Feierlichkeit, Rührseligkeit

In der Literatur ist eine beinahe unendliche Fülle an lyrischen Textsorten zu finden, es handelt sich hierbei um die kreativste der literarischen Gattungen. Sehr viele Gedichte, vor allem solche jüngerer Entstehungszeit, lassen sich nicht eindeutig zuordnen. Der Überblick erhebt demnach keinen Anspruch auf Vollständigkeit, sondern soll nur die bekanntesten lyrischen Textsorten auflisten.

Lyrik

- **Lied:** eine meist gereimte Form der Lyrik, die sich sprachlich auf mittlerer Stilhöhe befindet und eine strophische Gliederung aufweist. Ältere Formen sind etwa
  - das **Volkslied**: Volksüberlieferung mit anonymer Autorin bzw. anonymem Autor
  - das **Kunstlied**: in Ton, Motiven und Symbolen dem Volkslied ähnliche Nachahmung einer Dichterin bzw. eines Dichters, die im Laufe der Jahre selbst zu einem Volkslied wurde, z. B. das „Heidenröslein“ von Johann Wolfgang von Goethe

- **Gedicht:** ein verdichteter kurzer Text in knapper, kunstvoll gebauter Form, der häufig eine rhythmisierte Sprache (Verse), klangliche Wirkungen (Reim) sowie bildhafte und sinnbildhafte Darstellung (sprachliche Bilder) aufweist.

- **Ballade:** ein ursprünglich singbares Gedicht, das mittels der dramatisch wirkenden Dialogform ein besonderes Ereignis, eine Heldentat, ein Naturschauspiel etc. erzählte und dies in eine lyrische Stimmung übertrug. Die Ballade hat Elemente aller literarischen Grundformen (Epik, Lyrik und Dramatik).

  Man unterscheidet
  - **Volksballaden:** stammen aus dem Spätmittelalter und wurden in der frühen Neuzeit aufgezeichnet. Die Autorin bzw. der Autor ist meist unbekannt.
  - **Kunstballaden:** übernahmen Stilelemente der Volksballaden. Einen Höhepunkt erlebte die Kunstballade zur Zeit der Klassik und Romantik (z. B. Johann Wolfgang von Goethe: „Der Erlkönig“; Friedrich von Schiller: „Die Bürgschaft“). Nach thematischen Schwerpunkten unterscheidet man: Naturballaden, Ideenballaden, Erzählgedicht etc.

- **Romanische Formen**
  - **Kanzone:** vor allem in der Minnedichtung zu finden, durch eine eigene Strophenform gekennzeichnet (z. B. Kanzonen von Francesco Petrarca und Dante Alighieri)
  - **Romanze:** spanische Form des Erzählliedes, meist ungereimt, heiter und gelöster als die Ballade (z. B. Heinrich Heine: „Der Asra“)
  - **Ritornell:** ein einstrophiges Gedicht mit dem Reimschema a – b – a (z. B. Theodor Storm: „Frauen-Ritornelle“)
  - **Sonett:** Reimgedicht von 14 Versen, in zwei Quartette und zwei Terzette gegliedert. Berühmt sind die Sonette von William Shakespeare. Im deutschsprachigen Raum waren Sonette vom Barock bis ins 20. Jahrhundert weit verbreitet.

- **Antike Formen**
  - **Hymne:** gehobene Sprache ohne feste inhaltliche und formale Kennzeichnung, drückt häufig übersteigerte Begeisterung aus
  - **Ode:** meist reimlos, sprachlich anspruchsvoller Stil, gehobene Sprache mit viel Pathos und strenger Form; die Größe und Würde des Themas wird betont (Liebe, Natur, Welt, Vaterland, Gott etc.)
  - **Elegie:** Klage- oder Trauergedicht

- **Weitere Formen: Akrostichon, Elfchen, Haiku, Tanka** etc. (siehe Band 1, Kapitel „Ideen finden“)

10.2.3 Themen der Lyrik über die Jahrhunderte

Haben Sie vielleicht schon einmal den Versuch unternommen, Gedichte zu verfassen? Besonders bewegende Lebensabschnitte veranlassen nicht nur Schriftstellerinnen und Schriftsteller dazu, ihre Gefühle in Form von Gedichten festzuhalten. Jeder Mensch kann Gedichte schreiben! Bedenken Sie, dass im Nomen „Gedicht" das Adjektiv „dicht" steckt, also Motive und Themen in lyrischen Texten niemals genau beschrieben werden, sondern vielmehr gedrängt bzw. verdichtet dargestellt sind. Die Themen der Lyrik sind über die Jahrhunderte gleich geblieben, lediglich die sprachliche Ausformung und die formalen Aspekte wie Reimformen und Rhythmus haben sich verändert.

17 Aufgabenstellung

●●

a. Überlegen Sie, welche Themen häufig in lyrischen Texten angesprochen werden. Finden Sie Beispiele für Gedichte oder Lieder, welche die von Ihnen genannten Themen beinhalten.

b. Recherchieren Sie im Internet Gedichte aus verschiedenen Epochen, die sich mit dem gleichen Thema befassen, und vergleichen Sie die Texte. Haben sich die Aussagen verändert?

c. Tauschen Sie sich mit Ihrer Sitznachbarin oder Ihrem Sitznachbarn über folgende Fragen aus: Lesen Sie gerne Gedichte? Warum lesen Sie Gedichte? Haben Sie schon einmal selbst ein Gedicht verfasst? Können Sie Gedichte auswendig? Haben Sie diese Gedichte aus einem bestimmten Grund gelernt?

18 Aufgabenstellung

●●

Versuchen Sie sich als Dichterin bzw. als Dichter! Verfassen Sie zum Sommer-Gedicht von Edith Schreibe-Wicke nach dem gleichen Grundmuster ein „Gegengedicht" über den Winter. So lernen Sie, Struktur und Sprache eines Textes nachzuvollziehen.

Edith Schreibe-Wicke –
Sommer

Die Tage tragen Badehosen
und die Minuten spielen Ball
Libellen üben Sturzflug
auf zwei Wasserrosen
und irgendwo im Blau
fliegt einer Überschall.

Schreibe-Wicke, Edith: Sommer. In: Falschlehner, Gerhard: Vom Abenteuer des Lesens. Salzburg, Residenz Verlag, 1997, S. 251

Ihr Name: ______________________

Winter

____
____
____
____
____
____

10.2.4 Barockgedicht

Auf den ersten Blick ist das **Barockgedicht** eine schwer zu fassende Form. Themen dieser Zeit waren Tod, Leben, Liebe, Schönheit und deren Vergänglichkeit – also zeitlose Themen. Die Menschen der Barockzeit waren hin- und hergerissen zwischen dem Streben nach Genuss einerseits und dem Bewusstsein der Todesnähe andererseits. Für Barocklyrik wurde meistens die Form des **Sonetts** gewählt: Die 14 Verse wurden auf vier Strophen (vier Verse, vier Verse, drei Verse, drei Verse) oder auf drei Strophen (vier Verse, vier Verse, sechs Verse) aufgeteilt.

Pablo Neruda
(1904–1973), chilenischer Dichter und Schriftsteller, der sich vor allem gegen den Faschismus in Chile und Spanien einsetzte

19 Aufgabenstellung

a. ● ● ●
Lesen Sie die folgenden drei Gedichte: „Menschliches Elende“ von Andreas Gryphius, „Leichenrede“ des Schweizer Schriftstellers Kurt Marti und ein Gedicht von Pablo Neruda, einem bedeutenden chilenischen Autor des 20. Jahrhunderts. Klären Sie Ihnen unbekannte Wörter und notieren Sie Ihre spontanen Gedanken, z. B. erster Eindruck, Stimmungen, Auffälligkeiten. Fassen Sie Ihre Eindrücke schriftlich zusammen.

b. ○
Besprechen Sie anschließend in einem Klassengespräch, inwiefern diese Gedichte aktuelle Bezüge aufweisen. Welche Themen sind gegenwärtig brisant, welche Problematiken finden sich heute eher weniger? Welche Gemeinsamkeiten, welche Unterschiede zeigen sich im Gedicht aus der Barockzeit und in jenen aus dem 20. Jahrhundert?

Andreas Gryphius
(1618–1664) war ein bedeutender Barockdichter. Sein Werk ist von der Erkenntnis geprägt, dass alles im Leben vergänglich ist (Vanitas-Gedanke): Er zeigt die überschwängliche Lebensfreude und den Genuss des Augenblicks, die dem Bewusstein der Todesnähe gegenüberstehen. Diese Haltung ist auch vor dem Hintergrund des 30-jährigen Krieges zu sehen.

Andreas Gryphius – **Menschliches Elende**

Was sind wir Menschen doch / ein Wohnhauß grimmer Schmertzen?
Ein Ball des falschen Glücks / ein Irrliecht dieser Zeit.
Ein Schauplatz herber Angst / besetzt mit scharffem Leid /
Ein bald verschmeltzter Schnee / und abgebrante Kertzen.

Diß Leben fleucht davon wie ein Geschwätz und Schertzen.
Die vor uns abgelegt des schwaches Leibes Kleid /
Und in das Todten-Buch der grossen Sterblikeit
Längst eingeschriben sind / sind uns aus Sinn' und Hertzen.

Gleich wie ein eitel Traum leicht aus der Acht hinfällt /
Und wie ein Strom verscheust / den keine Macht auffhält;
So muß auch unser Nahm / Lob / Ehr und Ruhm verschwinden. /

Was itzund Athem holt; muß mit der Lufft entflihn /
Was nach uns kommen wird / wird uns ins Grab nachzihn.
Was sag ich? Wir vergehn wie ein Rauch von starcken Winden.

Gryphius, Andreas: Menschliches Elende.
In: Jentzsch, Peter (Hg.): Gedichte des Barock. Arbeitstexte für den Unterricht. Stuttgart, Reclam, 1993, S. 51, Originalschreibweise

Meine Gedanken:

Kurt Marti – **Leichenrede**

Betrauern wir diesen mann
nicht weil er gestorben ist
betrauern wir diesen mann
weil er niemals wagte
glücklich zu sein

betrauern wir diesen mann
der nichts war als arbeit und pflicht
betrauern wie diesen mann
weil er immer getan hat
was man von ihm verlangte

betrauern wir diesen mann
der nie mit der faust auf den tisch schlug
betrauern wir diesen mann
weil er nie auf das urteil anderer pfiff
und einfach tat was ihm passte

betrauern wir diesen mann
der fehlerfrei funktionierte
betrauern wir diesen mann
weil er streit und frauen vermied
und heute von allen gerühmt wird

betrauern wir diesen mann
nicht weil er gestorben ist
betrauern wir diesen mann
weil er war wie auch wir sind –
betrauern wir uns

Marti, Kurt: Leichenrede. In: Weber, Hans: Vorschläge 1. Literarische Texte für den Unterricht Deutsch als Fremdsprache. Bonn, Inter Nationes, 1990, S. 59, Originalschreibweise

Meine Gedanken:

Meine Gedanken:

Pablo Neruda – **Liebessonett**

Zu kurz die Zeit, dass ich preisen könnte dein Haar,
jedes einzelne muss ich zählen und loben:
andere Liebende haben genug an dem, was sie sehen,
ich will einzig nur dein Haarkünstler sein.

In Italien warst Medusa[1] du getauft,
weil hoch hinauf ins Licht sich schlängelt dein Haar.
Ich nenn dich meine verwirrend verrückt Verwilderte:
mein Herz kennt die Türen zu deinem Haar.

Solltest du vom Weg abkommen in deinem eignen Haar,
vergiss mich nicht, denk an meine Liebe,
dass ich nicht verloren gehe ohne deine Mähne

in dieser Schattenwelt auf allen Wegen,
dunkel ist sie nur, und vergänglich sind die Schmerzen,
bis die Sonne erklimmt den Turm deines Haars.

Neruda, Pablo: Hungrig bin ich, will deinen Mund. Liebessonette. München: Luchterhand, 2001, S. 19

[1] *Medusa: in der griechischen Mythologie die Tochter von Meeresgottheiten; wurde ursprünglich als Schönheit dargestellt, erst später wurde sie zu einem Ungeheuer mit Schlangenhaaren.*

Lesetipps:
- *Theodor Fontane: Der blinde König*
- *Friedrich von Schiller: Die Bürgschaft*
- *Johann Wolfgang von Goethe: Der Zauberlehrling*
- *Gottfried August Bürger: Lenore*
- *Conrad Ferdinand Meyer: Die Füße im Feuer*

10.2.5 Ballade

Balladen sind mehr als nur lange Gedichte, die man im Laufe seiner Schulzeit auswendig lernen muss und die daher zumeist eher mühselig und anstrengend in Erinnerung bleiben. Balladen erzählen spannende Geschichten von Schicksalen und großem Unglück, schaurigen anonymen Kräften, Helden, echter Freundschaft oder wahrer tragischer Liebe. Balladen kann man wie kleine, kurze Theaterstücke szenisch darstellen, als Hörspiel gestalten oder vertonen.

20 Aufgabenstellung

●●●

a. Stellen Sie die Geschichte der Ballade „Der Heideknabe" von Friedrich Hebbel in Form eines kurzen Rollenspiels oder eines Hörspiels dar. Lassen Sie Ihrer Fantasie freien Lauf und bauen Sie kreative Elemente in die Geschichte ein. Sie können die Ballade beispielsweise ins 21. Jahrhundert verlegen.

b. Spielen Sie Ihr szenisches Spiel bzw. Ihr Hörspiel der Klasse vor.

Friedrich Hebbel – **Der Heideknabe**

Der Knabe träumt, man schicke ihn fort
Mit dreißig Talern zum Heide-Ort,
Er ward drum erschlagen am Wege
Und war doch nicht langsam und träge.

Noch liegt er im Angstschweiß, da rüttelt ihn
Sein Meister und heißt ihm, sich anzuziehn,
Und legt ihm das Geld auf die Decke
Und fragt ihn, warum er erschrecke.

„Ach Meister, mein Meister, sie schlagen mich tot,
Die Sonne, sie ist ja wie Blut so rot!"
Sie ist es für dich nicht alleine,
Drum schnell, sonst mach ich dir Beine!

„Ach Meister, mein Meister, so sprachst du schon,
Das war das Gesicht, der Blick, der Ton,
Gleich greifst du" – zum Stock, will er sagen,
Er sagt's nicht, er wird schon geschlagen.

„Ach Meister, mein Meister, ich geh, ich geh,
Bring meiner Frau Mutter das letzte Ade!
Und sucht sie nach allen vier Winden,
Am Weidenbaum bin ich zu finden!"

Und alles so still, und alles so stumm,
Man sieht sich umsonst nach Lebendigem um,
Nur hungrige Vögel schießen
Aus Wolken, um Würmer zu spießen.

Er kommt ans einsame Hirtenhaus,
Der alte Hirt schaut eben heraus,
Des Knaben Angst ist gestiegen,
Am Wege bleibt er noch liegen.

„Ach Hirte, du bist ja von frommer Art,
Vier gute Groschen hab ich erspart,
Gib deinen Knecht mir zur Seite,
Daß er bis zum Dorf mich begleite.

Ich will sie ihm geben, er trinke dafür
Am nächsten Sonntag ein gutes Bier.
Dies Geld hier, ich trag es mit Beben,
Man nahm mir im Traum drum das Leben."

Der Hirt, der winkte dem langen Knecht,
Er schnitt sich eben den Stecken zurecht,
Jetzt trat er hervor – wie graute
Dem Knaben, als er ihn schaute!

„Ach Meister Hirte, ach nein, ach nein,
Es ist doch besser, ich geh allein!"
Der Lange spricht grinsend zum Alten:
Er will die vier Groschen behalten.

„Da sind die vier Groschen!" Er wirft sie hin
Und eilt hinweg mit verstörtem Sinn.
Schon kann er die Weide erblicken,
Da klopft ihn der Knecht in den Rücken.

Du hältst es nicht aus, du gehst zu geschwind,
Ei, Eile mit Weile, du bist ja noch Kind,
Auch muss das Geld dich beschweren,
Wer kann dir das Ausruhn verwehren!

Komm, setz dich unter den Weidenbaum
Und dort erzähl mir den hässlichen Traum,
Mir träumte – Gott soll mich verdammen,
Trifft's nicht mit deinem zusammen!

Er fasst den Knaben wohl bei der Hand,
Der leistet auch nimmermehr Widerstand,
Die Blätter flüstern so schaurig,
Das Wässerlein rieselt so traurig!

Nun sprich, du träumtest – „Es kam ein Mann." –
War ich das? Sieh mich doch näher an,
Ich denke, du hast mich gesehen!
Nun weiter, wie ist es geschehen?

„Er zog ein Messer!" – war das wie dies? –
„Ach ja, ach ja!" – Er zog's? – „Und stieß ..."
Er stieß dir's wohl so durch die Kehle?
Was hilft es auch, dass ich dich quäle!

Und fragt ihr, wie's weiter gekommen sei?
So fragt zwei Vögel, sie saßen dabei,
Der Rabe verweilte gar heiter,
Die Taube konnte nicht weiter!

Der Rabe erzählt, was der Böse noch tat,
Und auch, wie's der Henker gerochen hat;
Die Taube erzählt, wie der Knabe
Geweint und gebetet habe.

Hebbel, Friedrich: Der Heideknabe. In: Hoof, Hans Joachim (Hg.): Deutsche Balladen. Von Matthias Claudius bis Georg Trakl. München / Zürich, Piper, 2004, S. 329

Zum Autor:
Friedrich Hebbel (1813–1863), deutscher Dramatiker und Lyriker

21 Aufgabenstellung

a. ●●●

Lesen Sie die Ballade „Erlkönig" von Johann Wolfgang von Goethe und vergleichen Sie diese mit Rammsteins Lied „Dalai Lama".

b. ●●●

Überlegen Sie, welche Symbolik hinter folgenden Begriffen stehen könnte:
Erlenkönig – Erlenkönigs Töchter – Nebel – Wolkentreiber – Flugmaschine

c. ○

Wie könnte man Goethes Ballade deuten, wie Rammsteins Lied? Welche Gefahren sollen aufgezeigt werden? Wo sehen Sie Gemeinsamkeiten in den Texten, wo Gegensätzliches?

Rammstein, *eine 1994 gegründete deutsche Rockband, die musikalisch zur „Neuen Deutschen Härte" gezählt wird. Trotz brachialen Musikstils und kontrovers diskutierter Texte ist Rammstein eine der erfolgreichsten deutschen Bands.*

Johann Wolfgang von Goethe – **Erlkönig**

Wer reitet so spät durch Nacht und Wind?
Es ist der Vater mit seinem Kind.
Er hat den Knaben wohl in dem Arm,
Er fasst ihn sicher, er hält ihn warm.

Mein Sohn, was birgst du so bang dein Gesicht? –
Siehst Vater, du den Erlkönig nicht!
Den Erlenkönig mit Kron' und Schweif? –
Mein Sohn, es ist ein Nebelstreif. –

„Du liebes Kind, komm geh' mit mir!
Gar schöne Spiele spiel ich mit dir,
Manch bunte Blumen sind an dem Strand,
Meine Mutter hat manch gülden Gewand."

Mein Vater, mein Vater, und hörest du nicht,
Was Erlenkönig mir leise verspricht? –
Sei ruhig, bleibe ruhig, mein Kind,
In dürren Blättern säuselt der Wind. –

„Willst feiner Knabe du mit mir geh'n?
Meine Töchter sollen dich warten schön,
Meine Töchter führen den nächtlichen Reihn
Und wiegen und tanzen und singen dich ein."

Mein Vater, mein Vater, und siehst du nicht dort
Erlkönigs Töchter am düsteren Ort? –
Mein Sohn, mein Sohn, ich seh' es genau:
Es scheinen die alten Weiden so grau. –

„Ich liebe dich, mich reizt deine schöne Gestalt,
Und bist du nicht willig, so brauch ich Gewalt!"
Mein Vater, mein Vater, jetzt fasst er mich an,
Erlkönig hat mir ein Leids getan. –

Dem Vater grauset's, er reitet geschwind,
Er hält in den Armen das ächzende Kind,
Erreicht den Hof mit Müh und Not,
In seinen Armen das Kind war tot.

Goethe, Johann Wolfgang von: Der Erlkönig. In: Hoof, Hans Joachim (Hg.): Deutsche Balladen. Von Matthias Claudius bis Georg Trakl. München / Zürich, Piper, 2004, S. 52 f.

Rammstein – **Dalai Lama**

Ein Flugzeug liegt im Abendwind,
an Bord ist auch ein Mann mit Kind.
Sie sitzen sicher, sitzen warm,
und gehen so dem Schlaf ins Garn.

In drei Stunden sind sie da,
zum Wiegenfeste der Mama.
Die Sicht ist gut, der Himmel klar.

Weiter, weiter ins Verderben.
Wir müssen leben bis wir sterben.
„Der Mensch gehört nicht in die Luft!",
so der Herr im Himmel ruft,
seine Söhne auf dem Wind:
„Bringt mir dieses Menschenkind!"

Das Kind hat noch die Zeit verloren,
da springt ein Widerhall zu Ohren.
Ein dumpfes Grollen treibt die Nacht
Und der Wolkentreiber lacht,
schüttelt wach die Menschenfracht.

Weiter, weiter ins Verderben.
Wir müssen leben bis wir sterben.
Und das Kind zum Vater spricht:
„Hörst du denn den Donner nicht?
Das ist der König aller Winde,
er will mich zu seinem Kinde!"

Aus den Wolken tropft ein Chor,
kriecht sich in das kleine Ohr.
Aus den Wolken tropft ein Chor,
kriecht sich in das kleine Ohr.
Komm her, bleib hier,
wir sind gut zu dir.
Komm her, bleib hier
wir sind Brüder dir.

Der Sturm umarmt die Flugmaschine,
der Druck fällt schnell in der Kabine.
Ein dumpfes Grollen treibt die Nacht,
in Panik schreit die Menschenfracht.

Weiter, weiter ins Verderben.
Wir müssen leben bis wir sterben.
Und zum Herrgott fleht das Kind:
„Himmel nimm zurück den Wind!
Bring uns unversehrt zu Erden!"

Aus den Wolken tropft ...

Der Vater hält das Kind jetzt fest,
hat es sehr an sich gepresst.
Bemerkt nicht dessen Atemnot.
Doch die Angst kennt kein Erbarmen,
so der Vater mit den Armen,

drückt die Seele aus dem Kind
und setzt sich auf den Wind,
und singt.

Komm her, bleib hier,
wir sind gut zu dir.
Komm her, bleib hier,
wir sind Brüder dir.

Komm her, bleib hier,
wir sind gut zu dir.
Komm her, bleib hier,
wir sind Brüder dir.

Rammstein: Dalai Lama. Online: https://www.elyrics.net/read/r/rammstein-lyrics/dalai-lama-lyrics.html (20.05.2019)

Aristoteles *(384–322 v. Chr.) war einer der bekanntesten und einflussreichsten Philosophen der Geschichte, der zahlreiche Disziplinen selbst gegründet oder maßgeblich beeinflusst hat (Logik, Staatstheorie, Dichtungstheorie).*

10.3 Dramatik

10.3.1 Übersicht zur Dramatik

In der **Dramatik** stellt sich eine besondere Kommunikationssituation zwischen Autorin oder Autor und Rezipientin oder Rezipient dar – es wird sozusagen ein weiterer Sender eingeschoben: die Regisseurin oder der Regisseur. Diese oder dieser setzt die Spielvorlage erst in Szene und leitet sie an die Empfängerin bzw. den Empfänger weiter. Selbstverständlich kann man dramatische Texte auch lesen, dies bietet aber nur das halbe Erlebnis: Nach Möglichkeit sollten Sie versuchen, dramatische Texte im Theater zu sehen, denn mit dieser Intention wurden sie auch verfasst. Es kommt kaum jemand auf die Idee, ein Drehbuch zu lesen, anstatt einen Film anzusehen.

Dramenformen

Klassische Dramenformen (nach Aristoteles)

- **Tragödie** (ernstes Theater): Die Hauptfigur befindet sich in einem schweren Konflikt, den sie selbst nicht lösen kann. Der Ausgang der Handlung ist tragisch.
- **Komödie** (heiteres Theater): Die Hauptfigur gerät ebenfalls in einen Konflikt, der aber häufig eine Verwechslung, einen allgemeinen Streit, ein seltsames Verhalten betrifft. Der Ausgang der Handlung ist glücklich.
- **Tragikomödie** (Mischform zwischen Tragödie und Komödie)

Ständeklausel nach Aristoteles:
- **Tragödien** berichten von Schicksalsschlägen, die hochrangige Persönlichkeiten (Adelige) treffen.
- **Komödien** betreffen niedrige Standespersonen (Bürgerinnen / Bürger).

Zu einer **Demokratisierung der Ständeklausel** kommt es im Trauerspiel (deutsches Trauerspiel) sowie im Lustspiel (deutsche Komödie) des 17. Jahrhunderts.

Weitere wichtige Dramenformen:

- Bürgerliches Trauerspiel (18. Jahrhundert)
- Gesellschaftskritisches Volksstück
- Geschichtsdrama
- Stationendrama
- Lehrstück
- Soziales Drama
- Dokumentartheater
- Charakterdrama

22 Aufgabenstellung

a. ○

Diskutieren Sie in einem Klassengespräch: Welche Erfahrungen haben Sie mit dem Medium Theater? Welche Dramen kennen Sie? Welche Theaterstücke haben Sie bereits gesehen? Welche Eindrücke hatten Sie von den Aufführungen? Welche Themen wurden in den Theaterstücken behandelt?

b. ●●●

Recherchieren Sie im Internet, welche aktuellen Stücke in Ihrem nächstgelegenen Theater aufgeführt werden. Informieren Sie sich über Inszenierung, Autorin bzw. Autor und Inhalt.

10.3.2 Ein Thema – zwei Werke

Manche Themen beschäftigen Autorinnen und Autoren immer wieder. Sowohl das Werk „Der zerbrochene Krug“ von Heinrich von Kleist als auch „Der kaukasische Kreidekreis“ von Bertolt Brecht setzen sich mit dem Thema Recht und Gerechtigkeit auseinander. Die Stücke sind zwar zu unterschiedlichen Zeiten entstanden, in verschiedener Sprache und Form geschrieben und aus einem unterschiedlichen gesellschaftlichen Kontext heraus entstanden, trotzdem beinhalten sie die gleiche Intention.

Lesetipps:

- *William Shakespeare: Hamlet*
- *Frank Wedekind: Frühlingserwachen*
- *Friedrich Dürrenmatt: Der Besuch der alten Dame*
- *Arno Holz / Johannes Schlaf: Papa Hamlet. Ein Tod*
- *Wolfgang Bauer: Magic Afternoon*
- *Igor Bauersima: Norway Today*
- *Felix Mitterer: Besuchszeit*
- *Dea Loher: Adam Geist*

23 Aufgabenstellung

a. ●●●

Lesen Sie die beiden Textausschnitte und unterstreichen Sie jene Schlüsselstellen, welche die Intention der Werke, ob Recht gleich Gerechtigkeit ist, aufzeigen.

„Der zerbrochene Krug“ ist 1811 entstanden. Kleists immer wiederkehrende Motive des Rechts und des Rechtsempfindens sind Thema dieses Lustspiels. Kleist lebte in einer Zeit, in der Aufklärung und Gerechtigkeit unabhängig von sozialen Schranken vielen Intellektuellen ein großes Anliegen waren. Recherchieren Sie im Internet den Hintergrund des Werkes, die Entstehungsgeschichte und den Inhalt. Warum wird dieses Theaterstück mit tragischem Inhalt als Lustspiel bezeichnet?

Brecht stellt ein altes Motiv des weisen Richters, der die „wahre“ Mutterliebe daran erkennt, dass ihr das Wohlergehen ihres Kindes wichtiger ist als das eigene, in den Mittelpunkt seiner Handlung – und somit auch das Thema Gerechtigkeit.

Vergleichen Sie die Werke anhand der beiden Textausschnitte: Wie äußert sich der Anspruch der beiden Werke auf Rechtsempfinden und Gerechtigkeit? Untersuchen Sie die Texte auch auf das Thema Korruption und die Rolle des Opfers und des Täters.

Vergleichen Sie die sprachliche Form in beiden Werken. Welche sprachlichen Besonderheiten können Sie im Hinblick auf Vers und Prosa erkennen? In welcher Form ist „Der zerbrochene Krug“ verfasst? Wie gestaltet sich die sprachliche Darstellung in Brechts Drama?

b. ○

Besprechen und vergleichen Sie die Ergebnisse Ihrer Gruppenarbeiten.

Heinrich von Kleist *(1777–1811) war zu Lebzeiten ein wenig erfolgreicher Dichter und Schriftsteller, dessen Theaterstücke aber gegenwärtig zu den meistaufgeführten im deutschsprachigen Raum zählen.*

Bertolt Brecht *(1898–1956) war ein einflussreicher deutscher Lyriker und Dramatiker und schrieb zahlreiche gesellschafts- und sozialkritische Dramen. Er begründete das epische (dialektische) Theater. Seine Stücke werden weltweit aufgeführt.*

Heinrich von Kleist – **Der zerbrochene Krug**

Zu Beginn des Theaterstücks erzählt der Dorfrichter Adam dem Schreiber Licht von seinem fürchterlichen Traum.

Adam:
Mir träumt', es hätt' ein Kläger mich ergriffen,
Und schleppte vor den Richtstuhl mich; und ich,
Ich säße gleichwohl auf dem Richtstuhl dort,
Und schält' und hunzt' und schlingelte mich herunter,
Und judiciert den Hals ins Eisen mir.

Adams versucht, seine Verfehlungen (den Verlust seiner Perücke) durch Überheblichkeit zu überspielen. Er verhält sich den sozial unter ihm stehenden Figuren gegenüber anmaßend, beschimpft das einfache Volk und duldet keinen Widerspruch und keine Kritik.

Erste Magd:
Ja, meiner Treu, Herr Richter Adam!
Kahlköpfig wart Ihr, als Ihr wiederkamt;
Ihr spracht, Ihr wärt gefallen, wißt Ihr nicht?
Das Blut mußt ich Euch noch vom Kopfe waschen.

Adam:
Unverschämte!

Erste Magd:
Ich will nicht ehrlich sein.

Adam:
Halts Maul, sag ich, es ist kein wahres Wort.
[Vers 227–232]

Frau Marthe will durch Anklage, dass jemand ihren Krug zerbrochen hat, bei Gericht eine Klage einbringen und die Gerechtigkeit wiederherstellen.

Frau Marthe:
O ja. Entscheiden. Seht doch. Den Klugschwätzer.
Den Krug mir, den zerbrochenen, entscheiden.
Wer wird mir den geschiednen Krug entscheiden?
Hier wird entschieden werden, daß geschieden
Der Krug mir bleiben soll. Für so'n Schiedsurteil
Geb ich noch die geschiednen Scherben nicht.

Veit:
Wenn Sie sich Recht erstreiten kann, Sie hörts,
Ersetz ich ihn.

Frau Marthe:
Er mir den Krug ersetzen.
Wenn ich mir Recht erstreiten kann, ersetzen.
Setz Er den Krug mal hin, versuch Ers mal,
Setz Er'n mal hin auf das Gesims! Ersetzen!
Den Krug, der kein Gebein zum Stehen hat,
Zum Liegen oder Sitzen hat, ersetzen!
[Vers 417–429]

Doch Frau Marthe nimmt den Krug nur als Vorwand, um den guten Ruf ihrer Tochter Eve wieder herzustellen. Wäre Ruprecht als Täter überführt, dann könnte Frau Marthe die Zukunftspläne für ihre Tochter eher durchsetzen – nämlich sie an einen Offizier zu verheiraten. So wäre aus ihrer Sicht Gerechtigkeit erreicht.

Ruprecht:
Laß Er sie, Vater. Folg Er mir. Der Drachen!
's ist der zerbrochne Krug nicht, der sie wurmt,
Die Hochzeit ist es, die ein Loch bekommen,
Und mit Gewalt hier denkt sie sie zu flicken.
Ich aber setze noch den Fuß eins drauf:
Verflicht bin ich, wenn ich die Metze nehme.

Frau Marthe:
Der eitle Flaps! Die Hochzeit ich hier flicken!
Die Hochzeit, nicht des Flickdrahts, unzerbrochen
Nicht einen von des Kruges Scherben wert.
Und stünd die Hochzeit blankgescheuert vor mir,
Wie noch der Krug auf dem Gesimse gestern,
So faßt ich sie beim Griff jetzt mit den Händen,
Und schlüg sie gellend ihm am Kopf entzwei,
Nicht aber hier die Scherben möchte ich flicken!
Sie flicken!
[Vers 439–453]

Immer wieder zeigen Aussagen des Dorfrichters und des Gerichtsrats, dass Richter nach freiem Willen handeln konnten und Korruption nicht unüblich war.

Walter:
Es fehlt an Vorschriften, ganz recht. Vielmehr
Es sind zu viel, man wird sie sichten müssen.
[Vers 323–324]

Adam fürchtet nicht nur die Bloßstellung seiner erpresserischen Versuche Eve gegenüber, sondern auch, dass seine unerlaubten Zinsgeschäfte auffliegen könnten.

Adam:
Es ließe
Von Depositionen sich und Zinsen
Zuletzt auch eine Rede ausarbeiten:
Wer wollte solche Perioden drehn?
[Vers 148–150]

Der Gerichtsrat zweifelt die Sachlichkeit des Richterspruchs an.

Walter:
Wer also wars? Der Lebrecht oder Ruprecht?
Ihr greift, ich seh, mit Eurem Urteil ein,
Wie eine Hand in einen Sack voll Erbsen.
[Vers 1085–1087]

Kleist, Heinrich von: Der zerbrochene Krug. Stuttgart, Reclam, 1966, Vers 227–232, 417–429, 439–453, 323–324, 148–150, 1085–1087, Originalschreibweise

Bertolt Brecht – **Der kaukasische Kreidekreis**

Der Rechtsstreit um die Nutzung eines Tals nach dem Zweiten Weltkrieg stellt die Rahmenhandlung dar. Ein Sänger tritt auf und erzählt die Geschichte von der Hinrichtung des Gouverneurs Abaschwili bei einem Staatsstreich, die Frau kann jedoch entkommen, lässt den Sohn Michel aber zurück.
Eine einfache Magd nimmt sich des Kindes trotz großer Gefahren an und flüchtet mit ihm.
Aus Legitimitätsgründen heiratet die Magd, damit das Ziehkind Papiere bekommt. Nach den Wirren des Bürgerkrieges kehrt die Gouverneursfrau zurück und erhebt Anspruch auf ihren Sohn, damit ihr Erbe gesichert wäre.
Der Fall wird dem einfachen, jedoch sehr schlauen Dorfschreiber Azdak vorgetragen.

Der erste Anwalt [...] Hoher Gerichtshof! Die Bande des Blutes sind die stärksten aller Bande. Mutter und Kind, gibt es ein innigeres Verhältnis? Kann man einer Mutter ihr Kind entreißen? Hoher Gerichtshof! Sie hat es empfangen in den heiligen Ekstasen der Liebe, sie trug es in ihrem Leibe, speiste es mit ihrem Blute, gebar es mit Schmerzen. Hoher Gerichtshof! Man hat gesehen, wie selbst die rohe Tigerin beraubt ihrer Jungen, rastlos durch die Gebirge streifte, abgemagert zu einem Schatten. Die Natur selber ...
Azdak *unterbricht, zu Grusche:* Was kannst du dazu und zu allem, was der Herr Anwalt noch zu sagen hat, erwidern?
Grusche Es ist meins.
Azdak Ist das alles? Ich hoff, du kannst's beweisen. Jedenfalls rat ich dir, daß du mir sagst, warum du glaubst, ich soll dir das Kind zusprechen.
Grusche Ich hab's aufgezogen nach bestem Wissen und Gewissen, ihm immer was zum Essen gefunden. Es hat meistens ein Dach überm Kopf gehabt, und ich hab allerlei Ungemach auf mich genommen seinetwegen, mir auch Ausgaben gemacht. Ich hab nicht auf meine Bequemlichkeit geschaut. Das Kind hab ich angehalten zur Freundlichkeit gegen jedermann und von Anfang an zur Arbeit, so gut es gekonnt hat, es ist noch klein.
[...]
Azdak Klägerin und Angeklagte: Der Gerichtshof hat euren Fall angehört und hat keine Klarheit gewonnen, wer die wirkliche Mutter des Kindes ist. Ich als Richter hab die Verpflichtung, daß ich für das Kind eine Mutter aussuch. Ich werd eine Probe machen. Schauwa, nimm ein Stück Kreide. Zieh einen Kreis auf den Boden. [...] Stell das Kind hinein! [...] Klägerin und Angeklagte, stellt auch neben den Kreis, beide! [...] Faßt das Kind bei der Hand. Die richtige Mutter wird die Kraft haben, das Kind aus dem Kreis zu sich zu ziehen.

Der zweite Anwalt *schnell:* Hoher Gerichtshof, ich erhebe Einspruch, daß das Schicksal der großen Abaschwili-Güter, die an das Kind als Erben gebunden sind, von einem so zweifelhaften Zweikampf abhängen soll. Dazu kommt: Meine Mandantin verfügt nicht über die gleichen Kräfte wie diese Person, die gewohnt ist, körperliche Arbeit zu verrichten.

Azdak Sie kommt mir gut genährt vor. Zieht!
Die Gouverneursfrau zieht das Kind zu sich herüber aus dem Kreis. Grusche hat es losgelassen, sie steht entgeistert.
Der erste Anwalt *beglückwünscht die Gouverneursfrau:* Was hab ich gesagt? Blutsband!
Azdak *zu Grusche:* Was ist mit dir? Du hast nicht gezogen.
Grusche Ich hab's nicht festgehalten. *Sie läuft zu Azdak.* Euer Gnaden, ich nehm zurück, was ich gegen Sie gesagt hab, ich bitt Sie um Vergebung. Wenn ich's nur behalten könnt, bis es alle Wörter kann. Es kann erst ein paar.
Azdak Beeinfluß nicht den Gerichtshof! Ich wett, du kannst selber nur zwanzig. Gut, ich mach die Probe noch einmal daß ich's endgültig hab.

Die beiden Frauen stellen sich noch einmal auf.
Zieht!
Wieder läßt Grusche das Kind los.

Grusche *verzweifelt:* Ich hab's aufgezogen! Soll ich's zerreißen? Ich kann's nicht.
Azdak *steht auf:* Und damit hat der Gerichtshof festgestellt, wer die wahre Mutter ist. *Zu Grusche:* Nimm dein Kind und bring's weg. Ich rat dir, bleib nicht in der Stadt mit ihm. *Zur Gouverneursfrau:* Und du verschwind, bevor ich dich wegen Betrug verurteil. Die Güter fallen an die Stadt, damit ein Garten für die Kinder draus gemacht wird, sie brauchen ihn, und ich bestimm, daß er nach mir „Der Garten Azdak" heißt.

Ihr persönlicher Lernerfolg

Schätzen Sie selbst ein, was Sie jetzt wissen und können:

✓ oder ✗

		LESEN	ÜBEN
Sie erkennen epische Textsorten und wissen, welche Intention sie haben.	○	S. 216-225	S. 217-225
Sie wissen, welche Kennzeichen lyrische Texte haben, und können Reimformen zuordnen.	○	S. 226-233	S. 227-233
Sie kennen die wichtigsten Dramenformen.	○	S. 234-237	S. 234-237
Sie wissen, dass Balladen Elemente der drei literarischen Gattungen aufweisen.	○	S. 232	S. 232
Sie wissen, dass sich manche Themen der Literatur im Laufe der Jahrhunderte wiederholen und somit zeitlos sind.	○	S. 229; 235	S. 229; 233; 235–236

(16) Abraham, U. und A. Saxalber: Typen sprachlichen Handelns („Operatoren") in der standardisierten schriftlichen Reifeprüfung bzw. Reife- und Diplomprüfung (SRDP) Deutsch. Stand: Oktober 2016. Online: https://www.srdp.at/fileadmin/user_upload/downloads/Bgleitmaterial/01_US_Deutsch/KonzepteModelle/srdp_de_operatoren_20170316.pdf (18.04.2017)
(20) APA – Digitale Medien: Neue Gefahren für Kinder und Jugendliche, 29.10.2012, Online: https://derstandard.at/1350259692566/Jugend-und-Medien-Bloss-kein-Opfer-werden (20.05.2019)
(22) Schuh, Karin: Die größten Irrtümer über die Jugend von heute. In: Die Presse, 08.01.2013. Online: https://diepresse.com/home/panorama/oesterreich/1330480/Die-groessten-Irrtuemer-ueber-die-Jugend-von-heute (20.05.2019)
(24) APA: Kleine Zeitung: Bilanz spricht für Bayern – 10:6 Siege gegen Real, 16.04.2012. Online: http://www.kleinezeitung.at/sport/fussball/2996840/bilanz-spricht-fuer-bayern-10-6-siege-gegen-real.story (15.03.2013)
(30) Willms, Wilhelm: wussten sie schon. Online: http://www.hospiz-verein-bergstrasse.de/TEX_SONS.HTM (15.03.2013)
(31) Holzmüller, Maria: Körpersprache im Büro. Was Schultern und Zehen über Kollegen verraten. In: Süddeutsche, 31.10.2011. Online: https://www.sueddeutsche.de/karriere/koerpersprache-im-buero-was-schultern-und-zehen-ueber-kollegenverraten-1.1129676 (20.05.2019)
(32) Stangl, Werner: Was ist nonverbale Kommunikation? Der erste Eindruck. Online: https://arbeitsblaetter.stangl-taller.at/KOMMUNIKATION/Komm-Nonverbale1.shtml#Der erste Eindruck (20.05.2019)
(34/35) Schneider, Wolf: Die stumme Verständigung. Gestik – Mimik – optische Signale. In: Wörter machen Leute. Magie und Macht der Sprache. 21. Auflage. München, Piper Verlag GmbH, 2017
(35) Manz, Hans: Körpersprache. In: Wellenlängen.Wien, Edition Buchklub, 1989/90
(35) Gerstl, Elfriede: ich gebrauche also bin ich. In: Nachbaur, Petra, Scheichl, Sigurd Paul (Hg.): Sprachkurs. Beispiele österreichischer Wortartistik 1978 – 2000. Innsbruck, HaymonnVerlag, 2001
(36) Auszug aus: Hackl, Erich: Kurzgefasster Bericht von der Entdeckung, Erkundung und freiwilligen Preisgabe der Stadt Schleich-di. In: Hackl, Erich: In fester Umarmung. Zürich, Diogenes Verlag AG, 1996, 2003
(37/38) Aichinger, Ilse: Seegeister. In: Der Gefesselte. Erzählungen I. Frankfurt/Main, Fischer Taschenbuch Verlag, 5. Auflage, 2002
(38) Ende, Michael: Momo. Stuttgart/Wien, K. Thienemanns Verlag, 2005
(39) Mauthe, Jörg: Die Vielgeliebte. Wien, Edition Atelier 2001
(41) Knill, Marcus: Zum Statement. Online: http://www.rhetorik.ch/Auftreten/Statement.html (20.05.2019)
(47) Knill, Marcus: Zur Diskussion. Online: http://www.rhetorik.ch/Auftreten/Diskussion.html (20.05.2019)
(48) Kaschnitz, Marie-Luise: Interview. In: Kaschnitz Gedichte. Ausgewählt von Elisabeth Borchers, Frankfurt/Main, Insel Verlag, 2002
(49) Bortz, Jürgen, Döring, Nicola: Forschungsmethode und Evaluation für Human- und Sozialwissenschaftler. 4. Auflage, Springer, Heidelberg, 2009
(50) Fragetechnik. Online: https://de.wikipedia.org/wiki/Fragetechnik (20.05.2019)
(54) Duden Band 12, Zitate und Aussprüche, Mannheim, Dudenverlag, 1993
(55) Taschner, Rudolf: Die Welt, in der wir nichts mehr zu schreiben und zu lesen brauchen. In: Die Presse. 29.02.2012. Online: https://diepresse.com/home/meinung/quergeschrieben/rudolftaschner/736329/Die-Welt-in-der-wir-nichts-mehr-zu-schreiben-und-zu-lesen-brauchen? (20.05.2019)
(56) Hilpold, Stephan: Hör mal, wer da spricht. In: Der Standard/Album, 12./13.07.2003. Online: https://derstandard.at/1358420, 14.07.2003 (20.05.2019)
(58) Roesler-Graichen, Michael: Der Buchmarkt verliert vor allem jüngere Käufer. In: Börsenblatt,18.01.2018. Online: https://www.boersenblatt.net/artikelstudie_des_boersenvereins.1422566.html, gekürzt (20.05.2019)
(58) Highlights Österreich: Statistika Ebook. Online: https://de.statista.com/outlook/213/128/ebook/oesterreich (30.11.2018)
(59) E-Books verändern die Kulturtechnik Lesen. In: Börsenblatt, 04.12.2012. Online: https://www.boersenblatt.net/574908/ (20.05.2019)
(60) Aistleitner, Thomas: Interview mit Barbara Aschenbrenner. Steigerung der Lesemotivation. Online: http://www.literacy.at/index.php?id=159 vom12.09.2010 (20.05.2019)
(61) Daneshmandi, Laila: WHO: Internetsucht wird als Krankheit anerkannt. In: Kurier, 04.01.2018. Online: https://kurier.at/wissen/who-internetsucht-wird-alskrankheit anerkannt/304.828.146 (29.05.2019)
(63/64) Tolstoi, Leo: Drei Fragen. In: Die leere Trommel. Märchen und Legenden aus dem alten Russland. München: Diederichs Verlag, 2010, S. 282–287
(65/66) Wohmann, Gabriele: Schönes goldenes Haar. In: Schlaglichter. Zwei Dutzend Kurzgeschichten. Stuttgart/Leipzig, Klett Verlag, 2008
(67) Zimmermann, Tanja: Eifersucht. In: Schlaglichter. Zwei Duzend Kurzgeschichten. Stuttgart/Leipzig, Klett Verlag, 2008
(69/70) Borchert,Wolfgang: Nachts schlafen die Ratten doch.In: Das Gesamtwerk. 2. Auflage, Reinbeck bei Hamburg, Rowohlt, 2011
(71) Marti, Kurt: gedicht von gedichten. In: Namenszug mit Mond. Gedichte. Zürich, Nagel & Kimche, 1996
(71) Köhlmeier, Michael: Der große Regen. In: Der Liebhaber bald nach dem Frühstück. Gedichte. München,Carl Hanser Verlag, 2012
(71) Kirsch, Sarah: Regenzeit. In: Sämtliche Gedichte. München, Deutsche Verlags-Anstalt, 2005
(75) Fried, Erich: Logos. In: Gesammelte Werke, Gedichte 1.Berlin, Wagenbach, o.J.
(76/77) Bichsel, Peter: Ein Tisch ist ein Tisch. In: Kindergeschichten. Frankfurt am Main, Suhrkamp Taschenbuch 2642, 1997
(78) Rilke, Rainer Maria: Ich fürchte mich so vor der Menschen Wort. In: Ausgewählte Gedichte. Bindlach, Gondrom, 2005
(78) Enzensberger, Hans Magnus: LeisereTöne. In: Gedicht 1950 – 2000, Frankfurt/Main, Suhrkamp Verlag, 2006
(80/81) Lode, Silke: Frauensprache, Männersprache. „War doch nur ein Vorschlag,kein Auftrag!" In: Die Süddeutsche Zeitung. 17.05.2010.Online: https://www.sueddeutsche.de/karriere/frauensprache-maennersprache-war-doch-nur-ein-vorschlag-kein-auftrag-1.494644 (20.05.2019)
(82) Brenner, Julia: Männersprache/Frauensprache. Geschlechtsspezifische Kommunikation. Studienarbeit. München, GRIN-Verlag für akademische Texte, 2003
(83) Sonnenmoser, Marion: Männliche Sprachform führt zu geringerem gedanklichen Einbezug von Frauen. In: Psychologie Heute, Februar 2002. Online: http://frauensprache.com/geringer_einbezug.htm (20.05.2019)
(84) Jargon. Online: https://de.wikipedia.org/wiki/Jargon (20.05.2019)
(85) Schafferhofer, Julia: Verstehe einer die Jugend! In: Kleine Zeitung, 25.08.2012. Online: http://www.kleinezeitung.at/nachrichten/chronik/3101122/verstehe-jugend.story (14.05.2013)
(86) luh: Sprechen Sie Jugendsprache? In: Der Standard, 05.01.2017.Online: https://derstandard.at/2000048613299/Sprechen-Sie-Jugendsprache (20.05.2019)
(86/87) Griesser, Doris: Studie: So spricht Österreichs Jugend. In: Der Standard, 19.11.2014. Online: https://derstandard.at/2000008324167/Studie-zur-Jugendsprache-in-Oesterreich (20.05.2019)
(88) Statistiken zu Instant Messaging. Online: https://de.statista.com/themen/1973/instant-messenger/(31.01.2018)
(88) sum: Whatsapp wird von 64 Prozent der Bevölkerung genutzt. In: Der Standard, 27.06.2017. Online: https://derstandard.at/2000059878704/Whatsapp-wird-von-64-Prozent-der-Bevoelkerung-genutzt (20.05.2019)
(89) Red: Junge texten lieber mit WhatsApp statt zu telefonieren. In: Der Standard,31.10.2017. Online: https://derstandard.at/2000066980196/Junge-texten-lieber-mit-WhatsApp-statt-zu-telefonieren (20.05.2019)
(90) Blog: Online: http://de.wikipedia.org/wiki/Blog (20.05.2019)
(91) Goethe, Johann Wolfgang von: Faust. Der Tragödie erster Teil. Stuttgart, Reclam, 1984
(92) Auer, Katrin: „Political Correctness" – ideologischer Code, Feindbild und Stigmawort der Rechten. In: Österreichischer Zeitschrift für Politikwissenschaft 3 (ÖZP) 31,2002
(93) Simon, Anne-Catherine: Die Angst der Großen vor dem Kinderbuch. In: Die Presse, 15.01.2013. Online: https://diepresse.com/home/bildung/erziehung/1333057/Die-Angst-der Grossen-vor-dem-Kinderbuch (20.05.2019)
(94) Sprachgebrauch in Österreich: Online: https://de.wikipedia.org/wiki/Sprachgebrauch_in_%C3%96sterreich (20.05.2019)
(94) Artmann,H. C.: en fedabinäu. In: The best of H. C. Artmann. Frankfurt/Main, Suhrkamp Verlag, 1975
(95) Busch, Wilhelm/Eckl, Helmut: No net ganz da Anfang. In: Thalmayr, Andreas: Das Wasserzeichen der Poesie. Nördlingen, Franz Greno, 1985
(101) Brunner, Ilse, Häcker, Thomas, Winter, Felix (Hrg): Das Handbuch der Portfolioarbeit. Konzepte, Anregungen, Erfahrungen aus Schule und Lehrerausbildung. 3. Auflage, Seelze-Velber, Klett-Kallmeyer Verlag, 2009
(108/109) Der dritte Mann. Online: https://de.wikipedia.org/wiki/Der_dritte_Mann (20.05.2019)
(110) Glavinic, Thomas: Der Kameramörder. 9. Auflage, München, dtv-Taschenbuch, 2011, Klappentext (innen)
(115) Schwarz, Christoph: Wer erzieht noch unsere Kinder? In: Die Presse, 16.02.2013.Online: https://diepresse.com/home/bildung/schule/pflichtschulen/1345636/Wer-erziehtnoch-unsere-Kinder (20.05.2019)
(121) Fix, Martin. Texte schreiben. Schreibprozesse im Deutschunterricht. 2. Auflage, Paderborn, Schöningh, 2008
(121) Merz-Grötsch, Jasmin: Texte schreiben lernen. Grundlagen, Methoden, Unterrichtsvorschläge. In: Baumann, Jürgen (Hg.): Praxis Deutsch. Seelze, Kallmeyer in Verbindung mit Klett/Friedrich Verlag GmbH, 2010
(121) Bräuer, Gerd: Schreiben als reflexive Praxis, Tagebuch, Arbeitsjournal, Portfolio. © Ernst Klett Sprachen GmbH, Stuttgart 2012, 2. Auflage, Freiburg im Breisgau, Fillibach Verlag2003
(122) Walser, Robert: Das Alphabet. In: Krusche, Dietrich (Hrg.): Aufschluss. Kurze deutsche Prosa im Unterricht Deutsch als Fremdsprache. Bonn, Inter Nationes, 1992
(123) Fried, Erich: Birnenliebe. In: Als ich mich nach dir verzehrte. Gedichte von der Liebe. Berlin, Verlag KlausWagenbach, 1990
(124) Mörike, Eduard: Er ist's. Online: https://gutenberg.spiegel.de/buch/5525/26 (20.05.2019)
(124) Goethe, Johann Wolfgang von: Die Frösche. Online: http://www.autorengedichte.de/goethe/die-froesche.htm (14.03.2013)
(125) Banküberfall für einen Dollar und Arztbesuch. In: Heute, 21.06.2011. Online: http://www.heute.at/unterhaltung/kurioses/Bankueberfall-fuer-einen-Dollar-und-Arzttermin;art752,571971 (29.03.2013)
(126) Alte Märchen der Brüder Grimm: Der goldene Schlüssel. In: Gut fünfzig Märchen. Ausgewählt und farbig bemalt von Helga Gebert. Nachwort von Hans-Joachim Gelberg.Weinheim/Basel, Beltz/Gelberg 1993

(127) „San Salvador", aus: Peter Bichsel, Eigentlich möchte Frau Blum den Milchmann kennenlernen. 21 Geschichten. © Suhrkamp Verlag Frankfurt am Main 1993.
(129) Schnitzler, Arthur: Leutnant Gustl und andere Meistererzählungen. München, Langen Müller, 2002
(138/139) Borchert, Wolfgang: Die Küchenuhr. In: Das Gesamtwerk. 2. Auflage, Reinbeck bei Hamburg, Rowohlt, 2011
(140) Hackl, Erich: Abschied von Sidonie. Zürich, Diogenes 1991
(140) Der Funker und das Paradies. In: Wolff, Steffi von (Hg.): Liebe macht doof. Frankfurt/Main, Fischer Taschenbuch, 2011
(144/145) Jens, Walter: Bericht über Hattington. In: Herr Meister. Dialog über einen Roman. München/Zürich, Piper 1963
(148) Aichinger, Ilse: Das Fenstertheater. In: Der Gefesselte. Erzählungen I. Frankfurt/Main, FischerTaschenbuchVerlag 1996
(151) Kunze, Reiner: Fünfzehn. Aus: R. K.: Die wunderbaren Jahre. Fischer Verlag, Frankfurt a. M. 30. Auflage 2003
(155) Becker, Lisa: Zukunftsfähige Jugend. In: Frankfurter Allgemeine, 15.11.2015. Online: https://www.faz.net/aktuell/wirtschaft/wirtschaftspolitik/kommentar-zukunftsfaehige-jugend 13911215.html (20.05.2019)
(160) APA: Schuluniformen in Österreich kein Thema. In: Der Standard, 23.07.2010. Online: https://derstandard.at/1277338778571/Schuluniformenin-Oesterreich-kein-Thema (20.05.2019)
(161) Weiss, Alexia: Schuluniform: Jenseits von in und out. In: Die Presse, 30.11.2008, Online: https://diepresse.com/home/bildung/schule/434035/Schuluniform_Jenseits-von-in-und-out (20.05.2019)
(163) Hausschild, Jana: Medienkonsum. Wie viel iPhone ein Kind verträgt. In: SPIEGEL ONLINE, 02.10.2012. Online: https://www.spiegel.de/gesundheit/psychologie/medienkonsum-von-kindern-us-psychologe-warnt-vor-demiphone-syndrom-a-859029.html (20.05.2018)
(165) Caritas Österreich: Schulterschluss der Hilfe. 03.08.2011. Online: http://www.caritas.at/aktuell/news/news/raw/artikel/4425/89/,03.08.2011 (07.03.2013)
(170) Sagmeister, Guenther: Ganz Österreich hat ein Hooligan-Problem. In: Kleine Zeitung, 22.05.2011. Online: http://www.kleinezeitung.at/sport/fussball/2748943/ganz-oesterreich-hat-ein-hooligan-problem.story (23.03.2013)
(171/172) Toeche-Mittler, Hans-Georg: Kinder auf Kakao-Plantagen: Süßes aus der Hölle. In: Die Presse, 23.04.2011. Online:https://diepresse.com/home/panorama/welt/652884/Kinder-auf-Kakao-Plantagen_Suesses-aus-der-Hoelle (20.05.2019)
(173) Halbhuber, Axel; Pawlik, Konstanze: Schule als Ort der Gewalt. In: Kurier, 26.08.2015. Online: https://kurier.at/leben/jeder-zweiteschueler-von-mobbing-betroffen/149.117.119 (20.05.2019)
(175/176) Tellmann, Udo: Handbuch Sprachförderung im Fach. Varus, 2010. Online: https://www.wirtschaftsdeutsch.de/lehrmaterialien/redemittel-diagramm.pdf (20.05.2019)
(177) Shell-Studie 2010: Wertorientierungen. Online: http://s07.static-shell.com/content/dam/shell/static/deu/downloads/youth-study-2010politics.pdf (07.03.2013)
(177) Shell-Jugendstudie 2010: Interesse an Politik: Online: http://s04.static-shell.com/content/dam/shell/static/deu/downloads/youthstudy-2010values.pdf (07.03.2013)
(182) Stangl, Werner: Lerntechnik, Mitschrift und Notizen in Vorlesungen, Seminaren und Übungen. Online: http://arbeitsblaetter.stangl-taller.at/LERNTECHNIK/Mitschrift.shtml (20.11.2018)
(187) Zirm, Jakob: Investitionen müssen nicht im Landraub enden. In: Die Presse, 19.08.2011, Online: https://diepresse.com/home/meinung/kommentare/leitartikel/686885/Investitionen-muessen-nicht-im-Landraub-enden (20.05.2019)
(188) Laczynski, Michael:OECD sieht Landwirtschaft alsAusweg aus der Armutsfalle. In: Die Presse, 19.08.2011. Online: https://diepresse.com/home/politik/aussenpolitik/686875/OECD sieht-Landwirschaft-als-Ausweg-aus-der-Armutsfalle (20.05.2019)
(188) Wettkampf um Afrikas Böden: Landkauf ist nicht gleich Landkauf. In: Die Presse, 19.08.2011. Online: https://diepresse.com/home/politik/aussenpolitik/686872/Wettkampf-um-Afrikas-Boeden_Landkauf-ist-nicht-gleich-Landkauf?direct=686887&_vl_backlink=/home/politik/aussenpolitik/686887/index.do&selChannel (20.05.2019)
(191) Kuchta, Thorsten: Behördenbriefe. Aus für Amtsdeutsch und Fachchinesisch. NWZonline vom23.12.2009. Online: https:// www.nwzonline.de/oldenburg/politik/aus-fuer amtsdeutsch-und-fachchinesisch_a_1,0,3209594337.html (20.05.2019)
(199) Postman, Neil: Wir amüsieren uns zu Tode. Urteilsbildung im Zeitalter der Unterhaltungsindustrie. (c) Frankfurt am Main: S. Fischer, 2008
(200) Reibenwein, Michaela: Marktamt: Jagd auf Schweine-Döner. In: Kurier, 18.02.2013. Online: https://kurier.at/chronik/oesterreich/marktamt-macht-jagd-auf-schweine-doener/3.636.460 (20.05.2019)
(200) O.V.: Schiefe Optik? Kärntner Pferdewürstel gehen an Obdachlose. In: Heute, 27.02.2013. Online: http://www.heute.at/kurioses/art23706,855233 (30.03.2013)
(201) O.V.: Gegenseitige Schuldzuweisungen in europaweitem Lebensmittelskandal. In: Wiener Zeitung, 10.02.2013. Online: http://www.wienerzeitung.at/nachrichten/europa/europachronik/523355_Schlammschlacht-ums-Pferdefleisch.html (30.03.2013)
(201) APA: Pferdefleisch: Kärntner Wurstfleisch enthielt 100 Prozent Pferde-DNA. In: Der Standard, 26.02.2013. Online: https://derstandard.at/1361241167788/Pferdefleisch-Mehrals 100-Proben-aus-steirischer-Firma-negativ (20.05.2019)
(201) Das Lügen-Biotop. Wie Fake News entstehen und warum sie eine Gefahr darstellen. Online: https://www.heise.de/ct/ausgabe/2017-16-Wie-Fake-News-entstehen-und-warum-sie eine-Gefahr-darstellen-3775058.html (20.05.2019)
(202/203) APA: Studie: Jugendliche verunsichert durch Fake News. Online: https://www.ots.at/presseaussendung/OTS_20170130_OTS0066/studiejugendliche-verunsichert-durch-fake-news-anhaenge (20.05.2019)
(203) Österreichischer Presserat. Grundsätze für die publizistische Arbeit (Ehrenkodex für die österreichische Presse), aktuelle Fassung (Stand 07.03.2019). Online: https://www.presserat.at/show_content.php?hid=2 (20.05.2019)
(204) Stangl, Werner: Medien: Fernsehen und Gewalt. Online: https://arbeitsblaetter.stangl-taller.at/MEDIEN/FernsehenGewalt.shtml (20.05.2019)
(205) Stangl, Werner: Medien: Fernsehen und Gewalt. Online: https://arbeitsblaetter.stangl-taller.at/MEDIEN/FernsehenGewalt.shtml (20.05.2019)
(206) Medienforschung des ORF: Austrian Internet Monitor: Basisstudie zur Internetnutzung in Österreich: Struktur Internet-User, 1. Quartal 2017. Online: http://medienforschung.orf.at/medienforschung/online/aim/index.html (06.02.2018)
(206) Statistiken zur Internetnutzung weltweit. Online: https://de.statista.com/themen/42/internet/ (06.02.2018)
(207) Internet-Nutzung nach Zielgruppen. Online: http://www.integral.co.at/downloads/Internet/2017/01/AIM-C_-_Q4_2016.pdf (30.11.2018)
(207) Meilenstein 2017: Hälfte der Weltbevölkerung online (26.01.2017):Online: https://politik-digital.de/news/meilenstein-2017-haelfte-der-welstbevoelkerung-online-2-151132/ (20.05.2019)
(209) Wikipedia:Netiquette: https://de.wikipedia.org/wiki/Netiquette (20.05.2019)
(211) www.duden.de (27.03.2013)
(211) Schulz, Jürgen: Werbung. In: Gabler Wirtschaftslexikon. Online: https://wirtschaftslexikon.gabler.de/Definition/werbung.html (20.05.2019)
(211) Manz, Hans: Wer verdient, kauft. In: Verkauft! Werbung und Literatur. Buchklub CROSSOVER, Band 2. Wien, Österreichischer Buchklub der Jugend, 2006
(212/213) Steinbauer, Eva: Das Internet beschäftigt die Werbebranche immer mehr. „Jedes Medium hat seine Stärken". Wiener Zeitung, 18.09.2004. Online:http://www.wienerzeitung.at/themen_channel/wz_digital/digital_news/305219_Jedes-Medium-hat-seine-St%20undaumlrken.html (04.12.2018)
(217) Homer: Odyssee. Stuttgart, Reclam, 2000
(221) Artmann, H. C.: Keine Menschenfresser bitte. In: Was sich im Fernen abspielt. Salzburg, Residenz Verlag, 1995
(222) Fontaine, Jean de la: Der Löwe und die Maus. Online: http://www.hekaya.de/txt.hx/der-loewe-und-die-maus--fabel--fabeln_antike_3 (04.12.2018)
(222) Schwitters, Kurt: Die Fabel vom guten Menschen. In: Das literarische Werk, Band 3. Schauberg/Köln, DuMont, 1975
(224) Albert Einstein. Online: http://www.anekdoten-online.de/ (22.05.2019)
(224) Altenberg, Peter: Prosaskizzen. At home. In: Wie ich es sehe. Berlin, 1896. Online: http://agerlibrorum.tripod.com/agerlibrorum/id11.html (20.05.2019)
(225) Pohl, Roland: Brock aus. In: Der Standard, 17.06.2013. Online: https://derstandard.at/1371169768897/Brock-aus?_lexikaGroup=1 (20.05.2019)
(227) Hoddis, Jakob van: Weltende. In: Neis, Edgar: Impressionismus und Expressionismus in deutscher Literatur. Epochen deutscher Literatur. Hollfeld, C. Bange Verlag, 1983
(227) Gerhardt, Paul: Abendlied. Online: https://www.projekt-gutenberg.org/gerhardt/gedichte/chap017.html (19.06.2020)
(227) Novalis: Aus den „Geistlichen Liedern". In: Lindken, Hans-Ulrich: Die deutsche Frühromantik. Epochen deutscher Literatur. Hollfeld, C. Bange Verlag, 1995
(227) Gernhardt, Robert: Das Buch. In:Gesammelte Gedichte 1954 – 2006. FrankfurtamMain©S.FischerVerlagGmbH,2008
(227) Selkirk, Alexander: Robinson. In: Treffpunkte 7. Hannover, Schroedel, 1992
(229) Schreibe-Wicke, Edith: Sommer. In: Falschlehner, Gerhard: Vom Abenteuer des Lesens. Salzburg,Residenz Verlag, 1997
(230) Gryphius, Andreas: Menschliche Elende. In: Jentzsch, Peter(Hg.): Gedichte des Barock. Arbeitstexte für den Unterricht. Stuttgart, Reclam, 1993
(231) Marti, Kurt: Leichenrede. In: Weber, Hans: Vorschläge 1. Literarische Texte für den Unterricht Deutsch als Fremdsprache. Bonn, InterNationes, 1990
(231) Neruda, Pablo: Hungrig bin ich, will deinen Mund. Liebessonette. München, Luchterhand, 2001
(232) Hebbel, Friedrich: Der Heideknabe. In: Hoof, HansJoachim (Hg.): Deutsche Balladen. Von Matthias Claudius bis Georg Trakl. München, Zürich, Piper, 2004
(233) Goethe, Johann Wolfgang von: Der Erlkönig. In: Hoof, Hans Joachim (Hg.): Deutsche Balladen. Von Matthias Claudius bis Georg Trakl. München, Zürich, Piper 2004
(233) Rammstein: Dalai Lama. Online: https://www.elyrics.net/read/r/rammstein-lyrics/dalai-lama-lyrics.html (20.05.2019)
(236) Kleist, Heinrich von: Der zerbrochene Krug. Stuttgart, Reclam, 1966, Vers 227 – 232, 417 – 429, 439 – 453, 323 – 324, 148 –150, 1085 – 1087
(237) Bertolt Brecht, Der kaukasische Kreidekreis, in: ders., Werke. Großekommentierte Berliner und Frankfurter Ausgabe, Band 8: Stücke 8. © Bertolt-Brecht-Erben / Suhrkamp Verlag 1992.

Seite 149, Formblatt zur Textanalyse:

LESEN	▪ Markieren auffälliger Wörter und Textstellen ▪ Notizen über erste Eindrücke, Gedanken und Fragen	
ECKDATEN	**Quellenangabe:** ▪ Autorin/Autor ▪ Titel ▪ Textsorte (Roman, Kurzgeschichte, Gedicht, Drama, Erzählung, Fabel etc.) **Thema**	
DIE DARGESTELLTE WELT	**Figuren:** ▪ Haupt- und Nebenfiguren, ihre Stellung zueinander, ihr Umgang miteinander, lyrisches Ich/Personen etc. ▪ soziales Milieu der handelnden Personen ▪ Handlungsmotive der Personen	
	Ort: ▪ Schauplatz/Schauplätze ▪ symbolische Bedeutung der Orte	
	Zeit: ▪ Zeit der Handlung ▪ Funktion der Zeit (historisch, symbolisch etc.)	
	Handlung: ▪ ein Erzählstrang oder mehrere Erzählstränge	
AUFBAU UND GLIEDERUNG	**Aufbau:** ▪ Abschnitte (z. B. Einleitung, Beginn der Handlung, Höhepunkt, Schluss) ▪ Verse/Strophen ▪ Akte	
	Handlungsstruktur: ▪ Rückblenden, Vorausschauen ▪ geschlossene oder offene Handlung	
DIE SPRACHE	**Sprache und Stil:** ▪ einfach, anspruchsvoll, antiquiert, Umgangssprache etc.	
	Wortebene: ▪ Mit welchen Wörtern arbeitet die Autorin/der Autor?	
	Satzebene: ▪ Haupt- und Gliedsätze, Art der Satzverknüpfung	
	Stilfiguren: ▪ rhetorische Stilmittel	
	Sprachliche Darstellung: ▪ epische, lyrische, dramatische Darstellung, Monologe, Dialoge	
SPEZIFISCHE MERKMALE DER GATTUNG / TEXTSORTE	**Erzählform:** ▪ Ich-Erzähler, Er-/Sie-Erzähler	
	Erzählperspektive: ▪ auktorial, personal, neutral	
	Zeitgestaltung: ▪ Erzählzeit – erzählte Zeit	